文獻與詮釋研究論叢 4

經學的多元脈絡
——文獻、動機、義理、社群

勞悅強
梁秉賦　主編

臺灣 學生書局 印行

序 論

勞悅強、梁秉賦

距今七十年以前，周予同曾倡言經學的發展已來到了一個歷史的岔口。他認為，「現階段的經學研究」已不能再如從前那樣，「偏信某一學派的主張」。因此呼籲，有志於研究經學的人，應該轉而專注於四個方面的探研。那就是：「要先懂得『經』是什麼」、「要懂得什麼叫做『經學』」、「要懂得經學上有些什麼『派別』」、「要追究這些經學學派為什麼會發生」。周予同認為，這幾個方面的研究其實可以「綜合」為一個基本的方向，即「經學史的研究」。[1]

周氏的言論應該不僅是他的一己之見，而毋寧是當時的一種普遍的認同。我們看到，十九、二十世紀之交至 1930 年代的三、四十年之間，有關經學歷史之研究的中、日文論著成群湧現。然而，如此蓬勃的氣象只是曇花一現的美景。誠如林慶彰所指出，1940 年代以來的整整半個世紀之間，連「一本首尾完整的經學史著作」也不見出版。林氏認為，「五十年來的經學研究之所以一蹶不振」，有四個主要的原因。首先，以上前人的著作雖然數量豐盛，但其內容卻無法啟迪後學。因為這些著作雖以書寫經學歷史為名，但大多缺乏「史的觀點」，僅流於資料的羅列排比，並且「幾乎嗅不出經學思想演變的痕

---

[1] 周予同：〈怎樣研究經學〉，收入於朱維錚編：《周予同經學史論著選集（增訂本）》（上海：上海人民出版社，1983 年），頁 628。

跡」。其次，由於現代學術分科的領域眾多，因此，對於傳統經學的內涵，學者「兼顧不易」，也難於「作統合的研究」。此外，舊有的經學資料也缺乏「統一的整理」，例如「標點整理的工作」。最後，經學由於是中國「特有的學問」，因而沒有西洋學科的「研究方法作爲借鏡」，以及「現成的理論可取資」。在「缺乏新方法的刺激」下，遂致經學史的論述「皆陳陳相因」。[2]

　　林教授的解釋言之成理，但也許我們還可以補充一個根本的原因。必須指出，「經學史的研究」的提倡本身其實正透露了時代學風的轉變。自古以來，經學之研究之最終依歸乃在經世致用，修己治人，知識的探求實屬其次。從現代學術史的觀點看，皮錫瑞（1850-1908）1907 年完成的名著《經學歷史》一方面總結了二十世紀以前經學歷史的研究，[3]而同時又為中國現代經學研究揭開了序幕。儘管此書仍然不脫今文經學的門戶之見，但與皮氏同時人康有爲（1858-1927）借今文經學鼓吹政治變法，大異其趣。《經學歷史》的宗旨並不在於經國濟世，而毋寧在於所謂純學術研究。在這意義下，此書不啻為經學史的現代研究奠立了一個典範。周予同的呼籲其實正在鼓勵學者在皮錫瑞的學術成績之上，超越門戶，而從事更符合現代學術要求的客觀研究。要實事求是，負責任的學者很自然就會

---

[2]　林慶彰：〈經學史研究的基本認識〉，收入於氏編：《中國經學史論文選集上冊》（臺北：文史哲出版社，1992 年），頁 1-2。

[3]　《經學歷史》一書，根據皮名舉〈皮鹿門先生傳略〉之記載，乃於光緒三十三年（1907）由湖南思賢書局刊印出版。見皮錫瑞著、周予同註釋：《經學歷史》（北京：中華書局，1981 年），頁 353。

儘量避免籠統而虛泛的宏觀敘述，因此，專精深入的片斷研究似乎是順理成章的結果。

周予同研究經學歷史的呼籲，可謂是一個站在世代交替的歷史關口上的學人，出於整理與總結舊時代的學術之用心而發的訴求。如果他的想法可以說是當時的一種共識，我們不禁要問：儘管他們那一代的學人用功甚勤，但何以成果卻乏善可陳？林慶彰認為經學史的研究不似哲學史和文學史，「有西洋哲學史和文學史的研究方法」可資「借鏡」，因此學人縱使不至於無從下手，但由於需要從零的起點開始摸索，草創實在不易。這有一定的道理。此外，經學的內容「包含太廣」，涵蓋倫理、歷史、政治、社會、語言文字學以及文學的範疇。因為牽連太廣，綜貫不易，在現代學術講求精密的專業分工的今天，學者難免為之卻步，經學史的研究是以停滯不前。這當然也是事實。不過，若從因果關係來分析，這些觀察也許並不應該用來解釋經學研究長期以來沒法取得長足進展的「因」，因為這些問題本身很可能是由更深刻的因素所造成的「果」。

我們都清楚，清末民初以來，中國整體的傳統知識結構和學術系統，無論是在內容或形式上，都漸次地被容攝入以西方近、現代學術分科為框架的新學體系之中。經學的內容之所以會讓人有涵蓋面太廣的感嘆，其根本實源於這一歷史變局。因為正是這一改變才使得作為中國傳統學術之中堅的經學，其固有的內容被分解、歸併入諸門現代學科之中去的。[4]此外，自新

---

[4] 左玉河即指出，在清末張之洞嘗試以「中學為體、西學為用」的構想，將中國固有的學術門類（如經學、史學、諸子學和詞章學）與從西方引進的學術門類並陳互列。張氏這套新學模式雖然仍「將中國學術最重要之經學

學術體系確立以來，至少到最近為止，在高等院校學府之中似從未有獨立的一門學科以「經學」為名。由此看來，把經學研究建立成為一種專業的學科的努力，尚未在大學教育規制中得到具體的反映。經學在現代學術體系之中未能獨立成為一門學科，間接導致學者難以對經學進行自成一體的綜貫研究，因此才需要轉而謀求把它散寄在其他諸門學科之中的內容，匯通一起，而「作統合的研究」。

由此可見，轉舊折新以來的一百年間，「經學」這一門學問其實始終不曾擁有一個有利於讓其健全成長的學術空間。除了知識結構與學術分科的改變這一大背景之不利因素外，在經學原來生存的舊壤大陸，政治氣候的劇變更使這一門傳統學問的延續及發展雪上加霜。有幾十年的時光，經學曾被定位為所謂「封建專制皇朝」的「意識形態」之表徵，遂使這一門學問的研究成為大陸學人不願也不敢涉足的禁區。因此，經學的式微，實是由內緣的結構性矛盾與外在大環境的高壓緊縮等不利因素，交相並夾而有以致之的。

明乎此，我們再反省近五十年來經學歷史的撰述為何成績如此薄弱的疑問，當能有更通盤的理解。因為經學歷史的書

置於最高地位」，但它「實際上是按照西方近代分科設學原則及近代學科體系和知識系統配置中西學術」，也就是說「中學（其實）是納入了西學體系」之中。到了民初，蔡元培更以近代學科的觀念來詮釋中國傳統的四部之學，他所進行的實是「按照西方近代知識分類系統來統分中國傳統知識之嘗試」。對於經學，蔡元培的具體看法是：「《書》為歷史學，《春秋》為政治學，《禮》為倫理學，《樂》為美術學，《詩》亦美術學……，《易》如今之純正哲學」。這便是造成傳統經學固有的體系被割裂以至支離破碎的由來。見左玉河《從四部之學到七科之學──學術分科與近代中國知識系統之創建》（上海：上海書店出版社，2004 年），頁 282-329。

寫，本質上就是一種宏觀的分析。所謂宏觀即是一種俯覽、鳥瞰，而要有這樣的視野，是需要站在一定的高度上方可達致的。林慶彰所講的「史的觀點」大概也可以從這個意義去理解。高度乃由深廣的積澱而來。換句話說，宏觀的研究，是奠立在具體、細緻的微觀研究之基礎上的。而且，後者還必須是在符合質與量兼備的條件以後，才足以把前者支撐起來。然而，我們看到的是，自從現代學術體系取代舊學以後，經學研究連獨立生存的土壤尚且缺乏，更遑論發展的空間。所以，奠定根基的微觀研究自然難以開展，甚至可說是付之闕如。在微觀的基礎研究尚未具備的二十世紀初年，經學研究者要從哪裡提煉出「史的觀點」，又怎麼可能把握住「經學思想演變的痕跡」呢？晚近五十年的情況雖稍有改善，特別在大陸以外氣氛相對平靜的地區（尤其是日本與臺灣），經學的承傳得以為繼，但總體而言，微觀研究的積累也許還未稱充厚。這可能即是「一本首尾完整的經學史著作」，始終尚未出現的一個關鍵原因。畢竟以一隅、一地的人才與物力來面對着兩千年經學傳統的積累，終究有消化上的局限。

所幸近年以來，經學研究在大陸上的嚴冬已經過去。我們得以期待，在經學研究的整體領域上，多面相與多層次的微觀研究將迎來一個蓬勃發展的歷史時期。從小處着手的微觀研究就有如涓涓之水，孤立來看似微不足道，但匯流則成大川。經年以後，這些積澱性的基礎研究有了足夠的厚實度，我們必然能水到渠成，從中總結出經學思想長期以來的演變趨勢，寫出前賢所期盼的一部具有高屋建瓴的歷史視野的經學史。

毫無疑問，現階段的經學研究，微觀的研究仍是重要的工作。所謂微觀研究，可以說是具體而微的專精探討，其焦點則可以一本經書、一位經師、一個經學流派，或者某一時期的經學思潮。本書所收的十篇經學研究的論文，以經書而言，有對《詩》、《禮》、《大學》、《論語》和讖緯的研究；以個別經師而論，涉及對孔穎達、胡培翬、劉寶楠、宋翔鳳和理雅各（James Legge）的研究；以經學流派來說，包括對宗主漢學、宋學，以及調和考據與辭章之學等學術群體的研究；以經學思潮來看，又分別有對康熙至乾隆初年、乾隆與嘉慶年間，以及清末民初時期的思想趨向之研究。這十篇論文，雖然考察的對象有別、切入的視角互異，卻都是對經學上某一個課題的微觀研究。

本書的論文有一個共同之處，就是它們都屬於第二序的研究。換言之，作者所分析的基本上都是歷代經生學者對經書的研究，而非對經書本身的研究。反觀十篇論文所討論的有關經生學者本人的著作，卻無一不是對經典本身的研求。在此對照的意義下，本書的論文可謂反映了二十一世紀學者對古代經學研究的特點。當然，這種研究特點早在上一個世紀已經充分呈現出來了。傳統對經典本身的研究往往以注疏的形式表達，研究者的視野和觀照基本上是宏觀全面而又縱貫一體的。相反，本書的論文僅僅專注於特定經書中的某一個面相或特點，探微索隱，旨在分析，而十篇論文又各自獨立，互不相關。

儘管如此，本書的論文在各自成篇的同時，竟然也不謀而合地在第二序的層次上，展現了由經學而衍生的學術思想文

化。讀者可以看到，在傳統社會中，經學既是一門學術，也是經世致用的準備、承傳道統的載體，還是進身仕途的敲門磚。因此，經生研究儒家典籍，其出發點實際上是包含着知性的探究、道德的訴求、甚或實利的追逐等諸多層面的。學理的鑽研，在本質上是一種價值中立的理性思考；義理的傳揚，則基本上是一種本於信仰的價值判斷。這許多層面，似應各有畛域而互不相涉；但在經學研究的傳統中，它們之間的界限卻又經常若離若即，迭有交叉。如此種種的經學文化，在以往的經學史研究中，似乎並未受到充分注意，而本書的論文則從唐代的《五經正義》而下，直至清末民初學者的讖緯研究，分別從不同層次、不同側面、不同角度，以不同方法，探索經學文化的不同問題。儘管作者在構思撰寫的過程之前，並無共同的既定目標，但十篇論文的研究成果，實在可以幫助我們藉多元的考察和觀照，進一步了解經學以及經學文化這一個整體。

以下我們嘗試將本書十篇論文的問題意識鈎匯貫串，提綱挈領，略加梳理，藉以說明本書編集的意旨。

整齊經義、統一經說，經常被用來解釋為唐代朝廷欽命儒生編撰《五經正義》的原因。然而，鄧國光從對孔穎達的研究中，看出這其實只是李唐皇室之「藉口」而已。鄧氏的論文〈孔穎達《五經正義》「體用」義研究──經學義理營構的思想史考察〉，揭示孔穎達梳理經說時，「考察其事，必以仲尼為宗」，而這一點於其「體用義」上尤其顯著。作者指出，這一整套孔氏貫通於《五經正義》的體用義，其目的乃是以「投向現實生活的入世情懷，抗衡出世的佛家教義」，通過確立

「有」之理，以抗衡佛家的「空理」。《五經正義》中的義理學，實應視為孔氏對「經義內部全方位的義駁」。這「精心營構」的工程，乃是唐代「儒家對佛學的一次高層位的思想反應」，或「文化上的較量」。由此可知，孔穎達在《五經正義》中所營建的「因用見體」的義理體系，實乃出於「刻意與佛理相抗」的理念而來。

龔道運的論文則讓我們看到理雅各與孔穎達有異曲同工之妙。龔氏的論文〈理雅各（James Legge, 1815-97）英譯《大學》析論〉，分析這位譯釋多部中國儒家經典的來華傳教士，為何在英譯《大學》的過程中，刻意擷取某註釋家之說而捨棄別一家的說法。例如，關於《大學》教育之目的，鄭玄與孔穎達皆視《大學》為君主之政治手冊，而朱熹則視之為個人修身和整齊社會之指導讀本，「其為用不止於君主，而廣及於一切人」。在這一點上，理雅各捨棄朱熹而附和鄭、孔之說。表面上，他之所以不贊同朱熹關於《大學》教育目的之主張，關鍵乃在其據古本《大學》之「親民」為說。也就是說，理雅各認同孔穎達據古本闡明《大學》旨在教訓君主彰明其德行而親愛於民之意，因此非議朱熹之改「親」為「新」。不過，龔道運認為，此中也許還有更深刻之原因。新民說實關涉朱熹修養論的整個體系，朱子謂新民為一切人之修養功夫，強調新民之「新」為「自新」，這就意味着「人之去其舊染之污乃藉其本身之力為之」。這樣的說法因此就和耶教謂人有原罪，必藉上帝和耶穌救贖之旨扞挌相違了。龔氏認為，此或即為理雅各寧取親民說，而不取新民說之原因。因此，龔道運的研究讓我們看到理雅各對儒家經義的詮釋，亦非全然本於客觀的學理評

斷，而實深受其原本之信仰訴求的影響，竟致要調適經義，以求其能吻合耶穌教旨。

梁秉賦的論文也在這一方面作出探討，〈清末民初學人的讖緯觀——1890-1930〉探討經師學人對「讖緯」這一類與經學相關的文獻在觀念認知上的差異。他發現，讖緯這一看似概念甚爲清楚的名詞，其實在歷代經生的詮釋中是頗有歧義的。比如，「讖」和「緯」是異名異實，性質並不相同的兩種材料；還是異名同實，是同樣性質的一批材料的兩個不同名稱？在這一個問題上，經師學人的表面解釋，其實乃是他們深層的學術取向的反映。因為他們迥異的看法是由於受到其原有的學術立場的影響或制約而造成的。比如，宗主今文或古文的主張就是一個重要因素。由此可知，縱然是學理上的申論，經生的判斷亦有其思想意識上的偏向的。

班固慨嘆漢武帝設立的通經入仕制度，不數世便淪爲利祿之途。這種情況在科舉制度發展到末期的清代，並未有根本的改變。士子研經治學，除了自身思想偏向的影響而外，追求利祿的動機往往也足以左右其學術研究。蔡長林的論文〈訓詁與微言——宋翔鳳二重性經說考論〉，即指出乾隆、嘉慶以來，許多風從考據之業的士人，其實並非真正服膺於實事求是的漢學旨趣的。他們之宗主考據並不完全是基於學理上的認同，而可能是出自一種實利的考量。蔡長林考察出宋翔鳳的經學有一種「二重性格經說」，這種特色是源於他嘗試將其外家莊氏的「常州經說融入考據學語境之中」而來的。蔡氏分析說，自乾隆晚期開始，清代科舉即出現主考鄉試者多爲朝中支持漢學最

有力的學者型官僚的現象。因此，我們若了解到以古義出題答題的情況，自乾、嘉之際始，大勢所趨，漢學古義已充分運用於科場之發揮，便能明白爲何有如此多的江南學子，也爭事漢學考據之業。因爲其動力即是希望「藉紛綸古義，能射科中的」。蔡氏以宋簡爲例，指出他一方面從事考據之業，一方面也學習詩古文詞，其目標即是欲將所學經史知識化爲舉業文章。而他對兒子宋翔鳳的教育，即有「欲借融漢學知識入科舉文章以求售」的意味。因此，宋翔鳳的治學經歷，可視爲乾、嘉之際江南文士兼治辭章與考據之業的縮影。由此可知，學理的探求可能亦由功利的動機所致。蔡長林還進一步指出，與宋翔鳳同時或稍後，「學術整合或對話已漸成趨勢」，不論是漢學或宋學，從乾、嘉以來的「漢宋之爭」，逐漸轉型成嘉、道以後「漢宋兼采」或「漢宋調和」的關係，「許多學者的學術內涵也有龐雜且轉益多師的跡象」。但是，「在表現方法上，當時的學風仍是以名物訓詁爲主要內涵的考據語言佔上風」，因此「這是值得深思的一個學術現象」。

清代至乾隆、嘉慶年間，注重考據、以漢學爲名的學風已成爲學術的主流。漢學家的形象，一般皆以爲是以講求實證，排斥主觀臆斷爲其治學之原則的。而乾、嘉以來，漢學家每以「宋學」爲主觀臆斷的具體代表。周啓榮在其論文〈清代禮教思潮與考證學——從三禮館看乾隆前期的經學考證學兼論漢學興起的問題〉中指出，從康熙到乾隆初期的經學，尤其是禮學研究中，「宋經學與漢經學並用」的情況並不罕見。周氏從三禮研究的情況考察，發現康熙朝的禮學注重的是具體禮制、禮儀的研究。此時期是以考禮爲主要目標，而不是經籍註解。且

在其考證研究中，宋元儒者的學術，更是大部分學者研究、增補，以及批判的對象。此外，漢代學者的著作雖然重新受到重視，但當時批評鄭玄經學的學者甚多，並沒有後來的崇漢貶宋。即使到了雍正年間至乾隆中期，當時的學者對漢人與宋儒的經學著述亦沒有嚴格分爲漢、宋之學的系統。

乾隆繼位，同年即下旨開三禮館。纂修三禮所依據的註疏仍是以宋元儒者的著作爲主，參以漢唐，而不專主一家。不過，周啓榮指出，從三禮編纂可以見到一些現象，即對於漢代經師的著述之重新重視，有深化的跡象。然而，宋元經學在當時考證古禮的研究中，仍然是主導。只是，後來所謂的漢學的一些思想，已經開始可見。不過，此時期的學人仍然認爲漢儒與宋儒是各有長處的。一直要到乾隆的後三十年，尤其是四庫開館以後，一些標榜漢學的學者，才視漢經學與宋經學爲兩個截然不同的解經系統，認爲漢經學比宋經學可靠嚴謹。因此，周啓榮的研究，其意義在於說明，「漢學」這個概念並不能切合地說明經學與禮學從康熙時期，轉到乾隆中期的強調辨別古音作爲解釋經文的根本方法。他強調，通過對古音的釐清、古今文的異寫、同音假借等研究，把這種歷史語言學的理論運用到利用先秦文獻，以證成古字的讀音的研究方法，是惠士奇與惠棟父子的治學特色。也就是說，乾隆初年的經學家，大部分都沒有強調這種以古音爲基礎的釋經方法的。然而，僅僅過了三十年，這種把古音學提高到基礎性的地位的觀點，卻成了經學的主流。經生的探求爲什麼會有這樣的轉向，「其中的原因，是還需要做更深入的研究的」。

　　清代漢、宋之學的問題固然可待作更深入的研究，不過，周啓榮提出惠氏父子並不唯漢代經師是從，他們在研究方法上最值得稱道的，是超越漢代經師個人的見解，而直接以古音古義的知識為其立論之依據。這是出於客觀的求實精神而來的判斷，而這一理性的堅持也正是使到他們一方面重視鄭玄及漢人的著述，但卻不盲目尊信漢學的最重要的原因。因此，從康熙到乾隆初期的經學，在禮學研究方面有宋經學與漢經學兼用並重的這一事實，就使到我們也必須探討從乾隆中期到嘉慶朝，經學家何以轉而認為宋儒之學不可靠，並對之大事攻擊的原因。

　　關於這點，勞悅強提出了一些觀察。他在其論文〈攻乎異端——劉寶楠父子對朱熹的愛恨情結〉中，留意到劉寶楠、劉恭冕父子在他們集兩代人之力完成的《論語正義》中，明明引用朱熹的說法以為疏解，但卻顯然刻意迴避朱子的名字這一甚有意思的現象。勞氏認為，他們「不肯公開承認自己接受朱熹的說法有主觀與客觀的兩種原因」。客觀的原因是，嘉慶、道光年間漢學盛勢雖然稍已減殺，但考據學風依然主宰當時學人的治學方法。劉氏父子自詡為漢學家，註經而採用朱熹學說，實在有違當時的學術主流，因此不得不設法避嫌。主觀的原因則是，劉氏父子「存心與朱熹立異」，因此在採用朱說的時候便不得不故作隱諱，以致進退失據。勞文的結論是，漢學家治學，在宗旨和方法上有其共識，遵從這一套共識，在漢學家之間就可以建立一種身份認同。由此可見，劉氏父子採納朱熹的說法與否，並不是純粹出於他們知識上理性的是非判斷，而實是受制於「社交挑戰的心理壓力」。

　嚴壽澂則於其論文〈「思主容」、「渙其羣」、「序異端」——清人經解中寬容平恕思想舉例〉中，揭示清儒之反對宋學，其中亦有義理層面的內涵。嚴氏指出，「清儒內裡所涵具的其實是一種倔強反抗的意味」，他們「所最反感的，就是清廷鉗制士人的家法」。宋人所主張者，是天下正道唯一，必須堅持。嚴壽澂認為，清儒「所期期以為不可者，則正是這個『天下只是這一個道理』的看法」。比如，焦循釋《論語》「異端」時，表現出具有「看問題不可執著於一端，應當與對方或反方互相切磋，於是就不會偏執」的想法。嚴氏說明，焦循之所以不願否定異量，源自於對「恕」的堅持。其以為聖人正是如此，才能「道大能容，絕不執著於一偏之見而全盤否定異說」。這便是「反對思想統制，主張見解的多元化」的表現。嚴壽澂的主旨，乃是借此闡明，清儒「雖然標榜實事求是」，然而其「寬容平恕思想卻不免時時流露」。而這種思想傾向，對他們的影響其實甚至可說是「以義理主導訓詁」。他列舉了錢大昕、孫星衍、朱駿聲、惠士奇解釋經文的例子，來證明這些人物為經書文字作解時，其「主要依據並不在訓詁，而在義理」。而所謂的義理依據，指的便是「強訓詁之道理以就其深許、深契的寬容平恕思想」。因此，從嚴壽澂的研究可以看到，清儒寬容平恕的思想，其論辯邏輯，顯然是「出於經驗主義的哲學立場的」。這一觀察或可促使我們反思，到底清代漢學家的學問是否全然以考據為主導，而輕忽義理。

　除此之外，鄭吉雄的研究也為我們對清儒在經學研究中的義理層面之訴求開拓了視野。他的論文〈乾嘉經典詮釋的典範性綜論——思想史的考察〉，從乾隆、嘉慶年間學人的經典詮

釋中，考察出清代經生的「社群意識」。所謂「社群意識」，指的是清儒對「普遍意義的人類社會」之關注。鄭氏指出，清儒已經認識到，「要了解中國政治的動盪和普羅大眾的苦難」，需要注意的關鍵問題，並不在「抽象的道德理念有沒有落實成為心性實踐的指導方向」這一點上，反而應該是把焦點放在「關注人類群居所創造的正面價值（如禮制文化所顯現之『善』），能否制衡負面的力量（如引蔽習染而產生之『惡』）」這一方面。鄭吉雄的的推論是：「社群意識的激起與傳播，推動了清代以儒學為主體的思潮轉變」；這具有把「考據文獻學研究轉向廣義之社會史研究」的意義。

乾、嘉諸儒論學宗主寬容平恕的精神，正可以幫助我們進一步了解何以乾、嘉以降，漢宋調和論逐漸流行。彭林〈評楊大堉、胡肇昕補《儀禮正義》〉一文指出，胡培翬因病卒（道光己酉，1849 年）而未能完成《儀禮正義》，其未完之〈士昏禮〉、〈鄉飲酒禮〉、〈鄉射禮〉、〈燕禮〉及〈大射儀〉五篇十二卷則由姪兒肇昕和江寧楊大堉補綴而成。彭文列舉楊、胡補綴之篇有五方面未臻完善，以致《儀禮正義》體例不純，甚至裁斷失誤。自從元儒敖繼公指責鄭玄《儀禮注》「疵多而醇少」，肆意加毀，學者為之披靡。直至清初，《儀禮》學者幾乎無引用鄭注者。但自吳廷華始，學界佞敖之風稍息，辨敖之聲漸起，而胡培翬注《儀禮》則更歸宗鄭注，亦步亦趨。然而，楊、胡繼其餘業，卻未能遵循舊稿既定的體例，不但疏解鄭注極為簡略，甚至有棄之不用的情況。此外，唐賈公彥有《儀禮疏》，為《五經正義》之一，自唐以後，學者多奉為圭臬。然胡培翬不滿賈《疏》，《正義》正因此而作。楊、胡補綴，卻偏

偏「明斥賈氏，而暗引賈疏」。有時候，儘管「明明賈《疏》在前，後儒沿襲其說」，但楊、胡卻「往往不引賈《疏》，而逕引後儒之說」。誠然，從體例宗旨而言，楊、胡補綴《儀禮正義》理應率由舊章，踵武前軌，但是，如果我們從嘉慶、道光以後漢宋調和之風來認識楊、胡的補綴工作，也許《儀禮正義》之體例不純，未嘗不可視爲經學研究在清代後半葉轉向開通的一種徵兆。當然，所謂開通指的只是研究態度，至於實際的學術成績，則關乎功力和實學。清代後半葉一直至今，經學研究的成績未必都能度越清儒，原因之一或許與此有關。

另一個治經方法上的轉向徵兆則見於清代學者對金文的研究。陳致的論文〈古金文學與《詩經》文本研究〉試圖描述古金文學的興起、發展以及晚近文字學興起以前，古金文學研究對《詩》經經文考釋的貢獻。金文、小學、《詩經》學這三方面的研究，原來在歷史上曾經經歷了由平行發展而相互接合的過程。以《詩經》之文來證讀金文，乃宋人始創。然而，宋人所發展出來的這一金文考釋方法，並沒有使金文學與《詩經》等傳世經典及文獻的個別研究有機地結合起來。這樣的金文學研究，從宋代直至清朝乾隆以前，都沒有太大的發展。乾隆以後，情況則有了改變。

陳致認爲清代金文學勃興，從乾隆時期開始，迄至清末，金文學伴隨著《詩經》學的深入發展，二者之間由平行發展而逐漸結合，開始超越宋人的水平。此時期的學者，如錢大昕不僅以《詩》文釋讀金文，反之，亦以金文考釋《詩經》文本，兼辨毛傳、鄭箋、孔疏之非。此外，錢氏的考證方法，所據以

論略的不惟在金文與《詩經》文本或以此釋彼，或以彼釋此，其所參酌者諸器金文互徵，《詩經》自證，以及《經》文與其他秦漢字書互徵。咸豐以降，金文學與《詩經》學交織發展，而金文考釋的成績被廣泛運用到《詩經》文本的研究上。

陳致的研究充分證明，清代的金文學研究發生了質的變化。以往金文學者借《詩經》以釋讀金文，從乾隆中葉開始，經生學者更反以金文訓解《詩經》。換言之，金文學的研究由此而隸屬於考據學的範圍。誠然，這不是一個孤立的現象，而毋寧是乾、嘉以下治經方法的多元發展的先噃。

本書的十篇論文原來都在北京清華大學歷史系與新加坡國立大學中文系於 2005 年 11 月 5-6 日合辦之「首屆中國經學學術研討會」上發表。[5]是次會議，欣逢東道主清華大學之國學研究所八十周年紀念，同時又是新加坡國立大學創校一百周年的校慶活動，參與學者來自世界各地，近二百人。經學研究在神州大陸沉寂多來，兩校合辦首屆中國經學會議，意義無疑特殊。部分中國國內學者的會議論文已經先後在大陸出版，其中最先面世者為 2007 年 11 月出版的《中國經學》第二輯。我們覺得海外學者的論文也應該有一個與讀者見面和請教的機會，這十篇論文因此而結集成書。希望海內外方家不吝賜正為荷。我們衷心祝願林慶彰教授所期盼的那本「首尾完整的經學史著作」在不久的未來可以面世。

---

[5] 〈首屆中國經學學術研討會〉的籌辦以及本書的編輯工作得到新加坡國立大學文學暨社會科學院研究金的資助，研究計劃項目編號為 R-102-000-035-112。

經學的多元脈絡
——文獻、動機、義理、社群

目　次

孔穎達《五經正義》「體用」義研究
——經學義理營構的思想史考察

鄧國光[*]

一、序論

（一）孔穎達的淑世情懷

　　經學是儒學經世的表現形態。經學義理內涵隨時代損益，然始終朝向「仁義」為本的淑世關懷。[1]經世講修、齊、治、平，是經學的氣脈。唐初大儒孔穎達（574-648）奉唐太宗諭詔，領銜修撰《五經正義》，[2]則不能無視其為經學家所稟賦的淑世關懷和期待。

[*] 鄧國光，香港大學中文系哲學博士，現任職於澳門大學。學術著作主要刊登於中、港、臺、澳各地。著有《唐代文學研究論著集成》第一卷、第二卷、《兩漢經學》、《清代經學》、《中國文化原點新探：以〈三禮〉的祝為中心的研究》、《韓愈文統探微》等。

[1] 張灝強調「經世」綰合「入世」和「淑世」精神，「蘊含積極進取的人生態度」（見張灝、許紀霖編：《思想與時代》〔上海：上海文藝出版社，2002年〕，頁48）。本文遵用此義。

[2] 有關《五經正義》修撰的詳細情況，參看（1）姜廣輝：〈政治的統一與經學的統一——孔穎達與《五經正義》〉，《中國經學思想史》（北京：中國社會科學院出版社，2003年），第2卷，第44章，頁724-753；（2）野間文史：《五經正義的研究》（東京：山本書店出版部，1998年）；（3）張寶三：《五經正義研究》（臺北：臺灣大學中國文學研究所博士論文，1992年）。本文徵引《五經正義》，本李學勤主編《十三經注疏》整理本（北京：北京大學出版社，2000年）。

　　《舊唐書·孔穎達傳》載孔穎達趨同郡大儒劉焯學，劉焯不予禮待；質難經義的過程中，劉焯深為其過人的學識所折，「固留」而孔穎達「固辭」，[3]顯示不容輕侮之強烈自尊意識。隋煬帝大業初年入仕，與諸郡儒官論難，孔穎達年歲最輕而表現最特出，致深受妒忌，險遭刺客殺害。[4]可見其不阿門戶，超邁時流，令對手無地自容。則孔穎達之必非「曲學阿世」，以此可徵。

　　入唐，孔穎達以「直言深諫」著。《貞觀政要》載貞觀三年其勸勉唐太宗謙虛下人；《舊唐書》本傳載其「數進忠言」，雖具體不得其詳，但可斷言其非夤緣苟且之僥倖輩。於導引太子李承乾，尤見耿介。《貞觀政要》載：

> 貞觀中，太子承乾數虧禮度，侈縱日甚，太子左庶子于志寧撰《諫苑》二十卷諷之。是時，太子右庶子孔穎達每犯顏進諫。承乾乳母遂安夫人謂穎達曰：「太子成長，何宜屢面折？」對曰：「蒙國厚恩，死無所恨。」

3　《舊唐書·孔穎達傳》載：「穎達八歲就學，日誦千餘言。及長，尤明《左氏傳》、《鄭氏尚書》、《王氏易》、《毛詩》、《禮記》，兼善算曆，解屬文。同郡劉焯名重海內，穎達造其門，焯初不之禮，穎達請質疑滯，多出其意表，焯致容敬之。穎達固辭歸，焯固留，不可。還家，以教授為務。」（《舊唐書》〔北京：中華書局，1975 年〕，卷 73，頁 2601）一個「固辭」，一個「固留」，而孔穎達辭歸亦並非高就，於此可見其自尊心以及個性之強。

4　本傳載：「隋大業初，舉明經高第，授河內郡博士。時煬帝徵諸郡儒官集于東都，令國子秘書學士與之論難，穎達為最。時穎達少年，而先輩宿儒恥為之屈，潛遣刺客圖之，禮部尚書楊玄感舍之於家，由是獲免。」（頁 2601）

> 諫諍愈切。承乾令撰《孝經義疏》，穎達又因文見意，
> 愈廣規諫之道。[5]

「犯顏進諫」，視死如歸，與魏徵無異致，均能克盡臣節，以道義匡扶人主帝室。此忠誠熱切的淑世初衷，更宣表於《五經正義》之中，因文見意。《毛詩正義》述詩心，主「忠規切諫，救時之針藥」；[6]本「抒憤」和「救世」的詩心，批評〈詩序〉「主文而譎諫」為「權詐」，非詩人正道。《周易正義》表揚「不懼誅殺，直言深諫」。[7]標榜犯顏直諫，是孔穎達自我寫照，非背違真宰的門面虛論。

孔穎達七十四年人生的積極取態，既不屑於「守文」，又非庸碌倖進、邀名索譽，則一本儒者淑世情懷主持修撰《五經正義》，極為關鍵。儘管《五經正義》受命撰作，但承順主命之際，以「道」馭「勢」，反客為主，則非曲阿人主。「因文見義」，曉喻仁義，乃其義理之所以值得關注。

5　《貞觀政要》卷 6 載：「貞觀三年，太宗問給事中孔穎達曰：『《論語》云：「以能問於不能，以多問於寡，有若無，實若虛。」何謂也？』穎達對曰：『聖人設教，欲人謙光，己雖有能，不自矜大，仍就不能之人，求訪能事。己之才藝雖多，猶以為少，仍就寡少之人，更求所益。己之雖有，其狀若無，己之雖實，其容若虛。非惟匹庶，帝王之德，亦當如此。夫帝王內蘊神明，外須玄默，使深不測，遠不可知，故《易》稱「以〈蒙〉養正，以〈明夷〉莅眾」，若在位居尊極，炫耀聰明，以才陵人，飾非拒諫，則上下情隔，君臣道乖，自古滅亡，莫不由此也。』太宗曰：『《易》云：「勞謙，君子有終，吉。」誠如卿所說。』詔賜物二百段。」見謝保成：《貞觀政要集校》（北京：中華書局，2003 年），頁 324。

6　〈關雎〉，《毛詩正義》，卷 1，頁 19。

7　〈大過〉上六「過涉滅頂」疏，《周易正義》，卷 3，頁 151。按：關於孔穎達詩心的內涵，詳拙文：〈唐代詩論抉原：孔穎達詩學〉，《中華文史論叢》第 56 輯（上海：上海古籍出版社，1996 年），頁 209-225。

「一統經說」是唐主命撰《五經正義》的藉口。南北朝經
學承漢、晉而遷流,如此短促的光景,又無甚驚世的成就,其
時流行的禮學和義疏之學,亦缺乏氣象。整理如此有限的學術
積累,只屬低層次的技術工程。唐太宗欽命整理《五經》的文
字和經說,實質在粉飾文治。孔穎達敢於冒犯人主,目空當
世,不可能想像其俯首應順,甘於淪為妝點太平的器具,銷耗
生命於應酬之間。則其全力主持《五經正義》的修撰,必存在
較「統一經說」更能喚醒儒者經世自覺的原因,與唐室的政治
思量並存,令其非得全力以赴不可,為儒者所警覺,便是「文
化」的較量。

南北朝的經學是義疏之學的天下,義疏之學主說義理。
「文化」的較量是從義理上說的,乃在經義這層面開展思想上
的角力。《五經正義》的義理學是孔穎達所精心營構,足以顯
示這思想相角力度之強烈,非獨是經義內部全方位的議駁,更
是儒家對佛學的一次高層位的思想反應。經學義理的營構,方
是孔穎達的經世自覺,而論《五經正義》的思想史意義於此開
展。

(二)初唐儒家的思想挑戰:佛理的成立

魏、晉、南北朝以來,佛法大弘於中土,與主導政教的儒
學爭雄,高僧輩出,教派林立,譯述日富。佛學已需要內部的
調整,梳理宗緒,辨別眾經的宗旨,使各歸其所,於是出現
「判教」。[8]判教是佛學確立自身教理體系的整構工程。為楊廣

---

[8] 王仲堯認為「判教」是中國佛學各宗派「普遍採用的一種認識和批判的思
想結構」(氏著:《隋唐佛教判教思想研究》〔成都:巴蜀書社,2000 年〕,

授菩薩戒的智者大師智顗（538-597），其判教在中國思想史上具重大的意義。[9]經智顗教相判釋，佛理便得以完整、龐大、周至而明晰的面貌再現，南北朝以來不同的宗派與經論，俱各有所歸，百川匯海，毋有彼此；同源分流，本質不異，共同體現佛說宗旨。

佛教同時與中土學術結下不解之緣，湯用彤從「教」和「理」兩層次分析個中關係。「教」重信行，偏於保守，三教關係的緊張緣此而生。「理」則是思想交流互滲的中介，三教的相融，緣理而實現。[10]判教之所以為大事，是佛教在「理」

頁 1），並定義「判教」為「據特定價值標準，整理所有中土譯傳的佛教經典使之系統化，認識批判和總結會通各家佛教學說思想，從而建立宗派教理體系的思想結構。」（見「內容提要」）。王先生的界義，周全可從。董平認為判教是「教相判釋」乃「對釋家全部教典內容與形式進行總體上的分析與詮釋，以闡明佛教體系的完整性與統一性」（氏著：《天台宗研究》〔上海：上海古籍出版社，2002 年〕，頁 29）。本文折中王、董兩位先生的觀察，從佛學構建的層面理解「判教」的意義。

9　潘桂明概括智顗的判教體系，認為「五味根機說、三種教相說、藏通別圓四教義，教觀統一論」四部組成，說明佛祖說法「并無前後高下優劣之別，但因眾生根機有異，故而作種種方便施設」，指出智顗判教「將釋迦一代全部經教，按照圓融統一的哲學原則，予以平等對待，不偏不倚」（氏著：《智顗評傳》〔南京：南京大學出版社，1996 年〕，頁 430）。王仲堯強調智顗判教「使隋唐諸主要宗派的判教幾乎都不得不遵循的固定模式」（《隋唐佛教判教思想研究》，頁 2）。

10　湯用彤強調「晉代以玄學、《般若》之合流，為學術界之大宗」（氏著：《漢魏兩晉南北朝佛教史》〔北京：中華書局，1983 年〕，頁 231），謂「佛法之廣被中華，約有二端：一曰教，一曰理」，並指出「理」的層面成為溝通中土學術的橋樑：「至言夫理，則在六朝通於玄學。說體則虛無之旨可涉入《老》、《莊》，說用則儒在濟俗、佛在治心，二者亦同歸而殊途。南朝人士偏於談理，故常見三教調和之說。內外之爭，常只在理之長短。辯論雖激烈，然未嘗如北人信教極篤，因教爭相毀滅也。」（頁 300）

的層位上建立了自身的龐大義理體系，已經不是意氣性的掊擊所能輕易的否定了。周、隋之際，顏之推、王通已倡三教融和之后，表明其儒學造詣已到了山窮水盡的地步，惟有以折中的旗幟遮掩學理上的屈服。然就孔穎達的學術與脾性而言，很難相信他會懾服於佛理之下。

智顗遣用中土的話語和思維方式，[11]重整佛門的義理系統，於儒家是莫大的刺激和啓示。「理」並非佛教的專屬，佛家可以運用「理」構建自家的教義殿堂，儒家依然可以調遣這些有鉅大表現力的學術話語，再造輝煌。孔穎達於《周易正義》之中標榜《易》理，謂「《易》理備包有無」；[12]在《禮記正義》之中，強調「禮者，理也」；[13]《毛詩正義》則說「《詩》理之先，同夫開闢」；[14]至於《尚書》、《左傳》，乃左史記言、右史記事之遺，為王霸之跡，所以不強套以「理」。然《易》、《禮》、《詩》三經之「理」，已經足以體現經學的「理」。孔穎達於此三經，開宗明義，彰顯「理」的概念，在經學是創舉，然置於思想史的背景下觀察，則可照見其重奪「話語權」的拼勁。孔穎達不屑和稀泥，建立經學的「理」，是重樹儒道尊嚴的高明策略。儒、佛各自擺出自家的理，以「理」論高下優劣，不必意氣相斥，是君子，也是文明。

---

[11] 王仲堯強調「中國文化精神」是判教的標準，其一是會通式的溯原思維，其二是心性論的重視，詳王仲堯：《隋唐佛教判教思想研究》，第 1 章「導論」，頁 10-17。

[12] 《周易正義·卷首》之「論《易》之三名」，頁 6。

[13] 《禮記正義·序》，頁 5。

[14] 《毛詩正義·序》，頁 3。

　　智顗判教，平和寬容，匯攝眾說，不輕軒輊。這種態度必然令隋、唐講究門戶家法的儒者反省深思。孔穎達《五經正義》不曾專守門戶，不能說不受智顗的判教的寬容精神所影響，況其經歷過門戶派系的迫害追殺。唐主李世民詔旨修撰《五經正義》也未嘗以帝主的威權指點和範限，亦無所輕重於經學門派。[15]孔穎達沒有專守門戶的必要。

　　晚清皮錫瑞《經學歷史》謂：

> 議孔疏之失者，曰彼此互異，曰曲徇注文，曰雜引讖緯。

案：著書之例，注不駁經，疏不駁注；不取異義，專宗一家，曲徇注文，未足為疾。

> 讖緯多存古義，原本「今文」，雜引釋經，亦非巨謬。惟彼此互異，學者莫知所從，既失刊定之規，殊乖統一之義。……官修之書不滿人意，以其雜出眾手，未能自成一家。[16]

---

15 《貞觀政要》卷 7 載：「貞觀十四年詔曰：『梁皇侃、褚仲都、周熊安生、沈重、陳沈文阿、周弘正、張譏，隋何妥、劉炫等，並前代名儒，經術可紀。加以在學校，多行其講疏，宜加優異，以勸後生。可訪其子孫見在者，錄姓名奏聞。』二十一年又詔曰：『左丘明、卜子夏、公羊高、穀梁赤、伏勝、高堂生、戴聖、毛萇、孔安國、劉向、鄭眾、杜子春、馬融、盧植、鄭玄、服虔、何休、王肅、王弼、杜預、范甯等二十有一人，並用其書，垂於國冑。既行其道，理合褒崇，自今有事於太學，可並配享尼父廟堂。』其尊儒重道如此。」（謝保成：《貞觀政要集校》，頁 379）今文、古文不分彼此，鄭、王同尊，《公》、《左》共享，於此見出襟懷器量。

16 〔清〕皮錫瑞著，周予同注釋：《經學歷史》（香港：中華書局，1961年），「經學統一時代」，頁 201。

這段議論備受徵引，差成定讞。然其敘說，與孔穎達的經學精神，實南轅北轍。今詳為辨正。

皮氏欲迴護孔穎達，駁正詬病。攻駁「曲徇注文」，乃自立「著書之例」，即「注不駁經，疏不駁注」。孔穎達實未如此表述。事實上，孔疏駁正本注的例子多不勝數，即以本敘引前揭「主文而譎諫」句的解讀，便是刻意矯正鄭玄注。以孔穎達的氣性觀察，是否有需要株守前說，根本昭然明白。其去取前賢經說，自有標準繩尺，無意矜異逞氣，亦無意墨守一家。因此，皮錫瑞謂孔疏之所以惹來「曲徇注文」的詬病，乃「專宗一家」所致，雖意為孔穎達開脫，表明其遵循「著書之例」。這種浮議根本無助認清事實，且治絲益棼，加添了混淆事實的元素。所謂「疏不駁注」的「著書之例」，今已廣為接受，成為「學術常識」。所謂「著書之例」、「原本今文」、「殊乖一統之旨」，不外是以門戶之見的判斷。摒除這種先入為主的常識的誤導，才能理解《五經正義》於智顗判教下的思想史情景中的抉擇。

智顗判教，萬變不離釋迦說法的宗趣。釋典卷帙雖浩瀚繁多，揆向極明確，不曾淆亂。孔穎達梳理經說，「考察其事，必以仲尼為宗」，[17]如此明確的歸宗信念，與智顗沒有異致。一以貫之，博而能約，萬變不離仁義，乃孔門為教的精神。智顗用之而成功，儀表在前，孔穎達有鑒而遣運，亦是見賢思齊之義。這在「體用」尤其顯著。智顗以「體用」論定釋典說法之殊，謂：

---

[17] 《周易正義·序》，頁 4。

> 諸經同明體宗用，赴緣利物而有同異。[18]

「體用」為佛經的核心，即釋迦說法的宗趣。而孔穎達疏釋《五經》，於群經之首的《周易》發揮「體用」之理，則不是偶然。

理解智顗判教的圓滿成就帶給對手的深層焦慮，則孔疏體用論的照面對象便躍然紙上。孔穎達於《周易正義》謂：

> 若論住內住外之空、就能就所之說，斯乃義涉於釋氏，非為教於孔門也。[19]

批評南北朝以來說經者遣用佛理解讀《周易》的失當。「住內住外之空」指吉藏（549-623）《三論玄義》所判大乘教的「人、法俱空」義。[20]「就能就所之說」指智顗《三觀玄義》強調的「所」、「能」二者和合而生的虛幻境相。[21]都是判

18　〔隋〕智顗：《維摩經玄疏》，卷 6「第一明教相大意」，收入《大藏經・經疏部》（臺北：新文豐影印大正原版，1983 年），第 38 冊，卷 1777，頁 560。此書於理解智顗判教甚重要，卷首〈五重玄義〉開宗明義，「第一釋名，第二出體，第三明宗，第四辨力用，第五判教相」，強調「心為體」、「心為用」，而「真性清靜即是體」（頁 519）。心為體用之本，但「心不孤生，必藉緣而起」（頁 527）。心本身非其存在，則整個體用論歸宗於空，體用側重於體，因為「大乘經但用一法體」（頁 553），主張「從體起用」（頁 560）。孔穎達諸經《正義》序文的表述方式亦彷彿類似，但孔疏強調「即用見體」。

19　《周易正義・序》，頁 3。

20　《大智度論》以十八種空說明我、法二空。十八空中首二空是內空和外空、內指眼耳鼻舌身意等六根，外指色聲香味觸法等六塵。吉藏判別大小乘的「二空」問題，認為「小乘但明三界內，人、法二空」，而「大乘明三界內外，人、法並空」（〔唐〕吉藏著，韓廷傑校釋：《三論玄義》〔北京：中華書局，1987 年〕，卷上，頁 83）。

21　智顗稱：「一明所觀之境，二明能觀之觀，三證成。」（《維摩經玄疏》，頁 560）潘桂明解釋說：「從思維和認識角度說，『所觀之境』是『所』，指認

教後的概括，具有極強的比附空間和義理的滲透力，顯示出佛理的高明處。孔穎達認為運用本質絕異的學理詮釋經典，根本不配搭，主張各歸其所，並非掊擊佛理，孔穎達亦無須闢佛以自限。

比勘儒、釋之間互相取鑑而又彼此競優的複雜關係，孔穎達受智顗判教的刺激，急起直追，趁修撰《五經正義》的時機，重建儒學的義理系統，挽救落後於佛學的儒學，是完全可以理解的。《五經正義》一套完整的體用觀是唐初經學自樹其「理」的努力，「體用」的問題是檢視兩家迎距的至佳視角，至於此套「理」能否抗衡佛理，那是另一回事。起碼其時的儒者不曾斂翼喪志，敢於重整自身以面對強而有力的挑戰。在鼓吹「君臣共治」的時代，[22]孔穎達是不可能淪為統治意志的傀

識對象，『能觀之觀』是『能』，指認識主體，『證成』則指『能』『所』相合時的狀態和達到的境界。」（《智顗評傳》，頁 185）

[22] 「君臣共治」是唐初君臣所共倡。《周易正義》卷 5 於艮卦九三爻辭「艮其限，列其夤，厲薰心」下發揮說：「然則君臣共治，大體若身。大體不通，則君臣不接，則上下離心，列夤則身亡，離心則國喪。」（頁 252）這是和「君臣一體」的觀念互衍的。於《貞觀政要》的記述中，唐太宗便多次宣諭「君臣共治」的理想，如貞觀八年，「朕與公等共理天下，……君臣同心，何得不理？」（謝保成：《貞觀政要集校》，頁 4）十一年「夫為人臣，當進思盡忠，退思補過，將順其美，匡救其惡，所以共為治也。」（頁 19）魏徵亦於貞觀十四年上疏極言君臣一體之義（頁 402-406）。孔疏「君臣共治」的說法是時代精神的自覺體現。余英時強調：「同治或共治所顯示的是士大夫的政治主體意識：他們雖然接受了權源在君的事實，卻毫不遲疑地將治天下的大任直接放在自己的身上，在這一意義上，同治或共治顯然是『以天下為己任』的精神在治道方面的體現。」（氏著：《朱熹的歷史世界》〔臺北：允晨文化，2003 年〕，第 3 章〈「同治天下」──政治主體意識的顯現〉，頁 312）所述雖以王安石為對象，亦可以解釋初唐的政情。

儒的，營造「體用」的經學義理體系，「因文見義」式的經世毋寧說是儒學的自救。

（三）六朝思想史「體用」義對流的考察

「體用」源遠流長，[23]《老子》器用的觀念，[24]和《周易》卦爻辭的敘述之中，[25]是衍育體用義的溫牀。體用觀念的應用發軔於《老子》、《周易》大行其道的玄學時代，並非偶然。就當今剩存文獻所見，鄭玄於《易緯·乾坤鑿度》的注文，[26]以及魏伯陽《周易參同契》，[27]始見體用義的遣用，二者

---

[23] 關於「體用」義歷史流變的考察，方克立認為「體用」雖在先秦文獻出現，但尚是偶發性，至兩漢為止，尚未形成具備確定義涵的哲學範疇（氏著：〈論中國哲學中的體用範疇〉，見馮契等著：《中國哲學範疇集》〔北京：人民出版社，1985 年〕，頁 125-153）。至王弼始首先賦予「哲學本體論」的涵義（頁 130）。張岱年強調「體用」衍生於「本用」的觀念，義同漢、晉道家所遣「質用」一詞，至唐代，「體用」成為常用詞（氏著：〈自然哲學概念範疇〉，《中國古典哲學概念範疇要論》〔北京：中國社會科學出版社，1987 年〕，第 11 節，頁 62-69）。按：兩家意見分歧，本文徵實，顯見其刻意對立的偏蔽不足取。

[24] 《老子》第十一章：「三十輻共一轂，當其無，有車之用。埏埴以為器，當其無，有器之用。鑿戶牖以為室，當其無，有室之用。故有之以為利，無之以為用。」（陳鼓應：〈老子校定文〉，見《老子今注今譯》〔北京：商務印書館，2003 年〕，附錄 3，頁 445）「有器之用」是此章的主幹。第二十八章言：「樸散則為器，聖人用之，則為官長，故大制不割。」（頁 451）。

[25] 例如〈乾〉「初九」，是「潛龍勿用」，總爻辭是「用九」；〈坤〉總爻辭是「用六，利永貞」。明爻體各有所用。故《周易》雖未有體用一詞，然其實質存於卦爻辭之間，則後來的「體用」觀念必然從《周易》的詮釋過程中被特出。

[26] 鄭玄注解《易緯乾坤鑿度》「太極大成」說：「天產聖人，親射萬源，立乾坤二體，設用張弛，窮天性與情，曉地曲育巧成之道。」鄭注「設用張弛」指「乾坤二體」的運作。又同書卷下鄭注：「天生太大之道，《易》為太大之先。《易》以天地為用，何以先而又用？《萬形經》曰：天地者，

俱《易》學及道家的偏流，雖非正道，已透露體用之與道家及
《周易》關係的密切。

　　王弼（226-249）發揮《老子》「無」的觀念，建立了全新
的以「無」為體的思想體系，體和用俱是「無」一體的兩面。
「無」既是體，也是用。以現代哲學術語說，「無」是本體，
體用是現象。[28]另一方面，王弼伸說《周易》卦爻辭原來蘊含
的體之用的觀念，[29]突出不同的體所存在對應的用，闡釋《周
易》順時的宗旨，透過《老子》和《周易》的解讀，說明體用
是物象運作的原理。自此以後，體用進入思想世界的殿堂。在

　　體也。《易》者，體中情性，在體中而出入。是天地者，物：《易》也，事
　　也。物有事必用。」（見安居香山、中村璋八：《緯書集成》〔石家莊：河
　　北人民出版社，1994 年〕，卷上，頁 116）鄭注以天地為體，以物比喻
　　體。《易》屬體中的情性，喻為事。「物有事必用」為體用的關係，用存在
　　於體之中，是體的存在屬性。但《易緯》真偽難辨，僅存照而已。

27　東漢末魏伯陽《周易參同契》上篇提到：「春夏據內體，從子到辰巳。秋
　　冬當外用，自午訖戌亥。」此內外是一體的內外。同書又云：「覆冒陰陽
　　之道，猶工御者執衡轡，隨軌轍，處中以制外。」處中即「據內體」，制
　　外乃「當外用」，指煉製丹藥的大原則。朱熹《考異》說：「此言心能統陰
　　陽，運轂軸以成丹也。」（俱見〔宋〕朱熹：《周易參同契考異》上篇，收
　　入《朱子全書》〔上海：上海古籍出版社、安徽古籍出版社，2002 年〕，
　　第 20 冊，頁 534）

28　王弼於《老子》三十八章「上德不德」申述「以無為用」的主張，謂：
　　「萬物雖貴，以無為用，不能捨無以為體也。」（見樓宇烈：《王弼集校
　　釋》〔北京：中華書局，1980 年〕，頁 94）萬物即「有」，「有」是無的
　　用，也是無的體，「有」自身是無的體用。觀其「有」，乃從物象見體用。
　　體用是物象自身的共同特徵，非如當今學界以體為本質、用為現象。體以
　　無為本，用也以無為本，無是賅括一切體用的大本。

29　王弼《周易注》解釋〈乾・文言〉「乾元用九，乃見天則」云：「九，剛直
　　之物，唯乾體能用之。」（頁 216）釋〈乾〉上九，則說：「九，天之
　　德。」此德乃物，既是乾的一體，也是此體之用。亦是體用並存於物象世
　　界之義。王弼以此觀念釋讀六十四卦，例子太多，不贅。

思想史的角度看，是王弼首先賦予體用的義理生命。孔穎達《周易正義》本王弼而建立的體用觀，後來居上，更為完整周至。然在孔穎達之前，對於這一極富詮釋力量的觀念，除了崔覲《周易注》稍涉，儒者竟不贊一詞，顯示六朝經學生命力的萎弱。惟獨佛家以暢旺的生機，左右逢源，納新興的體用義於自身的義理體系之中。

兩晉迄南北朝，體用成為中土佛學的中心話語。[30]僧肇的「即體即用」，[31]《大乘起信論》的「自體相用」和「體用熏習」論，[32]為構建佛理提供廣闊的空間。齊、梁時期，佛家之成熟運用體用，已經到了得心應手的地步。沈約提出「神總體用」以駁難范縝，[33]轉化王弼以「無」為體用根源，取「神」代「無」，肯定「神」是體用的本質。既然是本質，便不受個體生死的左右，而稟具永恆不滅的特性。釋僧衛說明「體用為萬法」，[34]無定相可言，轉化隸屬現象的體用為主宰一切現象的

---

30 湯用彤云：「魏晉以訖南北朝，中華學術異說繁興，爭論雜出，其表面上雖非常複雜，但其所爭論不離體用觀念。」（《漢魏兩晉南北朝佛教史》，第 10 章，頁 235）這是本文的基本理路。

31 同前注。是「僧肇之學」條湯先生概括語。

32 梁啟超《〈大乘起信論〉研究》認定此論「在各派佛學中能擷其菁英而調和之，以完成佛教教理最高的發展」（參蕭蓬父：《大乘起信論釋譯》〔高雄：佛光出版社，1996 年〕，「解題」，頁 14）「自體相用」及「體用熏習」俱見《大乘起信論》的「本論」，乃開宗明義的要義。

33 〔清〕嚴可均：〈難范縝〈神滅論〉〉，《全梁文》（京都：中文出版社，1976 年），卷 29，頁 3120。

34 釋僧衛〈十住經合注序第二〉謂：「夫萬法浩然，宗一無相，靈魄彌綸，統極圓照。斯蓋目體用為萬法，言性虛為無相，……夫體用無方，則用（疑為同字之誤）實異照。……同實異照，雖感應交映，而宗一無相者也。」見釋僧祐：《出三藏記集》（北京：中華書局，1995 年），卷 9，頁 327。

本質。體用於是成為以中土佛理的核心話語，智顗因此判定「諸經同明體宗用，赴緣利物而有同異」。於王弼，體用顯示現象世界複雜變化；經過佛法的洗禮，體用的觀念成為銷解一切存有的利器。

南北朝儒者構建學理的能力儘管稍遜，對根源於《易》體用的話語權的旁落，也不可能無動於衷。齊、梁之際的崔覲，[35]在《易》學的有限範圍內高吭：

> 凡天地萬物，皆有形質。就形質之中，有體有用。體者，即形質也。用者，即形質上之妙用也。言有妙理之用，以扶其體，則是道也。其體比用，若器之於物，則是體為形之下，謂之為器。假令天地圓蓋方軫，為體為器，以萬物資始資生，為用為道。動物以形軀為體為器，以靈識為用為道。植物以枝幹為器為體，以生性為道為用。[36]

以體用直接道器，體即器，用即道，皆是形的所屬。形而上的

---

35 崔覲生平不可考，唐李鼎祚《周易集解》採錄其《易》說多條。《隋書・經籍志》著錄其《周易注》十三卷及《周易統例》十卷（見《隋書》〔北京：中華書局，1978年〕，卷32，頁910、911），均置於齊、梁人著述之間，據此而斷其為齊、梁時代的人物。湯用彤〈中國佛史零篇〉據《續高僧傳》，謂崔覲注《易》，曾諮詢與熊安生同時的釋僧范，則崔覲為北人可知。熊安生是北周儒宗，與齊、梁同時，據此亦可證崔覲為齊、梁時人。惟湯氏斷言崔覲即《北史》的崔瑾，則乏確證。（〈中國佛史零篇〉，見湯一介編：《理學・佛學・玄學》〔北京：北京大學出版社，1991年〕，頁245）

36 李道平：《周易集解纂疏》（北京：中華書局，1994年），卷8，頁611。按：朱伯崑再三強調此段文字出自「崔憬《易探玄》」（氏著：《易學哲學史》〔北京：北京大學出版社，1986年〕，頁384-388）。朱氏錯混二人。崔憬後於孔穎達，故朱氏敘此節文字的義理於孔穎達之後。

是用,形而下的是體,形是體用的主體。轉移體用義的內涵,以形質的實有世界為體用的本質,體用則是形質現象。這種堅持實存的主張,有為而發,與佛理相抗。但有限的構理造詣,隨便已可看出難以彌縫處,舉其大者,此釋〈繫辭〉「形而上者謂之道,形而下者謂之器」,《易傳》的「天地」與「道」處相同的地位,但崔覲逆轉道器的關係,視天地為器,大違《易》義。此所以《周易正義》不採納其論。這種「凡天地萬物,皆有形質」的粗糙表述,對於以體用為中心的佛理,實無法產生銷解的作用。

從儒、釋兩家在意識型態上的角力,方能顯照體用論為中心的義理系統,於兩家的生存發展所起的重大作用。南北朝的儒家經說,未見得能建立制導時代的學理,的確處於面臨邊緣化的危機狀態。魏、晉、南北朝是講「理」的時代,理不足,則必屈居人下。孔穎達面對的是一個龐大而成熟的佛理,重振儒家經學的思想力量,是不能乾巴巴高喊「凡天地萬物,皆有形質」的。

二、本論上:孔疏體用論的先設義理場域

孔穎達之遣運體用詮解經義,乃置之於理、名、跡三維所張開的先設義理場域之中開展。

理、名、跡三者一體。理是形而上的原則,跡是理的應用或實踐。理和跡一顯一隱。跡有形可知覺,其所以出現,必具出現的道理,跡足以見理,理皆可以據跡闡明。有跡則有理,宇宙間不存在空理。空是無跡,無跡自然無理。以佛家思想為

照面，孔穎達提出理、跡互存的先設。理、跡是「有」的互存關係，用傳統的學術話語說，即是「實」。按中土學術思路，有實則有名，儘管道家以「名者實之賓」反省意義的問題，但孔子「正名」的主張，一直支配著以後儒者的思路。正名乃顯示重整秩序的努力，有實必須正名，將實置之於恰如其份的位置，因而令實得以體現自身的功能。各經的《正義》序文開宗明義，必詳細處理名，在闡釋名的過程中，名和實相應，例必貫徹形上和形下的理、跡互存概念。

（一）《周易正義》：「易理」和「易象」

《周易正義・序》以「一名三訓」論定《易》名，申明易指涉三層義涵。第一層從天地變化的事實立名，易有變易的意思。第二層據天地的自然秩序的事實立名，天地的位置是絕對的，於是有不易的意思。第三層據《易・繫辭》申明易有易簡之道。論易三名，依據《易緯乾坤鑿度》及鄭玄《易贊》和《易論》義。值得注意的，是於開宗明義的綱領文字之中，採用鄭玄的經說。

《周易正義》雖選擇王弼、韓康伯的注，但在大關鍵處，則兼容眾善。《隋書・經籍志》敘述南北朝鄭玄、王弼二注的傳習情況，結筆說：

> 至隋，王注盛行，鄭學浸微，今殆絕矣。[37]

「今」指修史的時候。《隋書》是孔穎達和魏徵修纂的，這敘述必經孔穎達的首肯，清楚說明其刻意保存鄭玄的《易》說。

---

[37] 《隋書・經籍志》，卷 32，頁 912。

編纂《五經正義》乃意出主命，選擇本子也是從眾。隋以來王弼注流行，孔穎達也欣賞王注，稱揚其「獨冠古今」。[38]然在《易》一名三訓的詮釋，獨申鄭說，則其非「曲徇一家」，昭然若揭。

　　孔穎達申鄭，非陰抑王弼，乃為方便闡明「易理」和「易象」，彰顯「有」。「有」是孔穎達再三致意處，肯定實存的世界，開展教化：

> 蓋《易》之三義，惟在於有。然有從无出，理則包无。……是知《易》理備包有、无，而《易》象唯在於有者，蓋以聖人作《易》，本以垂教，教之所備，本備於有。故〈繫辭〉云「形而上者謂之道」，道即无也；「形而下者謂之器」，器即有也。[39]

申明「原夫《易》理難窮，雖復玄之又玄，至於垂範作則，便是有而教有」。從「理」的先設形上義而言，並賅有和无，而以道為无之稱，乃本王弼。並存有、无，則超越王弼。孔穎達反覆申明的「《易》理」，這個「理」指「義理」，在《周易正義》序文先後出現：「考其義理，其可通乎」、「義理可詮，先以輔嗣為本」。[40]至於「易象」乃從跡說，合言為跡象，以「器用」為依據，強調「易者象也，物無不可象也」。象代表了客觀存在的物。「易理」和「易象」是《易》一名所涵的「實」。《易》於象見義，體用乃存在於跡象之中。名、理、跡這套先

38　《周易正義・序》，頁3。

39　《周易正義・卷首》，頁5。

40　同前注，頁7。

設的詮釋場融攝了鄭、王，引出「道體」、「器用」的體用義理。

（二）《尚書正義》:「乘法」與「舒情」

循而考察《尚書正義》之運用名、理、跡以立義，孔穎達於孔安國《尚書·序》正義之中申說《書》的名義，強調「物由名舉」、「因物立名」，[41]名顯示物的存在，立名隨便不得，根據物的特徵，因此「書而示法」，是一切文字書寫的原則。《書》義的第一層便是從「法」上取義，「既書有法，因號曰書」。第二層取「舒」見義，說明文字表達語言，語言表述情意，於是說:

> 書者，寫其言，如其意，情得展舒也。[42]

展舒之義乃從主體的情意上說。第三層取「著」立義，表明文字書寫具有敘述的功能，即「事」之所在，起筆便提文意到「道」的層面:

> 道本沖寂，非有名言。即形以道生，物由名舉，則凡諸經史，因物立名。[43]

從道的層面立義，則此形而上的理便可涵蓋一切文字書寫。第二層的「舒」義和第三層的「著」義，均屬形而下的器用的跡象說，「情」和「義」是書跡的核心，不在文字本身。孔穎達於《尚書正義·序》抨擊周、隋大儒劉焯之餘，宣表說:

---

41 〈尚書序〉，《尚書注疏》，卷1，頁1。

42 同前注。

43 同前注。

> 竊以為古人言誥，惟在達情，雖復時或取象，不必辭皆
> 有意。若其言必託數，經悉對文，斯乃鼓怒浪於平流，
> 震驚飆於靜樹，使教者煩而多惑，學者勞而少功。過猶
> 不及，良為此也。[44]

此平情之論，緣於孔穎達於《書》的名實非徒尋行數墨，自具
完整的看法。「達情」之義是孔疏的高明處，於此透露《書》
的實義。這涉及文字的表達和技巧的自覺。展舒情意，彰著事
物，都是需要文字的運用，孔穎達以「文勢」一詞概括。「文
勢」又稱「述作之體」、[45]「作文之勢」，[46]顯示文字表達背後
的用情，不能執著於文字表象；動輒穿鑿，疏忽文勢，則難以
讀出《書》所透露的情意。此文勢的含義，即《書》名三義之
首的「有法」。也即是說，從「文勢」看「法」。這個法字，是
《書》之理的所在，縮控著《書》之形跡體用。

（三）《春秋左傳正義》：「敘事」和「達情」

　　「左史記言，右史記事，言為《尚書》，事為《春秋》」，
孔穎達堅持《漢書・藝文志》的主張。考辨《尚書》名實，彰
顯言、情的關係；至於敘事，則見《春秋左傳正義》。「記事」
和「達情」之間關係如何，孔穎達於杜預〈春秋左氏傳序〉的

---

[44] 《尚書正義・序》，頁3。

[45] 見《尚書正義・舜典》，卷3，頁83。「四罪而天下服」正義，文謂：「放
者使之自活，竄者投棄之名，殛者誅責之稱，俱是流徙，異其文，述作之
體也。」這是在遣詞用字見講究。

[46] 此見《尚書正義・五子之歌》，卷7，頁211。「述大禹之戒以作歌」正
義，云：「史述太康之惡既盡，然後言其作歌，故令『羿距』之文乃在
『毋從』之上，作文之勢然也。」言〈五子之歌〉的敘述依據事件的時間
先後下筆，這是從整體敘述的布置說的。

「五體」論，彌縫情、體：

　　言其意謂之情，指其狀謂之體，體、情一也。[47]

「五體」即「五情」，而「五體」是杜預概括孔子《春秋》的五種敘述歷史的筆法技巧，稱為「五例」。[48]五例顯示孔子敘述歷史的五種用情，五體和五情俱指相同的內涵。體、情互文，從敘事的用情說，非字形或聲音上的形式關係。表明聖人敘事的關轄是「情」。聖人身處亂世，表達「內韞」的煩鬱，[49]井然有法。五例俱本此內韞的牢落情緒，形諸文字而為五種敘事之法。則此「內韞」為聖人實在的跡，法則是概括《春秋》的敘事方式，成為形上的概念。「五例」、「五情」和「五體」俱置於名、理、跡的義理場域之中，與《書》義相應。《書》義的理是「有法」，《春秋》「五例」義同「書法」。前者紀言，後者敘事，對象雖異，但同在抒達情意，此跡之所在。

（四）《毛詩正義》：「詩理」和「詩跡」

　　循而述《詩》，孔穎達於《毛詩正義》特別彰顯「詩理」和「詩跡」，謂：

　　詩理之先，同乎開闢；詩跡所用，隨運而移。[50]

47　〈春秋序〉，《春秋左傳注疏》，卷1，頁3。

48　杜預「五例」：「一曰微而顯，文見於此，而起義在彼」、「二曰志而晦，約言示制，推以知例」、「三曰婉而成章，曲從義訓，以示大順」、「四曰盡而不汙，直書其事，因文見義」、「五曰懲惡而勸善，求名而亡，欲蓋而章」（同前注，頁21-23）。

49　孔穎達《春秋左傳正義・序》謂：「夫子內韞，大聖達時若此。」（頁3）內韞用《論語》典，謂韞匵內藏，不能世用。

50　《毛詩正義・序》，頁3。

詩歌樂舞本一體，俱性情的自然流露，與人類社會共存，因此說「同乎開闢」，不是刻意的造作。哀樂之情非自生，緣於外來的刺激。生存環境平靜，悲喜無由以興，則亦毋須詩樂舞。詩樂舞雖不現於「上皇」的遠古社會，但其所由引發的主體元素依然稟賦在人性之中。迨至社會生活張力日強，產生種種直接影響生民的繁事苛政。生民的哀樂悲喜緣人君施政而橫生，莫知所訴，乃出之以歌樂詩聲，鳴五內情愫。這種緣時運引發的抒情載體，隨著時代的演變和反覆的政情，相應衍生不同的體。詩之體本諸哀樂之情，此情深受時代的生存環境的影響，孔穎達稱之為「詩跡」。

「詩理」和「詩跡」對待，猶「易理」之與「易象」，象即「有」，而理則並包「有」、「无」。同理，詩理也兼攝詩跡之義，這是〈易繫辭〉「形而上者謂之道，形而下者謂之器」的思維衍繹。孔穎達一再說明〈關雎序〉是「詩理」的淵藪，[51]於其中的疏文暢發詩歌及詩體的生發與政情時運的「詩跡」問題。詩的體用義屆在詩跡的層面，於歷史的顯象表徵體用之義，這是「有而教有」的示現方式。

在名、理、跡的義理場域中，跡以顯表其理，理則辨正名實，自然根本理、跡。孔穎達於詩也同樣提出一名三訓，概括漢、晉經說和緯文，本《文心雕龍・明詩》，強調「詩有三訓：承也、志也、持也」：

---

51 〈關雎序〉「〈關雎〉，后妃之德也」正義：「諸序皆一篇，但詩理深廣，此為篇端，故以《詩》之大綱並舉於此。」（《毛詩正義》，卷1，頁5）於「〈關雎〉、〈麟趾〉之化，王者之風」，正義謂：「廣論詩義詩理既盡，然後乃說〈周南〉、〈召南〉。」（頁23）。

> 作者承君政之善惡，述己志而作詩，為詩所以持人之行，使不失隊，故一名而三訓也。[52]

在「詩跡」的層面辨名、實，相應「詩理」。承、志、持三義一體，顯示君民的互動關係。百姓於政治世界也具備影響和扶顛持危的能耐，天下不是天子一人的天下，透露了唐初「君臣共治」的時代意識。比照孔穎達的「犯顏直諫」的精神，「持」之為義，說明詩道有更積極的態度，絕對不是逆來順受。這套義理強化了淑世意識，在《禮》的論述上更為顯著。

（五）《禮記正義》：「禮理」、「禮事」和「禮名」

孔穎達申論梁皇侃「禮三起」的主張，[53]從禮理、禮事和禮名三方面確立禮的義涵。禮事稱之為禮跡，即《禮記正義‧序》說的「七政之立，是禮跡所興也」。[54]禮名涵蓋理、跡。釋禮名，彰明「禮者，理也」之義。此理指治理，「其用以治，則與天地俱興」，「天地初分之後，即應有君臣治國」。[55]以治為義的禮理，理所當然與人類社會共生，屬自然生發的共存關係。據《禮記》的〈禮器〉和〈祭義〉申說鄭注，[56]發揮禮字

---

52 鄭玄〈詩譜序〉「然則《詩》之道放於此」正義，《毛詩正義》，卷首頁5。

53 《禮記正義‧序》引述皇侃謂：「禮有三起，禮理起於太一，禮事起於遂皇，禮名起於黃帝。」（頁7）這是溯源的觀點。孔穎達贊同「禮理起於大一」，但不同意禮事和禮名的追溯。

54 同前注，頁5。孔穎達溯禮跡於有文字實據的堯，因為《尚書‧堯典》明載帝堯「以齊七政」，七政乃觀象立政，不贊同皇侃輒比傳不根的遠古傳說人物以自尊大的做法。

55 同前注。孔穎達謂天地初判後，理應「君臣治國」，過去只強調君的出現，而孔氏則認為君臣同時而興。這種看法，反映「君臣共治」的思想。

56 《禮記正義‧序》引鄭玄謂：「禮者，體也，履也。統之心曰體，踐而行之曰履。」（頁8）

所蘊「體」、「履」之義。鄭玄說「統之心曰體」,體從用心上說,履則是此體之用。孔穎達承其說而暢明其旨,謂:

> 聖人之王天下,道德仁義及禮並蘊於心,但量時設教,道德仁義,須用則行。[57]

「蘊於心」指體,「量時設教」指履。孔穎達於「禮之體」極為措意,《禮記・仲尼燕居》「言而履之,禮也」疏謂:

> 言為禮之體,不在於几筵、升降、酬酢乃謂為禮,但在乎出言、履踐,行之謂之禮也。[58]

體又兼賅履義,言體則履在其中,即用見體,體用不二。《禮記・喪服四制》「體天地」孔疏說:

> 「體天地」也者,言禮之大綱之體,體於天地間所生之物,言所生之物,皆禮以體定之。[59]

此「禮之體」之為用,義通《周易》「生生」的大旨,是儒家關懷所在。禮一名三訓,彰明禮跡的意義,「禮之理」,通乎《易》、《書》、《春秋》和《詩》,構成一套完整的義理系統。

(六)小結:「名、理、跡」和「有以教有」

這套以淑世的義理建基於自然的性情。循跡以見理,跡乃實在的世界,此理則是實有的理。理、跡如一,有跡則有理,理、跡是實存。天地百物,凡有形則可以指名稱謂,立名顯示實存的客體世界。世界的真實境相,均存在對稱的名謂。跡是

---

[57] 同前注,頁 9。此段文字本意在說明「《老子》意有所主,不可據以難經」,反映思想領域內的緊張情況。

[58] 〈仲尼燕居〉,《禮記正義》,卷 50,頁 1624。

[59] 〈喪服四制〉,同前注,卷 63,頁 1951。

「有之跡」，理是「有之理」，名是「有之名」，確立了「有」的理，和佛家的「空理」打照面。理和跡所構成的現實狀態，全部可以理解和指稱，世界可以完全掌握。有「跡」可循，亦有目的可歸，生有可戀，亦必須加以維持。「聖人」透過《五經》的名、理、跡，「有以教有」，樹立世界的意義和奠定生命的尊嚴，贊天地之化育，令宇宙間的生命體各自暢遂的發展。

孔穎達的體用論建立在這實有之理的基礎，先設了體用的方向，而體用義亦同時證成實存的理、跡，展示實存世界生命的能動和可塑性。徵述孔穎達的體用論，必須先抉示這個肯定世界的「有」的先設義理場，方能顯示《五經正義》義理系統的周至和立論的高明。

吉藏《三論玄義》談到眾經立名的方式，謂「〈中論〉就理、實立名」。[60]傳統中華學術只強調「名、實」，添一個「理」字，以「名」賅「理、實」，則是佛家的話語方式。孔疏以名賅理、跡，為立論說理的框架和先設義理場，明顯受佛家判教的啟發。但學理上的相互滲透，並不等於思想的屈服。

三、本論下：《五經正義》體用義詮旨

孔穎達置「體用」於實存的有之中表明其意義，展示現象世界複雜多變的關係和形態，並豁露深存於現象世界的體用義所蘊涵的目的性，反映現象世界的有序。《五經正義》的體用義相互照應通貫，構成龐大的義理系統，彰顯現象世界蓬勃的

---

60 吉藏著，韓廷傑校釋：《三論玄義》，卷下，頁195。

活力和生機，而歸宗仁義。體用表露淑世用心，期盼當前現象世界的種種缺陷和不足，有轉向美好境地的可能；說明群生物類繁衍生息的天地，以及其間林林總總物象，均值得關懷和顧惜。這種投向現實生活世界的入世情懷，是孔穎達體用論的精義，以抗衡出世的佛家教義。透過體用發揮《五經》的淑世精神，是孔疏的創造。以下分別列述孔疏體用的義涵。

（一）《易》體用之理：適時順用

孔穎達於《周易正義‧論易之三名》謂「《易》理備包有、无」：

> 故〈繫辭〉云：「形而上者謂之道」，道即无也；「形而下者謂之器」，器即有也。故以无言之，存乎道體：以有言之，存乎器用。[61]

此增字為訓，以道為體，以器為用，大異崔覲之論。孔穎達熟識崔覲《易》學，於討論《易》名的詮釋中曾具名援引其一名三訓之說。但在體用這一關節觀念上，孔穎達極矜慎，自出心裁，不蹈襲崔覲。綜觀思想史的流程，孔穎達是首次提出道為體、器為用的。其所能避免崔覲削足適履的體用論，緣於先期透過名、理、跡確立存有之義，置體用於先設的有的境域之中論述，便不再需要在體用的義理世界論證存有的問題。這是孔穎達詮釋策略之優出前人處。

《易》理既備包有、无，「有」為用而「无」為體，有、无亦即體用。有、无本是王弼《易》說的核心。〈繫辭〉「大衍

---

61 《周易正義》，卷首，頁7。案：孔疏用「无」字，故引孔疏文皆用无。

之數」章韓康伯注謂：

> 无不可以无明，必因於有。[62]

自身不能解說自身，必須依恃對照物。「无」的照面是「有」，「有」的對照是「无」。「无」的存在有賴於「有」的拱照，「有」的意義倚仗於「无」的鑑顯。孔穎達申論說：

> 欲明虛無之理，必因有物之境。[63]

以之比類體用的關係，則道體之為「无」，不可以自表意義，必須依恃器用之為「有」。因「有」以見「无」，跡用以明體，「理」必須從「有物之境」見義；此境是作用的場域，用的意義因此而表著。

孔疏解釋《易》乾、坤之義，順成此思路，張衍「即用見體」的觀念，於〈乾〉卦辭云：

> 此〈乾〉卦本以象天，……此既象天，何不謂之天，而謂之乾者？
>
> 天者定體之名，乾者體用（作用）之稱，[64]故〈說卦〉云：「乾，健也。」言天之體，以健為用。
>
> 聖人作《易》，本以教人，欲使人法天之用，不法天之體，故名乾，不名天也。

---

[62] 〈繫辭上〉，同前注，卷7，頁329。

[63] 同前注，頁330。

[64] 「乾者體用之稱」一句的「體」字是有問題的。野間文史依據廣島大學藏鈔本，謂此句作「乾者作用之稱」。野間氏認為定體和作用是對應的。而「體用之稱」的體字，因草書簡略字作「体」，與「作」字形近而誤（《五經正義の研究》，第1章，第2篇〈《五經正義》版本的校勘〉，頁243）。拙文雖贊同野間氏的校勘成果，但不輕改文本。

> 天以健為用者，運行不息，應化無窮，此天之自然之
> 理，故聖人當法此自然之象而施人事，亦當應物成務，
> 云為不已，終日乾乾，無時懈倦，所以因天象以教人
> 事。

> 物象言之，則純陽也，天也。於人事言之，則君也，父
> 也。以其居尊，故在諸卦之首，為《易》理之初。[65]

這是整套《易》理基礎所在，豁顯「用」義。〈乾〉卦象天之
用，推而言之，《周易》六十四卦乃顯示天地的大用。孔穎達
伸述以「用」為核心的體用論，於〈繫辭〉「夫易，開物成
務，冒天下道，如斯而已者也」道：

> 「子曰：夫易何為」者，言易之功用。其體何為，是問
> 其功用之意。「夫易開物成務，冒天下之道，如斯而
> 已」者，此夫子還自釋易之體用之狀，言易能開通萬物
> 之志，成就天下之務，有覆冒天下之道。斯，此也，易
> 之體用如此也。[66]

指明「功用」涵蓋《易》體。講用，則體攝其中；說體，則旨
歸於用，這是「因用見體」。〈繫辭〉「顯諸仁，藏諸用」孔疏
說：

> 顯諸仁者，言道之為體，顯見仁功，衣被萬物，是顯諸
> 仁也。藏諸用者，謂潛藏功用，不使物知，是藏諸用
> 也。[67]

---

65 〈乾〉，《周易正義》，卷1，頁1。
66 〈繫辭上〉，同前注，卷7，頁337。
67 同前注，頁318。

道體因其「仁功」而得彰現。

「仁功」是《易》體的作用。孔穎達於《周易正義・序》開宗明義，彰表《易》用的「仁功」謂：

> 夫易者，象也。爻者，效也。聖人有以仰觀俯察，象天地而育羣品，雲行雨施，效四時以生萬物。若行之以逆，則六位傾而五行亂。故王者動必則天地之道，不使一物失其性；行必協陰陽之宜，不使一物受其害。……斯乃乾坤之大造，生靈之所益也。[68]

象效指循行天地生生的功德，這是「因天象以教人事」的要義。「一物」均不受任何損害，是《易》用「仁功」的著緊處。

「仁功」乃天道的踐履。天道即天之體，用之以「順」則功著，反是則亂。〈乾・文言〉「元者善之長也」章孔疏謂：

> 乾之為體，是天之用。凡天地運化，自然而爾，因無而生有也，無為而自為。天本無心，豈造元亨利貞之德也？天本無名，豈造元亨利貞之名也？但聖人以人事託之，謂此自然之功為天之四德。[69]

表明仁功之「順」成，乃取則天地「自然之道」。此自然是「無為而自然」。孔穎達縮合《老子》「自然」、「無為」之理，開拓體用的義涵。人主之立功，須鑑取自然之道，無為而無不為；若所作所為和功業以塗炭生靈為代價，便大失《易》生生

68　《周易正義・序》，頁1。
69　〈乾〉，《周易正義》，卷1，頁14。

之德義。取法自然是孔疏再三致意處,「因文見義」,試圖斂抑
人主的貪欲,用心良苦。

〈乾〉孔疏云:

> 此天之自然之理,故聖人當法此自然之象而施人事。[70]

釋〈乾〉初九「潛龍勿用」,謂:

> 此自然之象,聖人作法,……於此時唯宜潛藏,勿可施
> 用。[71]

孔穎達舉劉邦「隱居為泗水亭長」為案例。釋〈乾‧象辭〉
「天行健」,謂:

> 此謂天之自然之象。「君子以自強不息」,此乃人事法天
> 所行,言君子之人,用此卦象,自彊勉力,不有止息。[72]

順其自然不是因循苟且,君子立身處世,取法天道,自強不
息,即使時勢蹇塞,取效潛龍,乃伏蟄待時,並非沈淪自棄,
欲伸必先屈,此勢理之必然。孔穎達總結〈乾‧象辭〉謂:

> 第一爻言「陽在下」,是舉自然之象,明其餘五爻皆有
> 自然之象,舉初以見末。[73]

綜述「元、亨、利、貞」,說是「此自然之功,為天之四德」。
詮釋〈坤〉六二爻辭「直方大,不習無不利」,則稱:

> 生物不邪,謂之首也。地體安靜,是其方也。無物不

---

70 同前注。
71 同前注,頁 2。
72 同前注,頁 12。
73 同前注,頁 14。

> 載，是其大也。既有三德，極地之美，自然而生，不假
> 修營，故云「不習無不利」。物皆自成，無所不利，以
> 此爻居中得位，極於地體，故盡極地之義。此自然之性
> 以明人事，居在此位，亦當如地之所為。[74]

天地之體自生自成，用天地自然之道，則「物皆自成，無所不
利」，實現「仁功」。本此精神完成生命所稟賦的天職，自然不
憂不懼。孔穎達在〈繫辭〉「樂天知命故不憂」疏云：

> 順天道之常數，知性命之始終，任自然之理，故不憂
> 也。[75]

順成之義，乃循天地自然之道行事，而非逆來順受。依據客觀
環境而施用，自身的判斷才是主宰。

　　天地四時變化相代，取效天地以為用，自須講求通變。變
是《易》義。〈繫辭〉「曲成萬物而不遺」孔疏謂：

> 言聖人隨變而應，屈曲委細，成就萬物，而不有遺棄細
> 小而不成也。[76]

「隨變而應」指通變之道，孔子之為大聖，因為是「時之聖
者」。「時」是考慮和實踐「用」的關鍵。〈豫・象辭〉孔疏分
析「用時」說：

> 夫立卦之體，各象其時。時有屯夷，事非一揆。故爻來
> 適時，有凶有吉。人之生世，亦復如斯。或逢治世，或
> 遇亂時，出處存身，此道豈小？故曰大矣哉。

---

[74] 〈坤〉，同前注，卷1，頁33。
[75] 〈繫辭上〉，同前注，卷7，頁314。
[76] 同前注。

> 然時運雖多，大體不出四種者：一者治時，頤養之世是
> 也；二者亂時，大過之世是也；三者離散之時，解緩之
> 世是也；四者改易之時，革變之世是也。故舉此四卦之
> 時為歎，餘皆可知。

> 言用者，謂適時之用也。雖知居時之難，此事不小，而
> 未知以何而用之耳。故坎、睽、蹇之時宜用君子，小人
> 勿用。用險取濟，不可為常，斟酌得宜，是用時之大
> 略。[77]

入世則必須注意時運，淑世更要講求「適時之用」。孔穎達概
括四類時運，反映四種政情。針對不同的政情時態，運用恰當
的策略，若「斟酌得宜」，則可化險為夷、轉危為安；若「用
險取濟」，不循正道，必令情況更為惡化。〈明夷〉卦辭「利艱
貞」孔疏說：

> 闇主在上，明臣在下，不敢顯其明智，亦明夷之義也。
> 時雖至闇，不可隨世傾邪，故艱堅固，守其貞正之德。[78]

「〈明夷〉是至闇之卦」，[79]處最昏闇的環境，依然貞定守志，
不願隨波逐流，此即「窮即獨善其身」之義。孔穎達於〈蹇〉
卦辭「君子反身修德」，再表孟子時用大義：

> 君子通達道暢之時，並濟天下；處窮之時，則獨善其身
> 也。[80]

---

[77] 〈豫〉，同前注，卷2，頁100。

[78] 〈明夷〉，同前注，卷4，頁181。

[79] 同前注，「孔穎達語」，頁182。

[80] 〈蹇〉，同前注，卷4，頁194。

適時之用乃所以成己成德。「天地之大德曰生」，此德為天地之體，亦為乾坤之用。孔穎達以「仁功」表乾坤的大用，因仁功的作用而彰天地的大德，而其中的關鍵，在於主體精神的意志力和判斷力，適時致用。因順時運，循自然之道發揮轉化的作用。

　　《周易正義》營構的體用論既蘊《老子》的自然觀，又彰明《易傳》「自強不息」之義，兼攝儒、道兩家的智慧，從而建立一套適時濟世的入世《易》理，貫通諸經，意非描述現實世界的表象，而是樹立效法天則的經世態度，這是孔穎達「因文見義」的機智和妙用。

（二）《禮》的體用：量時設教

　　禮治實現仁功，是經學追求的目的。《五經正義》禮之理是《易》理的實踐。《易》理的「適時順用」，於禮則是「量時設教」。「量時設教」透過禮制實現，禮制是禮的體用起點。《禮記注疏》卷一開宗明義說：

> 周公攝政六年，制禮作樂，頒度量於天下。但所制之禮，則《周官》、《儀禮》也。
>
> 鄭作序云：「禮者，體也，履也。統之於心曰體，踐而行之曰履。」……禮雖合訓體、履，則《周官》為體，《儀禮》為履。……所以《周禮》為體者，《周禮》是立法之本，統之心體；以齊正於物，故為體。……其《儀禮》但明體之所行踐履之事，物雖萬體，皆同一履，履無兩義也。于周之禮，其文大備，故《論語》

云：「周監於二代，郁郁乎文哉！吾從周。」[81]

鄭玄主張《周禮》、《儀禮》周公所作，論難者代有其人。孔穎達則本鄭玄發揮體、履之說，以《周禮》為體，《儀禮》為履。

禮的關鍵是「踐履」，孔穎達於〈仲尼燕居〉「子張問政」章強調：

> 為禮之體，不在於几筵、升降、酬酢乃謂之禮，但在乎出言、履踐，行之謂之禮也。[82]

「几筵、升降、酬酢」等禮儀容節，是《儀禮》的構成主體，孔穎達不在乎這些，稱《儀禮》為履，是在高出禮容之上的「出言、履踐、行之」的履義。

孔疏概括〈仲尼燕居〉「禮所以制中」章為「子游問禮之為體」，[83]而此章乃孔子申說「事之治」。治事屬踐履，孔疏亦視為「禮之為體」。則履之為義，類同於體。在禮的體用義中，言「用」則體在，「用」是關鍵，和《易》理的體用論相通。

〈禮運〉「故禮義也者，仁之大端也」章孔疏申說：

> 禮之所以與義合者，禮，體也。統之於心，行之合道，謂之禮也。義者，宜也，行之於事，各得其宜，謂之義

---

81 「禮記」題正義，《禮記正義》，頁 4。按這段文字出現三次，可見孔穎達極在意。

82 〈仲尼燕居〉，同前注，卷 50，頁 1624。

83 同前注，頁 1616。

也。是禮據其心，義據其事，但表裏之異，意不相違。[84]
義和禮的「行之合道」，履即義，義即履。行事得宜，謂之
義，是履的宗旨。「出言、履踐、行之」得直，行之合道，方
為履義宗趣。則禮之用，在義與不義。《禮記正義·序》表襮
的「量時設教」、「須用則行」，乃得宜之謂。「行之合道」，是
禮義的核心。然則「道」何所指？整套禮理歸宗於此，是不能
滑過的。〈曲禮〉「太上貴德」章，孔疏釋「道」之義云：

> 道者，開通濟物之名，萬物由之而生，生之不為功，有
> 之不自伐，虛無寂莫，隨物推移，則天地所生，微妙不
> 測。聖人能同天地之性，其性養如此，謂之為道。此則
> 常道，人行大道也。[85]

此道與《周易正義》的《易》理相通，融攝儒、道二家，彰顯
生生的大德。禮之履乃實踐此道，禮之用乃大德之為用。如
此，則「几筵、升降、酬酢」之類的儀容問題自然不是禮用的
核心。

孔穎達於〈曲禮〉疏文中暢談「道」，跟《儀禮》之為禮
之用有內在的關係。〈曲禮〉題下孔疏謂：

> 此〈曲禮〉篇中含五禮之義。……〈曲禮〉之與《儀
> 禮》，其事是一。以其屈曲行事，則曰〈曲禮〉；見於威
> 儀，則曰《儀禮》。

> 但曲之與儀相對。《周禮》統心為號，若揔而言之，則

---

84 〈禮運〉，同前注，卷22，頁828。
85 〈曲禮上〉，同前注，卷1，頁22。

《周禮》亦有曲名，

> 故〈藝文志〉云：「帝王為政，世有損益，至周曲為之防，事為之制，故曰經禮三百，威儀三千。」是二禮互而通者，皆有曲稱也。[86]

於〈曲禮〉中見意，無異於《儀禮》中述旨，因二禮履行的是相同的五禮。孔穎達特別提到《周禮》的「統心」，乃提示〈曲禮〉所蘊《儀禮》的踐履禮用義。因此〈曲禮〉疏中所敘的「道」，是「行之合道」的道。以義適之，化民成俗，功莫大焉，是為「量時設教」。「道」理彰明則禮義興，孔穎達所以說：

> 《易》道既彰，則禮事彌著。[87]

是《易》理之通貫，於斯可見。

《周禮》以「統心」而為禮的體，反映隋、唐之際《周禮》備受重視，[88]《隋書‧經籍志》置《周禮》於禮部之首，一反《漢書‧藝文志》以《儀禮》冠首，反映兩部禮書地位的升降。隋大儒劉炫自敘學養，先舉《周禮》，[89] 已見《周禮》普

---

86 同前注，頁7。

87 同前注，頁2。

88 北朝尊《周禮》，仿以制作禮儀，入唐，《周禮》依然是定制立政的重要依據。陳寅恪認為「唐代官制近承楊隋，遠祖（北）魏，（北）齊而桃北周者，與《周官》絕無干涉。」（氏著：《隋唐制度淵源略論稿》〔北京：中華書局，1963年〕，頁97）案：「官制」只是「禮制」的一部份，任爽指出隋、唐的「禮制」並非「全襲」，修正陳說（氏著：《唐代禮制研究》〔長春：東北師範大學出版社，1999年〕，頁3）。

89 《隋書‧儒林傳‧劉炫本傳》，卷75，頁1720。

遍受重視的程度。孔疏尊《周禮》為心體,明著於官修的《正義》,確定《周禮》的地位。

(三)《詩》的體用:救世和直諫

〈詩序〉風、賦、比、興、雅、頌「六義」,於孔疏張衍其體用論:

> 風、雅、頌同為政稱。……風、雅之詩,緣政而作,政既不同,詩亦異體。……詩體既異,其聲亦殊。……詩各有體,體各有聲,大師聽聲得情,知其本意。

又謂:

> 然則風、雅、頌者,詩篇之異體;賦、比、興者,詩文之異辭耳。大小不同,而得並為六義者,賦、比、興是詩之所用,風、雅、頌是詩之成形,用彼三事,成此三事,是故同稱為義,非別有篇卷也。[90]

此歷來研治詩文之學者習聞,類能以體用概括其意,運用「文體」、「功能」對照理解和申論。然就孔穎達整套體用義瞰視,斷章取義的孤立解讀所造成的謬誤便顯然易見。

〈詩序〉孔疏六義的體用論,是《五經正義》體用論的組成部份,而《周易正義》的體用義縮控整套體系。《易》、《禮》的體均以心為統,孔疏顏之曰「心體」。簡言之,是以心為體。體之一詞若遣用於體用,孔疏皆賦以統心之義,不視之以表象形態。因此,以六義的體為形相性質的體裁、文體,無異望文生義,忽略了孔疏所賦的內涵。

---

90 〈關雎〉,《毛詩正義》,卷 1,頁 14-15。

　　孔疏揭示「性情」為詩的基本元素,「詩述民志,樂歌民詩」,[91]志屬心慮。孔穎達一再強調詩原「人心」:

> 原夫樂之初也,始於人心,出於口頭。……樂本由詩而生,所以樂能移俗。歌其聲謂之樂,誦其言謂之詩,聲言不同,故異時別教。[92]

復申明心志外現於言辭的關鍵:

> 蘊藏在心,謂之為志;發見於言,乃名為詩。言作詩者,所以舒心志憤懣,而卒成於歌咏,故〈虞書〉謂之詩言志也。包管萬慮,其名為心。感物而動,乃呼為志。志之所適,外物感焉。言悅豫之志則和樂興而頌聲作,憂愁之志則哀傷起而怨刺生。[93]

關鍵在心之能「感」,感應心外的生活世界。這種感應的能力稟諸天賦,自然而生,亦自然而感應:

> 原夫樂之所起,發於人之性情。性情之生,乃自然而有,故嬰兒孩子則懷嬉戲抃躍之心,玄鶴蒼鷺亦合歌舞節奏之應。[94]

性情之自生,從嬰孩的自發喜好的事實表現出來。孔疏闡釋這至關重要的「性情」,取徵生活現象,透過嬰孩期的自然生理現象以觀察本能的人性,從其中尋求具有普遍性意義的有效證明。嬰孩而懷嬉戲,是本能;知好色則慕少艾,亦復如是。孔

---

[91] 同前注,頁 10。

[92] 同前注,頁 13。

[93] 同前注,頁 7。

[94] 同前注,卷首,頁 5。

疏說：

> 陰陽為重，所以詩之為體，多序男女之事。[95]

「詩之為體」從「性情」見義，是人情的常態。〈大雅・烝民〉「民之秉彝，好是懿德」疏謂：

> 人之情性，共稟於天。天不差忒，則人亦有常。[96]

人有常性常情，兒童懷戲樂之心是常性，男女相悅慕是常情。情謂「喜怒哀懼愛惡欲，七者弗學而能」，[97]是不煩勉強的。「詩之為體」，是表現這種不學而能的常情。孔疏已明白揭示詩的體取決於「性情」，而非言辭表達的形式。從這「常心」切入「體」。相對於常心，言辭隨變所適，以「不常」見特色。〈小雅・賓之初筵〉「酌彼康爵，以奏爾時」孔疏：

> 其實詩人之作，出於本情。……以此知作者各言其志，立文不常。[98]

於〈大雅・旱麓〉小序孔疏亦謂：

> 詩者，志也。各言其志，故辭不可同。[99]

辭無常文，方是其常。詩人流露常情的詩體，也沒有固定的腔態，並非千篇一律。情志之流露，每存乎聲音節奏旋律的高下緩急輕重，隨情而變，〈關雎序〉孔疏卒章見義，說：

---

95 〈關雎〉，同前注，卷1，頁5。
96 〈烝民〉，同前注，卷18，頁1433。
97 同前注。
98 〈賓之初筵〉，同前注，卷14，頁1038。
99 〈旱麓〉，同前注，卷16，頁1175。

> 詩之大體，必須依韻。……立章之法，不常厥體。……
> 皆各言其情，故體無恆式也。[100]

詩的體因應人情而變，沒有外在文字範限和程式。

〈風〉、〈雅〉、〈頌〉三體，便不是三種外在的體式問題，而是表述常情的三種常態。三種情態只是概括的說法，其重心在指陳激宕人心的時運政情，《周易》孔疏大別為四，於《毛詩正義》則彌縫〈詩序〉的三世。三世可納入《周易正義》的四時之中，是直接牽動詩人內心，以致情緒高漲，不得不吐的刺激元素。面對著相同的政情時運，詩人各自表述感受，儘管遣用的文辭有異，但其用情，不出喜怒哀樂，這是一種常態。〈關雎序〉孔疏謂：

> 夫天下有道，則庶人不議，治平累世，則美刺不興。何則？未識不善則不知善之為善，未見不惡則不知惡之為惡。太平則無所更美，道絕則無所復譏，人情之常理也。

> 故初變惡俗則民歌，〈風〉、〈雅〉正經是也。始得太平則民頌之，〈周頌〉諸篇是也。若其王綱絕紐，禮義消亡，民皆逃亡，政盡紛亂，《易》稱天地閉、賢人隱，於此之時，雖有智者，無復譏刺。[101]

〈風〉、〈雅〉、〈頌〉是百姓尚存寄望的時代。《周易正義》概括四種時運：治時、亂時、離散之時、改易之時。「改易之

時」付諸行動,不遑作詩。〈頌〉是「治時」之詩,即〈詩
序〉的「治世之音」;〈風〉、〈雅〉俱「亂時」的詩。〈風〉表
一方「水土之氣」,〈雅〉表四方之音。亦即是說,〈風〉詩一
體乃「亂時」的個人呼號,〈雅〉則體現天下的共同感受。凡
惡之初起,初現不公義的事情,百姓臣民有感而作詩述情,是
「正經」所在。問題惡化,怨聲載道,則其心聲為「變風」、
「變雅」。不論正、變,都是「亂時」的作品,抒述的是「亂
時」的感思。至於「離散之時」,天下人已同感絕望,惟思逃
遁,也不會出言相勸、展詩言志了。〈風〉、〈雅〉、〈頌〉為詩
之體,即詩之心,展示「治時」的喜悅和穆之情感,以及「亂
時」的種種悲喜交雜的情緒反應。

　　聲音最直接表現內心的情感。〈小雅・十月之交〉孔疏
謂:

　　　　詩體本是歌誦,口相傳授。[102]

〈關雎序〉孔疏稱〈風〉、〈雅〉、〈頌〉因聲音見情愫的詩體為
「音體」:

　　　　詩體既異,樂音亦殊。……變〈風〉之詩,各是其國之
　　　　音,季札觀而各知其國,由其音異故也。〈小雅〉音體
　　　　亦然。……皆由音體有大小,不復由政事之大小也。[103]

音體一詞,若互文言之,則為聲情。換言之,從聲情說詩之
體,〈風〉、〈雅〉、〈頌〉是「治世」和「亂世」的三大類型聲

---

[102] 〈十月之交〉,同前注,卷 12,頁 842。
[103] 〈關雎〉,同前注,卷 1,頁 21。

情。〈小雅‧鹿鳴之什〉孔穎達於〈小大雅譜〉疏釋說：

> 詳觀其歎美，審察其譏刺，〈大雅〉則宏遠而疏朗，弘大
> 體而明責。〈小雅〉則躁急而局促，多憂傷而怨誹。[104]

「宏遠而疏朗」、「躁急而局促」指聲，而「弘大體而明責」、「多憂傷而怨誹」則指詩人情志。由此而言，體指作品的聲情。孔疏強調：

> 以六詩之作，各有其體。詠由歌政而興，體亦因政而異。……體以政興，名以體定。[105]

體之與聲情，皆可以互文。〈風〉、〈雅〉、〈頌〉三體是三類聲情，不同政情下的心聲。此聲情的體，是詩心所在。《毛詩正義》貫徹以心為統的體義，與《易》、《禮》的體用論相通。

「詩用」指賦、比、興，是詩心之用。詩心既緣政而異，則詩用自必隨時而遣運。徵證詩體致異的「因緣」，則詩之用亦承此「因緣」而轉化變易。孔疏於〈關雎序〉設為醫者用心之喻，謂：

> 《尚書》之三風十愆，疾病也。詩人之四始六義，救藥也。若夫疾病尚輕，有可生之道，則醫之治也用心銳。扁鵲之療太子，知必可生也。疾病已重，有將死之勢，則醫之治也用心緩。秦和之視平公，知其不可為也。詩人救世，亦猶是矣。[106]

---

104 〈小大雅譜〉，同前注，卷9，頁644。

105 同前注，頁633。

106 〈關雎〉，同前注，卷1，頁19。「三風十愆」的具體內容見《古文尚書‧伊訓》，謂：「惟茲三風十愆，卿士有一于身，家必喪，邦君有一于

「三風十愆」任何一種，若過度淫縱，則亡國敗家。病徵一旦出現，必須及早防治，醫者的用心亦於可救之時，全力以赴，用心自然踔銳。這是設醫者的用心「銳」、「緩」，比喻處於不同政情下詩心的表現。〈風〉、〈雅〉之世，時代雖有疾，但詩人認為尚可治療，則其用心亦銳。銳相對於緩，是焦急之意。孔穎達於《尚書・伊訓》疏釋說：

> 十愆有一，則亡國喪家。邦君卿士慮其喪亡之故，則宜以爭臣自匡正。犯顏而諫，臣之所難，故設不諫之刑以勵臣下。[107]

「犯顏而諫」是孔穎達所身體力行，這是一種銳的用心表現。賦、比、興的概念，在孔疏的體用論義理場中，是以犯顏直諫的詩心之用為大前提的。〈小雅・節南山〉「家父作誦，以究王訩」孔疏謂：

> 作詩刺王而自稱字者，詩人之情，其道不一，或微加諷諭，或指斥愆咎，或隱匿姓名，或自顯官字，期於申寫下情，冀上改悟而已。此家父盡忠竭誠，不憚誅罰，故自載字焉，寺人孟子亦此類也。[108]

這是詩人犯顏直諫的典範。自表姓名，不為忸怩之態，不懼被禍，體現了耿介的臣節，用心的銳可見，斯之謂「爭臣」。「微

身，國必亡。」是亡國敗家的致命元凶。孔疏解釋說：「巫風二：舞也、歌也；淫風四：貨也、色也、遊也、畋也；與亂風四（指侮聖言、逆忠言、遠耆德、比頑童）為十愆也。」見《尚書正義》，卷8，頁245。

[107] 〈伊訓〉，《尚書正義》，卷8，頁246。
[108] 〈節南山〉，《毛詩正義》，卷12，頁826。

加諷諭」、「指斥愆咎」是兩種諫諍的方式，而後者更顯忠愛的用心。愛之深，責之切，「指斥愆咎」是犯顏而諫的自然流露。「冀上改悟」乃善意的期盼。「詩人救世」，用心良苦。孔穎達謂「〈小雅〉躁急而局促」，此「躁急」二字貼切解釋詩心的「銳」。《毛詩正義》賦、比、興的詩用精神，刻意彰表這種躁急的切責態度。

「指斥愆咎」，直陳得失，宣示態度，是為「賦」。前人於賦不甚在意，只在「鋪陳」的敘述手法取義。惟獨孔穎達標榜「賦」，云：

> 賦者，直陳其事，無所避諱，故得失俱言。[109]

「直陳其事」是舊義，「無所避諱」乃孔疏所強調，這是「盡忠竭誠，不憚誅罰」的概括。漢人賦、頌互文，賦所以頌美褒德，而孔疏則謂「得失俱言」，則持顛扶危的詩用，「賦」的方式才是孔穎達所樂見的。孔疏的體義已重新賦予犯顏直諫的德操，超越鋪敘的筆墨技法的表象層面了。

《文心雕龍・比興》論比、興已精，「比顯而興隱」的主張亦為孔疏所徵述。孔疏之論比、興，自不必蹈襲前賢，而視賦、比、興為詩用，從諷諫的態度釋比、興，則是本「詩心」立義。孔穎達強調其親履的直諫，比、興不屬犯顏直諫的果敢態度，自然不是其鼓吹的「詩用」。〈詩序〉「主文而譎諫，言之者無罪，聞之者足以戒」，鄭玄箋云：

> 譎諫，詠歌依違，不直諫也。[110]

109　〈關雎〉，同前注，卷1，頁13。

孔疏在六義上剖論問題，云：

> 臣下作詩，所以諫君，君又用以教化，故之言上下，皆用此六義。[111]

鄭玄箋謂「上以風化下，下以風刺上」為：

> 風化、風刺皆謂譬喻，不斥言。[112]

比、興是譬喻之謂，孔疏亦明白說「興、喻名異而實同」。[113]不論譬喻的顯或隱，比、興均同屬「譎諫」，即不敢直言得失的「微加諷諭」。既彰表斥言直諫，則以「譎諫」為義的比、興，自不能視為詩道的典範。孔疏謂：

> 譎者，權詐之名，託之樂歌，依違而諫，亦權詐之義，故謂之譎諫。[114]

「權詐」為用道的技巧，不屬正經。孔疏云：

> 言事之道，直陳為正，故《詩經》多賦，在比、興之先。比之與興，雖同是附託外物，比顯而興隱。當先顯後隱，故比居興先也。毛《傳》特言「興也」，為其理隱故也。[115]

賦、比、興三義，於詩心之為用，序次中表見輕重。彰顯直諫的賦義，始終是孔穎達詩用的重心，與其所特表的詩一名三訓

---

110 同前注，頁 15。

111 同前注。

112 同前注。

113 〈螽斯〉「宜爾子孫，振振兮」疏，同前注，頁 53。

114 〈關雎〉，同前注，卷 1，頁 16。

115 同前注，頁 14。

的「持」義相通。

詩用是否惟獨諫諍一途，孔穎達擅文，經歷過南北朝文風的洗禮，於抒述個人情意的功能，不可能無動於衷。〈大雅·抑〉小序孔疏謂：

> 詩者，人之咏歌，情之發憤，見善欲論其功，睹惡思言其失，獻之可以諷諫，咏之可以寫情。本願申己之心，非是必施於諫。[116]

申己寫情的詩用，與極度緊張的直諫義相映照，透露了初唐詩論的真實主張。但孔疏在「因文見義」的立說過程中，範限於淑世的自覺，只能犧牲時代的心聲。

四、結論──兼論馬嘉運駁難孔疏的意義

史載馬嘉運駁難孔疏，甚得時人的認同。馬嘉運不是局外人，亦參與《五經正義》的修撰。其另起爐灶，表達不同的意見，反映《五經正義》不是一盤雜碎，隨便中和調停和稀釋。兩者分歧不在訓詁章句的層面。孔穎達「因文見義」，趁承受御命修撰正義之際建立一套「因用見體」的經學義理。這方是矛盾的主因。

《舊唐書》卷七十三載：

> 馬嘉運者，魏州繁水人也，少出家為沙門，明於《三論》。後更還俗，專精儒業，尤善論難。……嘉運以穎

116　〈抑〉，同前注，卷18，頁1366。

> 達所撰《正義》頗多繁雜，每掎摭之，諸儒亦稱為允
> 當。[117]

《舊唐書》此卷「史臣曰」謂：

> 孔穎達風格高爽，幼而有聞，探賾明敏，辨析應對，天
> 有通才。人道惡盈，必有毀訐，及《正義》炳發，乃異
> 人也，雖其掎摭，亦何損於明。……馬嘉運達識自通，
> 克成典雅，並符才用，潤色丹青，其掎摭繁雜，蓋求備
> 也。[118]

此評有左袒孔穎達之嫌，以馬嘉運的攻駁為「毀訐」，描黑馬
嘉運為求全責備、充滿妒忌的小人，向意氣之爭的角度轉化問
題。這類膚淺詮釋既不能揭示事件的本質，亦誤導後世。孔穎
達和馬嘉運俱卓犖不凡，問題不如此簡單。

馬嘉運的駁難內容今日無由得見，惟本傳明確記載其由釋
入儒，精通《三論》，曾皈依出家。孔穎達於《周易正義·
序》開宗明義觸及的「住內住外之空」，便是三論宗奠基者吉
藏的重要論題。孔疏的整套體用論貫通全經，主意在「有以教
有」，重建儒學的淑世實理以抗衡佛家的出世空理。馬嘉運雖
然還俗，不等如反佛；不與孔穎達同調，或存在氣性方面的因
素；而跟孔穎達相左，歸根究底就在這套義理上。馬嘉運的攻
駁孔疏，事實是儒、佛的思想相角。正是「有」和「空」的思
想差歧，馬嘉運於局內亦不能贊一詞。儘管唐高宗以及部份學

人支持其駁難，準備修改《五經正義》。但牽一髮而動全身，孔穎達的體用論自成體系，義理貫通全書，滲透諸經詮釋文本，若撤除所有入世的「有而教有」的體用內容，則無異於重寫，這顯然不是馬嘉運所能勝任了。因此，高宗頒行《五經正義》容或有技術性質的修正，但大體依然保全下來。此更顯示孔穎達的經學義理於思想史上的重要意義。

孔穎達成功營構經學的體用而樹立了儒學的「理」，這對於「國教」性質的道學不能不引動刺激和反省。體用既同為儒、佛所用，羽流道學自然不甘後人。初唐道士成玄英（活動於太宗、高宗時期）的《南華真經注疏》，書名已見孔疏的影子，遣運體用，皆屬自覺。釋〈逍遙遊〉至人、神人的「至」、「神」為體用，[119]強調：

> 即本即迹，即體即用，空有雙照，動寂一時。[120]

並涵儒、釋，立意顯見其刻意跨越孔疏的「有」的用心，於〈齊物論〉再申「即體即用」之旨。[121]但成疏構理造詣畢竟有限，至此技窮。然因成疏而顯見初唐三家競爽的實況，以及襯托孔穎達再造儒學輝煌的出色表現。

《五經正義》存在一套以「體用」為核心的義理系統，互相貫通。整套體用義立足主體的心，揭示終極關懷的本體。

心為體而其用則為心體之用。心於性情見義，性情為此心之用，本此心顯現世界的意義，此「因用見體」。心之體是天

---

[119] 成玄英：《南華真經注疏》（北京：中華書局，1998年），頁9。
[120] 同前注，頁16。
[121] 同前注，頁42。

地生生之大德,順其自然,因事制宜是其用,以義為歸。體為仁,用是義,體用即仁義之道。性情之為用而顯照《五經》的「理」。孔疏以體用明仁義,營建經世之道、淑群之理。

孔穎達「因用見體」,[122]和智顗「因體見用」異趣,為此開拓立教通衢。「有以教有」乃本性情而立教,心為本的體用義確定天地的「有」,本此義而啟教化。主體亦得參與和襄贊,成德布功,塑造天地的意義。「仁功」的終極關懷綰合了個體的心和外在世界的關係。調暢萬有的生命,宣示關懷與承擔為義的淑世情懷。

孔穎達於《五經正義》營建「因用見體」的義理體系,刻意與智顗判教之後的佛理相抗,其建立學理的造詣不下歷史上任何一位思想家。《五經正義》之敢於汲納、調整、轉化、組合、衍發,體現其時經學強韌的生命力和創造力,回應時代的挑戰。一朝代的經學是時代精神的脈象氣息。彰顯《五經正義》於思想史上的活力,乃在展示大唐氣魄的根源。談大唐的時代精神,不能無視學術主流的經學的脈動。宋、明至今,儒學均離不開「理」和「體用」兩大綱維,論述儒學義理的發展,更不能繞過《五經正義》。不廢江河萬古流,歷來輕蔑之詞,不足以搖撼孔疏的功價。

---

[122] 熊十力《體用論》強調「從用識體」,以明體用不二(蕭萐父主編:《熊十力全集》〔武漢:湖北教育出版社,2001年〕,卷7,頁74)。案:「從用識體」正是孔疏體用論的要義,惟熊氏未審孔疏已申發此義。

清代禮教思潮與考證學
——從三禮館看乾隆前期的經學考證學
兼論漢學興起的問題

周啟榮*

一、引言：清代考證學發展的種種解釋

　　研究清代經學與學術思想的學者，一般都從清中葉的漢學作起點，把漢學視為經學考證發展的必然結果。解釋清代經學興起及發展的著作多從考證學一方面去回溯，找尋它的發展源頭。其中，梁啟超的解釋比較注重多種內外因素對清代學術發展的作用。他從幾個方面來解釋清代學術幾個階段的發展。首先，他認為清初學者對王陽明學說的不滿，因而重新重視經世實學。由順治到康熙二十年，學術主要由明朝遺老支配。他們集中對王學末流的批判，以及對經世致用的學問的提倡。但由康熙二十年之後，明朝遺老一一零落，同時滿洲朝廷用文字獄打擊士子，經世之學無所用；加上康熙提倡學術，學術分為四

* 美國加州大學戴維斯分校歷史系博士，現任職於美國伊利諾州立大學。研究範圍為明清思想文化史。著作包括 *The Rise of Confucian Ritualism in Late Imperial China: Ethics, Classics, and Lineage Discourse; Imagining Boundaries of Confucianism: Texts, Doctrines, and Practices in Late Imperial China* (合編)；*Constructing Nationhood in Modern East Asia* (合編); *Print Culture in Late Imperial China; Publishing, Culture, and Power in Early Modern China*。

支：一支是經學考證，以閻若璩（1636-1704）、胡渭（1633-1710）為代表。一支是梅文鼎（1632-1721）、王錫闡（1628-1682）的曆算之學，一支是陸世儀（1611-1672）、陸隴其（1630-1692）的程朱學，最後是以顏元（1635-1704）與李塨（1659-1733）為代表的實踐學。[1]

　　梁啟超的解釋並不以考證學的興起為晚明以來經學逐步發展的必然結果。經學考證在清初只是眾多學術潮流的一支。所以他要解釋為何後來考證學到了乾隆時變成了學術的主流。他質問：「為甚麼古典考證學特盛？」他認為清初以來由反虛談心性，折返入核實，客觀求證的學風繼續發展，但其他的幾支學術潮流卻有了變化。首先，由西方耶穌會傳教士傳入的曆算科學，到了雍正以後便已衰落。此外，由於雍正朝的文字獄及乾隆禁書，學者把精力「全部用去注釋古典。」[2]他的看法只能解釋為何到了乾隆時期，清初的四支學術，由於文字獄，只有經學考證仍然繼續。但文字獄不能解釋為何程朱之經學在康熙時復興，到了乾隆中葉，卻被視為不可靠。

　　其他學者對清代經學及考證學的興起及發展大抵不出梁氏的解釋框架。尤其對於考證學的發展及興起，學者多只偏重一兩方面的因素，沒有如梁氏把清代的學術發展分為不同的時期，提出新的歷史因素對每一個階段學術發展所產生的影響。例如，章太炎及徐復觀強調滿清異族政權對漢士人採取的高壓

---

[1] 梁啟超：《中國近三百年學術史》（上海：中華書局，1937年），頁17。

[2] 梁啟超：《中國近三百年學術史》，頁19-21。

文字獄是清代經學向考證發展的主要原因。[3]陸寶千相信清代
經學的復興出於晚明以來士人的經世要求。[4]

　　錢穆對清代學術思想史多精闢的見解，但亦往往用「漢
學」「宋學」的分合來分析個別學者的思想。他對清初學術強
調經世實踐，後來如何轉入乾嘉考證學的解釋，主要亦是強調
清廷對學術思想的高壓政策。[5]但他指出晚明東林諸儒以講
學，重視經世，通經義的主張，乃北宋儒學中「創通經義」以
及朱熹從事經學研究的精神的延續。他這個睿見，使他看到清
初的考證活動與程朱學的復興有很密切的關係。秉承這一路的
思考，余英時先生從儒學內在的兩個取向──道問學與尊德性
──的張力及交替來說明清代考證學的興起。他用所謂儒學的
「內在理路」來解釋清代考證學的發展，視之為儒學的知識主
義的興起。他的解釋，立論最為嚴謹，是錢穆見解的進一步引
申。[6]

　　另一些學者把考證學的源頭推到晚明。林慶彰與 Benjamin
Elman（艾爾曼）都追溯經學考證的源起到晚明的一些學者的

---

[3] 梁啟超：《中國近三百年學術史》，頁 1-24。章太炎早就指出清代考證經學
　　特盛的政治因素，認為當時「家有智慧，大湊於說經，亦以紓死」，引自
　　侯外廬：《近代中國思想學說史》（上海生活書店，1947 年），頁 355。徐
　　復觀說見所著〈「清代漢學」衡論〉，《大陸雜誌》54 卷第 4 期（1977 年 4
　　月），頁 1-22。錢穆亦認為滿洲異族統治對漢人壓制的政策，是驅使清代
　　學術走向訓詁考訂的一個主要原因。見錢穆：《中國近三百年學術史》（臺
　　北：臺灣商務印書館，1983 年），頁 2。

[4] 陸寶千：《清代思想史》（臺北：廣文書局，1978 年），頁 163-164。

[5] 錢穆：《中國近三百年學術史》，頁 1、6、19-21。

[6] Ying-shi Yu, "Some Preliminary Observations on the Rise of Ch'ing Confucian
　　Intellectualism,"《清華學報》第 11 卷 1、2 期合刊（1975 年 12 月）。

訓詁文字考證著作，如楊慎（1488-1559）、梅鷟（1506-1566）、陳第（1541-1617）、胡應麟（1551-1602）和焦竑（1540-1620）等。林氏偏重學者「回歸原典」思想要求對經學考證的推動。[7]他們的解釋忽略了晚明考證學的特色與清中葉的漢學考證有很大的差異。[8]錢穆很早已經指出，被推為考證學的先鋒閻若璩，並不籠統反對朱熹學術，反而批評被推為清代考證學的明代開路先鋒楊慎，一意排詆朱子的自誇「讀書識字」。[9]Benjamin Elman 的解釋主要強調清代學者對程朱理學空談心性的不滿，乾嘉漢學家的考證學重視證據，足以視為知識論的革命（epistemological revolution），可比擬歐洲的文藝復興運動。[10]他比梁啟超更強調耶穌會傳教士傳入的曆算學在雍正朝以後繼續對考證學的積極作用。此外，他指出江浙乃江南書籍刻印及流通的中心，私人圖書館藏書比其他地區豐富，所以從事經學考證學的學者集中在江南。其實他的看法基本上脫

---

[7] 林慶彰著有專書討論清初的疑經辨偽。他把清初的辨偽風氣放在「漢學」「宋學」興替的解釋框架之內。他認為，清初的辨偽工作有助於乾嘉考證學的發展。他說：「清初考文考音的著作並不多，一入乾、嘉時代所以駁駁然盛，其關鍵就是清初學者已為他們掃除經書中的污染，在這基礎之下，他們才能心無旁騖的研究文字音義，考訂典章制度。」這個說法未能交待何以對經書真偽的辯論到了乾隆中葉便衰落。這個現象不能說成是清初的考證已經考辨清楚，一一證明經書的可靠性。參看氏著：《清初的疑經辨偽學》（臺北：文津出版社，1990 年），頁 3-4、39-50。

[8] 學術界把乾嘉時期的漢學考證學視為晚明考證學的繼續發展，一路而來，有如大雪滾球，周啟榮認為不妥。參看周啟榮：〈明末清初的訓詁學、文獻考證與經籍研究〉，收入鄭吉雄編：《東亞視域中的近世儒學文獻與思想》（臺北：臺灣大學出版中心，2005 年），頁 93-128。

[9] 錢穆：《中國近三百年學術史》，頁 233。

[10] 他這個論點多為學者批駁。

胎於梁啟超的論點，除了提出支持學者研究的資助官員及商人有助於經學考證的發展一點外，大抵不出梁氏解釋的樊籠。梁啟超早就說：「乾嘉間的學者實自成一種學風，和近世科學的研究法極相近。」他解釋清代的學術，包括經學之所以得以發展時，列舉五個基本因素，其中第四個便是晚明時期已經開始的蓬勃印刷業與藏書的普遍。[11]然而，晚明的商業印刷可能比清代更發達，書籍的流通與藏書家的多少顯然並非清代考證學的重要因素。[12]

　　研究清代學術思想史，跟其他時期一樣，不能把二百多年的歷史壓縮，簡單化為一個所謂乾嘉考證學或漢學興起的注腳。康熙朝與乾隆中葉在學術思想、經學考證方面當然有連續、深化的發展，但亦有斷層、歧出的情況。本文要強調的兩點是：清初的考證學的興起與禮教思潮（ritualism）及儒家淨化（purism）的湧現有很密切的關係。第二，康熙朝的經學、考證學中，宋元儒者的學術，尤其是朱熹的《家禮》,《儀禮經傳通解》，更是大部分學者研究，增補，以及批判的對象。這時期的宋儒學術，重點不再環繞心、性、人心、道心、本體、功夫等的討論，而是宋儒對五經的研究，尤其是對於禮制的著述。[13]在這時期的經學及禮學研究中，漢代學者的著作重新受

---

[11] 梁啟超：《中國近三百年學術史》，頁 9-10、22。

[12] 有關晚明的商業印刷與文化生產的關係，可參看 Kai-wing Chow, *Publishing, Culture, and Power in Early Modern China* (Stanford: Stanford University Press, 2004). Cynthia Brokaw and Kai-wing Chow 合編, *Printing and Book Culture in Late Imperial China* (Berkeley: University of California Press, 2005).

[13] 清初推崇程朱的學者當然並非完全拋棄「道統」,「心」,「性命」「聖人」

到重視，但當時批評鄭玄經學的學者也甚多。其時學者並未如
乾隆中葉的漢學家，崇漢貶宋，禁言義理，專主由訓詁以明上
古的典章制度，即廣義的禮。[14]

二、清初禮教思潮與經學考證發展的關係

明亡，滿洲入主中國，除了政治，社會，經濟各方面都引
起很大的變動外，對士人的思想、心理更產生莫大的震撼。在
晚明已經出現的種種社會文化現象，都受到異族入主這一事件
的過濾而變質或轉向。清初思想從倫理思想、經世、及經學幾
方面來看，都展示以禮為基礎的思考傾向。倫理思想由空談本
體性命轉為強調以禮來規範行為，即所謂「功夫」；經世重視
在地方發展宗族，透過祠堂祭禮加強對族人的管治；經學亦由
於對於具體的禮制的研究與辯難而向五經尋找古禮的原始意
義。此外，在異族武力及高壓政策下，到了康熙初年，對明朝
仍然懷有忠心的士人對異族政權反抗的表現由直接的對抗轉入

等論題。參看 Wm. Theodore de Bary, *The Message of the Mind in Neo-Confucianism* (New York: Columbia University Press, 1990); On-cho Ng, *Cheng-Zhu Confucianism in the Early Qing: Li Guangdi (1642-1718) and Qing Learning* (Albany: State University of New York Press, 2001).

[14] 錢穆認為乾隆中的考證學有兩個系統：所謂以惠棟為首的吳派與以戴震為首的徽派。他認為：「徽學原於述朱而為格物，其精在三禮，所治天文律算水地音韻名物諸端，其用心常在會諸經而求其通。吳學則希心復古，以辨後起之偽說，其所治如周易，如尚書，其用心常在溯之古而得其原。故吳學進於專家，而徽學達於徵實。」（見錢穆：《中國近三百年學術史》，頁 324。）考禮與復古是清初以來的兩大思潮，不能以此作為徽州與蘇州學術的分歧。例如清初萬斯大、萬斯同、陳確、陸世儀、張履祥等浙江學者都考禮，而祖籍徽州而流寓於浙江的姚際恆一如閻若璩，雄於辨偽。

隱微的象徵性的抗拒，禮便成為漢人的身份象徵。[15]清初禮教思潮的興起是這三股思潮合流的結果。

儒家經學、禮學、與文獻典籍的考證三者在民國以前，有時候發生關係，但在不同的歷史環境之下，又不必然有關係。但是，清代的學術主流，從康熙開始便可以看到經學、禮學與考證三者的匯流。從康熙到嘉慶，清代學術是由這三個學術潮流所支配。可是，經學、禮學與考證三者之間的關係從康熙到嘉慶中間的一百三十多年，並不是固定的。其中經過三個階段：由康熙初年到乾隆初年（大約 1662 年到 1712 年）。這時期，經學、禮學與考證三種活動都很蓬勃，同時亦是程朱理學復興的時期。1712 年，朱熹從祀孔廟。無論禮學或經學，朱熹的著作在朝廷或是在民間都極受重視。[16]第二個時期由雍正到乾隆中（1760 年前後），禮學漸漸轉變成為經學注解的研究，三禮成為經學研究的重點。對《禮記》、《儀禮》、《周禮》的專門注釋大量出現。[17]這個時期的特點是禮學採用經學的注疏形式，但學者對於漢人經學著述與宋儒尤其是朱熹的著述並沒有嚴格分為漢學、宋學的系統。第三時期大約是乾隆的後三、四十年。到了四庫全書開館時，因學術上及思想上的分歧，一些學者標榜漢代經學的可靠性，遠遠超過宋儒的經學，那些不完

---

[15] 有關清初禮教思潮的湧現，參看 Kai-wing Chow（周啟榮），*The Rise of Confucian Ritualism in Late Imperial China: Classics, Ethics, and Lineage Discourse* (Stanford: Stanford University Press, 1994)，第 2、3 章。

[16] 有關清初程朱學的復興，參看 Wm. Theodore de Bary, *The Message of the Mind in Neo-Confucianism*。

[17] 參見 Kai-wing Chow, *The Rise of Confucian Ritualism*，第 4、5 章。

全接受漢代經學絕對優越的學者便替朱熹等宋儒的經學辯護，雙方互相攻擊，漢宋的壁壘始嚴如冰炭。

由康熙初年到乾隆初年的一段時間，禮學的發展並非在經學的系統內進行。就是說，康熙時期禮學的湧現是由當時學者基於實際施行禮制而作的學術研究。禮學的研究主要環繞在家庭及宗族內適用的禮儀。例如《朱子家禮》中所列的喪、葬、婚、祭祖等。[18]從陳確（1604-1677）、陸世儀、張履祥（1611-1674）、毛奇齡（1623-1716）、顏元（1635-1704）、萬斯大（1633-1683）、閻若璩、陸隴其到李光地（1642-1718）、張伯行（1651-1725）、姜兆錫（1666-1745）、朱軾（1665-1736）等對禮的研究，與他們對施行及改革當時的禮制儀節有關。對有關禮制的典籍，往往環繞朱子的《朱子家禮》，以及其在《儀禮經傳通解》的基礎上補充、修訂或者批評與辯論。

由於康熙時期對禮學的興趣與實際行禮有直接關係，這時期的禮學是注重具體禮制儀節的研究。例如陳確對禮的研究，多用「議」或「論」的文體。[19]萬斯同（1638-1702）討論各種禮制，如喪服、立後、祭祖都是以單篇的形式。[20]萬斯大比萬斯同研究禮制還要有名。當時學者爭論中有關在一個祠堂內是否可以祭祀超過一個祖先，而萬斯同有關周代宗法與廟制的議

---

[18] 有關這方面的論述，參見 Kai-wing Chow, *The Rise of Confucian Ritualism*, 第 2 章。

[19] 陳確：《陳確集》（北京：中華書局，1979 年），卷 5-7。

[20] 萬斯同：《群書疑辨》（臺北：廣文書局，1972 年），卷 2-4、5-7。有關清初禮學研究的這種特色，請參看 Kai-wing Chow, *The Rise of Confucian Ritualism*, pp.130-133.

論，替他們找到經籍的證據，受到當時許多學者的推崇。[21]毛奇齡的禮學論著亦是以具體禮制為研究目標。他的《廟制折衷》、[22]《婚禮辨正》、[23]《辨定祭禮通俗譜》[24]都是為了批駁朱熹或當時的學者如萬斯同、萬斯大的意見。雖然不少學者亦以《儀禮》或《禮記》為對象，但他們的研究往往並非以注釋經文為目的。所以這時期的禮學是考禮，不是考經。雖然《禮記》、《儀禮》甚至《周禮》都是研究的對象，但學者是以考禮為主要目標，而不是以解釋注解經籍為最終目的。[25]徐乾學（1631-1694）為了編纂《讀禮通考》請了不少學者參加，包括萬斯同。《讀禮通考》是這時期禮學注重具體禮制研究的顯著例子。學者研究禮制，主要出於對禮制的改革實行，並非以經學注釋為重點。其他如陸隴其的《讀禮志疑》、[26]王心敬（1656-1738）《禮記彙編》，甚至稍後惠士奇（1671-1741）的《禮說》都是以具體禮制為研究重點。

---

[21] 萬斯大的禮學著作有《儀禮商》、《禮記偶箋》、《周官辨非》等，收入他的《經學五書》。參看 Kai-wing Chow, *The Rise of Confucian Ritualism*, pp.111-120.

[22] 〔清〕毛奇齡：《廟制折衷》，收入毛奇齡：《西河合集》（1770 年清刊本）。

[23] 毛奇齡：《婚禮辨正》，《叢書集成新編》（臺北：新文豐出版社，1985 年），第 35 冊。

[24] 毛奇齡：《辨定祭禮通俗譜》，文淵閣《四庫全書》（臺北：臺灣商務印書館，1983 年），第 142 冊。

[25] 參看 Kai-wing Chow, *The Rise of Confucian Ritualism*, 第 2 章。張爾岐（1612-1678）的《儀禮鄭注句讀》以經注的方式作為研究的體例，在康熙時期是比較罕有的例子。即使如此，三禮中，《禮記》、《儀禮》更多是關於行禮的內容。

[26] 〔清〕陸隴其：《讀禮志疑》，收入《叢書集成新編》，第 10 冊。

　　康熙時期的禮學還有另一個特色：很多禮學著作都環繞朱熹的《朱子家禮》和《儀禮經傳通解》而提出進一步的增修研究、批評或者辯護。又或者用朱熹的禮學著作為基礎，繼續編纂有關禮制的書。[27]例如姜兆錫《儀禮經傳內編‧外編》、王心敬《四禮寧儉編》、王復禮《家禮辨定》和朱軾的《儀禮節要》。[28]江永（1681-1762）《禮經綱目》以及秦蕙田（1702-1764）的《五禮通考》都是以完成朱熹的《儀禮經傳通解》而發動的大型禮學研究計劃。[29]可以說朱熹的禮學考證是康熙時期學術界的顯學。

　　雖然康熙時期的禮學考證中，朱熹及宋元儒者的禮學著述極受重視，漢唐的經學亦重新受到學者的注意。尤其是鄭玄對於禮制名物的解說，更是受到肯定。例如，朱熹的信徒陸隴其，在其《讀禮志疑》中指出「欲考古禮，須先知古人宮室之制。古人言宮室，堂上尤多……」，又說「議禮者，必先考尺法，不知尺法而言禮，猶瞽說也。」[30]因此，他很重視鄭玄的意見。不過，他反對墨守一家。「孔、賈之解禮，惟康成是從，不敢絲毫有違。雖受家法，不免有太過之處，然猶不失為謹慎。」陸隴其研究古禮，有引《爾雅》、鄭玄注、賈公彥疏、《朱子語類》，但取其是，不專主一家。[31]他明確地提出

---

[27] 參看 Kai-wing Chow, *The Rise of Confucian Ritualism*, pp.135-139、149-155.

[28] 紀昀：《四庫全書總目提要》，頁 487、504、510-511。

[29] Kai-wing Chow, *The Rise of Confucian Ritualism*, p.51.

[30] 陸隴其：《讀禮志疑》，《叢書集成新編》，第 10 冊，頁 72、115。

[31] 同前注，頁 72。

「今人讀書，不可以不知康成之說，又不可不知程朱之意」。[32]
後來，汪紱（1692-1759）指出陸隴其的《讀禮志疑》在考禮
方面，多倚重鄭玄。他說：

> 大抵言事理而見古人之心，漢儒所短。考器數而得古人
> 之制，漢儒所長。然則，禮經無漢儒，今人幾不識耳目
> 何加，進退何所矣。……稼書先生之讀禮也，凡有疑
> 義，必考悉於注疏而不敢違。……朱子又嘗稱鄭康成為
> 漢大儒，而《儀禮經傳通解》，成於黃勉齋，亦不能遺
> 注疏而別為考索。[33]

康熙時期，學者從事禮學考證，一方面以朱熹的《家禮》及
《儀禮經傳通解》為基礎，另一方面，對於漢唐經學中有關禮
制的解釋，尤其是鄭玄的注釋特別注意。這個時期，大部分的
學者都沒有視漢儒宋儒的經學為互不相容的學術系統。而考證
學所倚重的還是宋元儒者的經解注疏。

三、乾隆初的三禮館

康熙朝禮學研究到了乾隆初年，已經成為經學的主要研究
重點。乾隆初這股對禮的學術及實施禮制的興趣從清廷設立三
禮館，主修三禮，可以看見禮學的繼續發展，同時亦可以見到
學術研究繼續受到朝廷的資助。而參與修禮的學者，他們對三
禮的看法，不少學者開始對宋儒經學及禮學的論著進行批判，

---

[32] 同前註，頁 87。

[33] 汪紱：《參讀禮志疑》，卷上，《四庫全書》，第 129 冊，頁 587。

視他們的解釋為臆說，沒有依循文字的古義，缺乏堅實的訓詁基礎。一些學者轉而推尊漢代的經學著作，認為他們時代近古，而說經都有可靠的訓詁支持。他們標榜「漢學」，卑視宋儒，「漢學」「宋學」之分，漸見森嚴。

乾隆即位同年，即下旨開三禮館，纂修儒經中的三禮：《禮記》、《儀禮》、《周禮》。這個決定應該不是乾隆自己對儒家的禮經特別有興趣。無疑來自他的老師朱軾及其他大臣的主張。由 1736 年到 1748 年，擔任總裁的有鄂爾泰（1677-1745）、張廷玉（1672-1755）、朱軾、甘汝來（1684-1739）等大臣。這些都是雍正所倚重的大臣。副總裁十一人，包括方苞（1668-1749）、楊名時（1661-1737）、李紱（1673-1750）、任啟運（1670-1744）、汪由敦（1692-1758）、尹繼善（1695-1771）、陳大綬、彭維新、李清植（1690-1743）、王蘭生、徐元夢（1655-1741）。[34]方苞之後，李光地的孫子，李清植，繼任為副總裁。[35]參與實際編纂的編修可考的四十七人，其中較有名的學者如惠士奇、胡中藻（乾隆六年〔1741〕進士）、姜兆錫、齊召南（1703-1768）、杭世駿（1696-1773）、吳廷華（1682-1755）、姚範（1702-1771）、蔡德晉、錢維城（1720-1772）、官獻瑤（乾隆四年〔1739〕進士）、葉酉（乾隆四年〔1739〕進士）、湯大紳（乾隆七年〔1742〕進士）、諸錦（1686-？）、王文清（1696-1787）、王步青（1672-1751）等。

---

34 錢儀吉纂錄：《碑傳集》（1826 年清刊本），卷 25。
35 錢儀吉：《碑傳集》，卷 102；〔清〕李元度：《國朝先正事略》，《四部備要》（上海：中華書局，1927 年），卷 7。

　　參與纂修三禮的學者主要有三個來源。第一，在職的官員。當時不少官員對家禮中的婚禮、喪禮、葬禮、宗族模式、祠堂祭祀制度、立後的原則等實際相關的禮制多有研究及著作。大臣中如朱軾、楊名時、甘汝來、方苞、汪由敦、李紱、任啟運等，對實用的禮制都十分重視，而且很多都有禮學著作傳世。朱軾在 1712 年編修了《儀禮節要》二十卷，主要是以《朱子家禮》為基礎。他居喪時，「悉依《朱子家禮》。」[36]他對於實用的禮書編纂刊行十分重視，「嘗刻三禮及前儒議禮書為《家儀》三卷。撫浙時……又益以士相見、鄉飲酒禮為《儀禮節略》，共三十卷，以為浙人程式。又增定《禮記纂言》，《周禮注解》，訂正《大戴記》，呂氏《四禮翼》，《溫公家範》，《顏氏家訓》……。」[37]甘汝來曾上疏請修訂《家禮》以便頒行遵照，又贊成乾隆行三年之喪。[38]這幾個擔任總裁的大臣，他們對禮制都有研究，被任為副總裁並非偶然的事。

　　三禮館纂修官的第二個來源是翰林院的編修或進士，如余廷燦（1729-1798）、諸錦、姚範、王文清、惠士奇。[39]第三個來源是當時受推薦而委任的私人學者。乾隆初如康熙朝的做法，開博學鴻詞科，吸引有名望的學者。有不少應舉博學鴻詞

---

36 同前注。

37 錢儀吉：《碑傳集》，卷 22。

38 錢儀吉：《碑傳集》，卷 25；〔清〕方苞：《方苞集》（上海：上海古籍出版社，1983 年），卷 6，頁 154。

39 中華書局編：《清史列傳》（臺北：中華書局，1962 年），卷 68。惠士奇 1737 年重新被任為翰林院編修。參見 Arthur Hummel, ed., *Eminent Chinese of the Ch'ing Period* (Washington D.C.: Government Printing Office, 1943; Taipei: Ch'en-wen Publishing, 1970 edition), p.356.

科的被聘參與纂修三禮,如杭世駿、沈彤(1688-1752)、王士讓(1687-1745)、余廷燦等。[40]方苞希望推薦全祖望(1705-1755)入館,但全氏以雙親年高為理由,辭不赴。另外,李紱本想推薦萬斯大的兒子,萬經入館,全祖望深知萬氏不會應允,故勸李紱放棄推薦。[41]

四、欽定三禮義疏的編纂原則 與乾隆初禮學考證的特點

要了解乾隆初經學界有關對三禮的研究情況,對三禮館纂修三禮的研究無疑是最重要的。當時學者對三禮研究的一些特點,可以從兩方面來看。第一是負責纂修的官員所釐定的方法;第二是參與學者有關禮學的私人著作。從三禮館纂修三禮的方法中,可以看到康熙時期的禮學以及經學的許多特點仍然繼續深化。首先,乾隆初經學界對宋元經學仍然十分重視。朱熹及宋元儒的禮學及經學著作仍然主導學者的研究方向。

三禮的纂修,主要是幾個副總裁策劃執行,總裁只是掛名而已。方苞、李紱、任啟運,後來繼方苞的有李光地的孫子李清植。除了李紱之外,方苞、任啟運都推崇朱熹的禮學。三禮雖然是分別由不同的學者負責,但決定纂修三禮方法總綱最重要的學者是方苞。

---

[40] 王士讓,福建安溪人,著有《儀禮訓解》。見〔清〕唐鑒:《清學案小識》(臺北:臺灣商務印書館,1975年),頁 419-420;《清史列傳》,卷 68。

[41] 〔清〕全祖望:〈萬公神道碑〉,《鮚埼亭集》,見《國學基本叢書》(臺北:商務印書館,1969年),卷 6,頁 189-191。

　　乾隆元年，方苞為內閣學士，兼禮部右侍郎，六月兼三禮館副總裁，分得主修《周官》。[42] 纂修三禮首先便要搜求有關禮的著作。討論徵集纂修所需要參考書目時，李紱提議方苞從《永樂大典》中輯出宋以前有關禮的書籍文獻，這比到江、浙書坊購買省時。[43] 由此可見，雖然晚明商業印刷極為蓬勃，然而專門的禮書著作，流通極少，即使是江、浙地區，亦只有藏書家才有。因此，商業印刷對清中葉專門考證學的興起並沒有起到重要的作用。況且，考證學者所用的書往往是流通極少的著作，一般士人是看不到的。

　　方苞對禮的研究不單是學術上的興趣，而是上承康熙時期的禮學潮流，主張以宗族禮治來維持地方秩序，教化民眾。「古者治教禮俗莫重於宗法。」[44] 方苞曾經寫信給尹會一（1691-1748）表示他對朱熹的學術，尤其是禮學的崇敬。他說：

> 北方之學者，近有孫（奇逢）、湯（斌），遠則張、程，不過終其身不達於禮而已。……古之以禮成其身者，類如此，而世尤近，事尤詳，莫如朱子，……一以朱子為師足矣。[45]

方苞在〈擬纂修三禮條例劄子〉裡，指出修三禮比其他經籍困

42　〔清〕蘇惇元輯：〈方苞年譜〉，《方苞集》，附錄一，頁883。

43　李紱：《穆堂初稿》（1740），卷43，《四庫禁毀書叢刊補編》（北京：北京出版社，2005年），第86冊，頁489-490。

44　方苞：〈赫氏祭田記〉，《方苞集》，卷14，頁418。

45　方苞：〈答尹元孚書〉，《方苞集》，卷6，頁163。

難。他認為宋儒對於三禮有志而未竟其業。《禮記》雖有陳澔
的《禮記集說》，但「不厭眾心，詆議紛起。《周官》、《儀
禮》，則周、程、張、朱數子，皆有志而未逮，乃未經墾闢之
經。」[46]所以他特別提出編纂的六條凡例：

> 一曰正義：乃直詁經義，確然無疑者。二曰辨正：乃後
> 儒駁正舊說，至當不易者。三曰通論：或以本節本句參
> 證他篇，比類以測義；或引他經與此經互相發明。四曰
> 餘論：雖非正解，而依附經義，於事物之理有所發明，
> 如程子《易傳》、胡氏《春秋傳》之類。五曰存疑：各
> 持一說，義皆可通，不宜偏廢。六曰存異：如《易》之
> 取象，《詩》之比興，後儒務為新奇而可欺惑愚眾者，
> 存而駁之，使學者不迷於所從。[47]

方苞這六條凡例成為三禮館纂修三禮的根本方法。編纂方法博
采各家，不偏信一家。第一部纂修完成的是《周禮義疏》。乾
隆十三年刊，其中所列的凡例七條，六條的名稱與方苞所提出
的相同，只是多加了一條「總論」。在內容方面，除了第六條
「存異」外，《周禮義疏》的纂修原則與方苞提出的凡例幾乎
完全一樣。第六條「存異」解析：

> 名物象數，久遠無傳，難得其真，或創立一說，雖未即
> 愜人心，而不得不存之，以資考辨者也。[48]

---

[46] 方苞：〈擬定纂修三禮條例劄子〉，《方苞集・集外文》，卷 2，頁 564-
565。

[47] 同前注，頁 565。

[48] 紀昀：《四庫全書總目提要》，頁 379-380。

方苞所構想的「存異」目的是「後儒務為新奇而可欺惑愚眾者，存而駁之，使學者不迷所從。」所以收入的不同解釋，並不是要供學者參考，而是要指出辨析他們的錯誤。而《周禮義疏》「存異」所收的不同解釋，是因為「名物象數，久遠無傳」，在未有其他具體的證據支持時，若有人提出合理的見解，雖然不是完全令人信服，但亦有參考的價值，因此，「不得不存之，以資考辨者也」。這裡清楚顯示，在考訂古禮時，經常遇到的問題是遠古具體的制度名物，倘若資料不足，便很難辨別是非正誤。

第二部《欽定儀禮義疏》在乾隆十三年刊印完成。方苞指出是書的義例「詮釋七例與《周官義疏》同」，[49]並說明：

> 故是編大旨以繼公所說為宗，而參核諸家，以補正其舛漏。至於今文、古文之同異，則全採鄭注，而移附音切之下。經文、記文之次第則一從古本，而不用割附之說。所分章段，則多從朱子《儀禮經傳通解》，而以楊復，敖繼公之說，互相參校。釋宮則用朱子點定李如圭本。禮器則用聶崇義《三禮圖》本。禮節用楊復《儀禮圖》本，而一一刊其訛繆。……考證之功，實較他經為倍蓰。[50]

方苞的立場很清楚，解釋經文，以求是為主，鄭玄等漢人的著作，宋人的經解，都可以採用。方苞推崇朱熹的經學及禮學，所以在斷章、分段方面，一以朱熹的《儀禮經傳通解》為依

---

49 同前注，頁 395-396。
50 同前注。

據。至於古文今文讀音方面則全採鄭玄。他肯定鄭玄對個別字音字義的音訓的可靠性，但在整體文理的解讀層面則以為朱熹較鄭玄優勝。方苞是在不同的解讀層面來肯定朱熹及鄭玄的學術貢獻。

第三部《禮記義疏》的編纂亦可見朱熹經學與禮學的重要。纂修《禮記義疏》是由楊名時擔任。楊名時當時已是禮部尚書。《禮記義疏》八十二卷纂修完成，於乾隆十三年刊行。是書所用纂修凡例，與《周禮義疏》相同。楊名時解釋編纂的依據，稱是書：

> 廣摭群言，……即諸子軼聞，百家雜說，可以參考古制者，亦詳徵博引，曲證旁通，而辯說則頗採宋儒，以補注所未備。其《中庸》、《大學》二篇，陳澔《集說》，以朱子編入《四書》，遂刪除不載，殊為妄削古經。今仍錄全文，以存舊本，惟章句改從朱子，不立異同，以消門戶之爭。……至於御纂諸經，《易》不全用程《傳》、《本義》，而仍以程《傳》、《本義》居先。《書》不全用蔡《傳》，而仍以蔡《傳》居先。《詩》不全用朱《傳》，而仍以朱《傳》居先。《春秋》於胡《傳》，尤多所駁正刊除，而尚以胡《傳》標題。列三傳之次，惟《禮記》一經，於陳澔《集說》，僅棄瑕錄瑜，雜列諸儒之中，不以冠篇。仰見睿裁精審，務協是

> 非之公，尤足正胡廣《禮記大全》依附門牆，隨聲標榜
> 之繆。[51]

綜合方苞在《欽定儀禮義疏》凡例，以及楊名時《禮記義疏》的纂修方法來看，可以知道，纂修三禮所依據的注疏仍是以宋元儒者的著述為主，參以漢唐及其他時期的注疏。

除方苞之外，參與纂修三禮的另一個重要學者是任啟運。任啟運乾隆八年任三禮館副總裁。[52]任氏與方苞同年受任為副總裁。與方苞一樣，他對朱熹極為推崇，深惜朱熹死前未能對三禮作注解。他未當官以前已著有《禮記章句》。書名雖然題為《禮記》，但體裁並不依《禮記》原來的次序，而是根據吳澄的《三禮敘錄》。他把《大學》與《中庸》放在書前面。[53]

任啟運重要的禮學著作包括《宮室考》[54]與《天子肆獻祼饋食禮》。[55]他在研究這些古禮的時候，參考各家注疏，如鄭玄、王肅、杜預、趙匡、金履祥，唯取其是，不專主一家。[56]其他三禮館纂修官，很多都是受到朱熹禮學的影響。姜兆錫（1666-1745）曾經著有《儀禮經傳內編》二十三卷，《外編》五卷，目的是要補充朱熹的《儀禮經傳通解》。[57]

51　同前注，頁 422。

52　中華書局編：《清史列傳》，卷 68。

53　紀昀：《四庫全書總目提要》，頁 486-487。

54　〔清〕任啟運：《宮室考》，《四庫全書》，第 109 冊，頁 809。

55　任啟運：《天子肆獻祼饋食禮》，卷上，《四庫全書》，第 109 冊，頁 832-833。

56　紀昀：《四庫全書總目提要》，頁 402-406。

57　同前注，頁 504。

從參與纂修三禮學者的議論中，已可以看到另一個經學考證的特點：那就是康熙時期考證有問題的經籍篇章潮流的繼續。康熙時期的學者為了要清除經籍中的異端學說或後來摻入的篇章，繼續尋找及批判經籍可疑的部分。閻若璩考證《古文尚書》之偽；黃宗羲（1610-1695）、胡渭指出〈太極圖〉源出於道家；萬斯大指《周禮》為劉歆所作等，都是這種思潮的具體表現。很多辨偽的意見可以溯源到宋代，甚或更早。這些纂修三禮的學者的疑經考證活動，可以視為康熙時期學者要醇化儒家教義，排除異端思想及文字摻入儒家經籍思潮的繼續發展。

三禮館中很多學者沿襲宋儒的議論，對《周禮》、《禮記》的一些章節，表示懷疑，懷疑《周禮》的真實性者，有漢代的何休，宋代的歐陽修、胡宏。但方苞反對把整部《周禮》看成是偽作，只懷疑部分是劉歆與王莽摻入偽造的。[58]齊召南認為：「《周禮》非周公所作決然矣。」[59]他對《禮記》一些篇章亦有懷疑。他特別推崇宋儒如程頤與朱熹對於辨考經籍的貢獻，認為：

> 自程、朱二子出，然後能辨古書之正偽，而後之儒者知
> 以理義為衡，故凡《周官》、《戴記》、《書傳》、

---

[58] 方苞：《方苞集》，卷 1，頁 16-21、34。

[59] 〈書楊農先先生《周禮疑義》後〉引自徐世昌：《清儒學案》（臺北：世界書局，1966 年），卷 68，〈息園學案〉。

〈詩序〉之紕繆，雖未辨所從生，而鮮不以為疑。疑之者眾，然後或得其間，而白黑可判焉。[60]

三禮館的學者大抵認為《禮記》有可疑的成分。例如姜兆錫在《禮記章義》中指《禮記》是漢儒掇拾而成，又對鄭玄多所批評。[61]不過，姜兆錫對《周禮》的看法，與方苞不合。

三禮館的學者中，吳廷華也是古禮的專家。與方苞一樣，吳廷華受到朱熹對《儀禮》的意見的影響，對《儀禮》的一些篇章，懷疑是漢儒的作品。[62]吳廷華個人的禮學著作很多，有《儀禮章句》十七卷、《周禮疑義》四十四卷、《儀禮疑義》五十卷、《禮記疑義》七十二卷。這幾部著作都凸出三禮經籍中可以懷疑的地方。他考證經籍，引用各家的著作，如朱熹、敖繼公，甚至清代學者如萬斯大等都見引用。[63]吳氏對漢儒的注疏有很多不滿的地方，認為鄭玄用漢代的禮制來解析古禮是錯誤的，所以他批評張爾岐的《儀禮鄭注句讀》過於偏信鄭玄。[64]但他對鄭玄的注疏，一如其他的學者，都十分重視，只是沒有視為比其他的學者的意見更可靠而已。

乾隆元年十二月李紱受任為三禮館副總裁，主修《儀禮》。[65]李紱對朱熹多所批評，推尊漢儒的經學。方苞的主張顯然並非當時一致的意見，兩人經常辯論，當時另外一個副總裁

60　方苞：《方苞集》，卷1，頁34。

61　紀昀：《四庫全書總目提要》，頁484。

62　〔清〕吳廷華：《儀禮章句》，卷15，《四庫全書》，第109冊，頁457。

63　同前注，（卷1）頁292、297、（卷2）305、（卷12）430、431。

64　錢儀吉：《碑傳集》，卷102，頁9-11。

65　中華書局編：《清史列傳》，卷15。

任啟運往往要替兩人調和。方苞、李紱每爭論「必折衷於先生，得一言而兩家之論定。」[66]在思想上，方苞一尊朱熹，李紱則信服王陽明，對當時朝廷內外推尊朱熹，不以為然。雍正四年，他因為參奏河南巡撫田文鏡不法，被論以朋黨罪，論死獲赦。雍正七年，又再重提舊罪，雍正親審，李紱仍堅持不屈，終獲赦。但如錢穆所指出：「穆堂之在聖朝，得保首領，已萬幸，尚何高言踐履功業！」[67]

李紱對朱熹多所批評，而對當時批評王陽明、陸九淵的學說是禪學外道十分不滿，多所迴護。但要注意，朱陸之辨，王陽明對朱熹解析《大學》的不滿，到了這個時候已經不是爭論的重點，因為在禮學方面王陽明並沒有什麼重要的著述，但往往針對朱子的經解提出異議。他的私人著作中，討論經學，尤其是禮學的很少。〈中庸章節考〉、〈大學考〉、〈二戴記考〉都是為了批評朱熹而作的。李紱很不滿意當時的學者推崇朱熹的經學與禮學，他指出朱子改《大學》，補「格物」傳是改變孔子的教法：

> 今天下競言尊朱，吾亦從而尊之。然朱子之前猶有當尊者。王陽明先生謂今之學者，重於尊朱，而輕於叛。蓋古本《大學》，孔氏之遺書也。朱當尊矣，孔其可叛乎？[68]

---

[66] 全祖望：《國朝先正事略》，卷 34。

[67] 錢穆：《中國近三百年學術史》，頁 284-285。

[68] 李紱：《穆堂初稿》，卷 20，《四庫禁毀書叢刊補編》，第 86 冊，頁 206-210。

但是，乾隆初年的禮學研究與經學的關係發生變化。關於禮學的研究，由於學者對行禮的辯論，為了要解決不同意見，往往必須對經中有關禮制的部分進行綜合的研究。對《儀禮》、《周禮》、《禮記》所記載的古禮，即所謂名物制度，必須作歷史性的考察，然後方能釐清古禮的原來面貌。所以，禮學的學術性比康熙時期以實用為主導的研究相對加強。以具體禮制為研究對象的禮學已經與經學結合，而轉成為經學研究的一部分。研究禮制，以及康熙以來對宗族祭祖、立後等重要禮制，已經納入經學研究的框架。所以，禮學的主要表現形式是為三禮作注解。[69]但是，乾隆初年具體禮制的個別研究仍然十分普遍。有關這種情況，下文將會再討論。

　　從三禮館的纂修官可以看到乾隆初，經學界的一些現象。首先，對於鄭玄、許慎以及漢代經師的著作的重新重視，有繼續深化的情況。纂修三禮的學者，雖然很多都推崇朱熹的禮學及經學，但並不是盲目尊信。絕大部分都肯定漢儒如鄭玄訓釋經籍的貢獻。齊召南的想法可以算是有相當的代表性的。他說：

> 康成漢代大儒兼通五經，尤精禮學。……雖或旁引緯書，時生異辭，祫禘偏信魯禮，〈王制〉多指夏殷，五廟但守元成，七祠惟據〈祭法〉，六天二地王肅駁其違配響，南

69　參看 Kai-wing Chow, *The Rise of Confucian Ritualism*, pp.145-160. 最近，張壽安亦注意到清代經學與禮學的關係。但她解釋清代的禮學，是以明代的禮學來比較，並不強調清初的禮學與明末以及乾嘉時期的分別。見張壽安：《十八世紀禮學考證的思想活力：禮教論爭與禮秩重省》（臺北：中央研究院近代史研究所，2001 年）。

> 郊趙匡矯其失譬，則〈明堂位〉、〈儒行〉亦在記中。
> 大醇小疵。瑕瑜自不相掩。至於禮器制度，先古遺文本
> 本原原，無非確有根據，故即以宋儒之好去古注以解
> 經，獨於禮則墨守康成，亦步亦趨，不敢輕於置議，豈
> 非天人性命之旨，可據理自騁其心思，名物象數之學，
> 必不可憑虛以擬其形似乎？[70]

齊召南認為鄭玄「尤精禮學」的看法亦是當時許多學者的共
識。杭世駿是另一個例子。

杭世駿著有《續禮記集說》。杭世駿是毛奇齡的再傳弟
子，他的老師方楘如受學於毛奇齡。[71]如上所述，毛奇齡對古
禮甚有研究，有關禮制的著作很多。杭世駿提到他在三禮館
時，在文淵閣找到幾部禮學著作，除了陳澔的《禮記集說》
外，他對一些宋儒的經注都十分重視：

> 在衛湜後者，宋儒莫如黃東發。《日抄》中諸經皆本先
> 儒。東發無特解也。元儒莫如吳草廬，《纂言》變亂篇
> 次，妄分名目，乃經學之駢枝，非鄭、孔之正嫡
> 也。……宋元以後，千喙雷同……國朝文教覃敷，安
> 溪、高安兩元老，潛心三禮，高安尤為傑出。《纂言》
> 中所附解者非草廬所能頡頏。[72]

杭世駿反對宋元儒者變亂經籍的次序，譏諷這些學者為「非

---

[70] 徐世昌：〈息園學案〉，《清儒學案》，卷68。

[71] 同前注，卷26。

[72] 〔清〕杭世駿：〈毛詩原志序〉，《道古堂集》（1888年清刊本），卷4，頁17-18。

鄭、孔之正嫡也」。他認為鄭玄、孔穎達注經而不重新編排章
節的次第，這是研究經學的正確方法。當然，注經按照漢朝經
學篇章次第的看法在乾隆初年，已經是學者的共識。但要注
意，此種依照漢代的經籍篇章次第的主張，並不必視為漢學的
特徵，因為康熙朝很多推尊朱熹的學者，都主張恢復古經的篇
章次序。

　　杭世駿對禮的研究強調釐清立例。而鄭玄對古禮的解釋是
極為詳盡的：

> 余以為《春秋》可以無例，而《禮》則非例不能貫也。
> 例何所取？吾於孔、賈二疏中，刺取之例立於此。凡鄭
> 之注〈士禮〉，於鄭之注《周禮》者可參觀而得
> 也。……余特以例為之階梯，而有志者即以津逮，禮無
> 不歸之例，而天下亦無難治之經。[73]

由於研究古禮，必須對行禮的活動細節，行禮所在的地方如宮
室、廟宇、學校，所用的器物如衣服、禮器等具體事物，一一
研究清楚，所以鄭玄及其他漢代經注便顯得十分重要。杭世駿
對當時一些不尊信朱熹的經學學者表示支持。在他為慎端揆寫
的《毛詩原志》序中，指出：

> 或謂（詩）《集傳》不可違背。端揆自說《詩》原非與
> 《集傳》立異。鄭康成之箋《毛傳》也，而其言時時與

---

[73] 同前注，〈禮例序〉，頁 12-13。

> 《毛傳》異。習毛者未嘗廢鄭也。端揆欲為朱子之諍臣
> 而不肯為朱子之面友，以朱子之深許。[74]

但杭世駿並沒有把朱熹及其他宋儒的經學絕對否定。他對安溪李光地、高安朱軾的禮學十分推崇。李光地、朱軾都是推尊朱熹的。

這種漢儒著作、宋儒經注並用的看法亦見於其他纂修官的著作。沈彤學於何焯（1661-1772），著有《周官祿田考》及《儀禮小疏》。沈彤研究古禮，所經常引用的包括漢、唐、宋、元諸儒，如鄭玄、賈公彥、朱熹、敖繼公，不專主一家，求是為主，引用鄭玄與敖繼公特多。[75]沈彤認為：「康成之注於書名物數，悉有依據。」[76]但他亦並非以鄭玄為必是。例如，他對萬斯大的古禮研究，亦有引用。[77]四庫全書的纂修官，對沈彤的評價是「彤三禮之學遜於惠士奇而醇於萬斯大」。[78]

五、古音古字學與漢學的端倪

在三禮館幾個重要纂修官的私人著作中，雖然可以見到康熙時期禮學及經學的許多特點繼續深化，鄭玄的經注普遍受到重視和大量引用。但是，宋元經學在當時考證古禮的研究中，

---

74 同前注，頁 16。

75 沈彤：《儀禮小疏》，卷 1，《四庫全書》，第 109 冊，頁 902-994。

76 同前注，卷 5，頁 967。

77 同前注，卷 1，頁 902、904，

78 同前注，〈提要〉，頁 901。

仍然是主導。不過與此同時，亦開始見到後來所謂漢學的一些經學思想，此種思想以惠士奇為代表。

　　惠士奇，惠棟的父親，亦是三禮館的重要纂修官。他在三禮館時的意見不可知，但如果把他個人的私家著述與三禮館纂修刊定的三部欽定的三禮義疏對照，可以看到他解析經籍的方法與其他學者有顯著的不同。首先，欽定的三禮義疏雖然都承認鄭玄對古禮的注釋極為重要，並且大量引用，但並未強調語音與字義的關係。也就是說，解析經文和禮制並不建立在審音以明義的方法論之上。惠士奇在他的私人著作中，特別強調審別古音，同音異字，古、今文異寫等問題。他著有《禮說》十四卷，書中他指出：

> 古今異文，是非異意，南北異音。由是六書亂，小學亡，而俗師失其讀矣！[79]

　　惠士奇研究古禮，對於三禮中名物所指為何，特別措意。而名物的內容，即其意義卻是由讀音來決定。所以，如果讀音錯了，字義亦隨之而錯，上古禮制便不能辨明具體的細節。他說：

> 禮經出於屋壁，多古字古音。經之義存乎訓，識字審音，乃知其義，故古訓不可改也。康成注經，皆從古讀，蓋字有音義相近而訛者，故讀從之。後世不學，遂謂康成好改字，豈其然乎？……夫漢遠於周，而唐又遠於漢，宜其說之不能盡通也。況宋以後乎！周秦諸子，

---

[79] 惠士奇：《禮說》，卷9，《四庫全書》，第101冊，頁567。

其文雖不盡雅訓，然皆可以引為禮經之證，以其近古也。[80]

惠士奇所說的「周秦諸子，其文雖不盡雅訓，然皆可以引為禮經之證，以其近古也」。他所要強調的不是漢代的經學家說經的意見，而是認為漢儒如鄭康成他們解經之所以比較可靠，是因為他們對於文字的字形和讀音在秦漢時期的巨大變動特別注意，並在注疏中刻意指出今古文的異寫，異本的同音假借和改字的現象。由於古字的讀法決定經文的意義，所以即使是非儒家的典籍，都可以引用證明古字的讀音。這種重視語言變化的現象自然是建立在深刻的歷史意識之上。因此，先秦諸子的典籍都變成了解經的證據。惠士奇在《禮說》中，經常引用《莊子》、《墨子》、《荀子》、《管子》、《呂氏春秋》、《鶡冠子》、《逸周書》、《國語》等書中的字，以論證先秦時期文字讀音的各種變化情況。[81]

惠士奇雖然強調古音對解經的先決性，但重點仍然集中在對古禮的研究。他的經學研究及對禮學的重視，到了惠棟，更得到進一步的發展。惠棟對古禮有不少專著，對商周的祭禮廟制作過深入的探究。

惠棟對禘禮的研究，是為了辨析各種祭禮的性質及關係，從而解決各家不同的爭論。對於周代的廟制中廟的數目，是四廟還是七廟，提出一個綜合的看法。他認為周初四廟，是周公

---

[80] 引於錢大昕：《潛研堂集》（上海：上海古籍出版社，1989年），頁690。

[81] 惠士奇：《禮說》，《四庫全書》，第101冊，（卷2）頁435、（卷7）518、520、521、524、535、（卷8）546、552、（卷13）636、637。

之制，但後來變成七廟。因此，七廟是晚周之制，這就是《禮記‧王制》、《荀子》、《春秋穀梁傳》講的七廟。惠棟認為，「《禮記》，七十子之徒所撰。其間雜有後世之禮。即以周言之，有周公之制，有晚周之制。」[82]由是，諸儒四廟、七廟之說，惠棟用歷史變遷的說法來調和，使不相矛盾。[83]惠棟雖然經常引用漢儒注疏，但有時亦不依從。他認為鄭玄以祫大禘小，「此鄭氏之謬也。」[84]惠棟另一個重要的研究是明堂，著有《明堂大道錄》。明堂之制，牽涉宗廟之制、辟廱之制、朝覲等制度，眾說紛紜，莫衷一是。漢儒中已經有很多不同的意見。惠棟認為明白古代明堂制度的漢儒中有「戴德、戴勝、韓嬰、孔牢、馬宮、劉歆、許慎、賈逵、服虔、穎容、蔡邕、高誘諸儒猶能識其制度。惜為孔安國、鄭康成、王肅、袁準四人所亂。」[85]雖然惠棟主要是把漢儒的各種意見參考比較，對於漢以後的著述引用甚少，然間亦有引用宋儒的意見。如在《明堂大道錄》中，有關在明堂中舉行的祭禮，由於鄭玄認為祫大禘小，所以解「大饗」屬於祫。而陳祥道則駁鄭玄之說，以大饗為祫祭之誤。[86]

惠棟研究經學與當時大部分學者的差別不在對鄭玄名物禮數注解的信賴，而是在解經方法上強調兩點：一、利用歷史上語言的變遷，文字的通假；二、大量引用先秦兩漢的文獻，找

---

82 惠棟：《禘說》，《叢書集成新編》，第 35 冊，頁 408。

83 同前注，頁 407-408。

84 同前注，頁 410。

85 惠棟：《明堂大道錄》，《叢書集成新編》，第 34 冊，頁 665。

86 同前注，頁 690。

尋語音以及名物意義的證據。在《九經古義》的前言，他說：

> 漢人通經有家法，故有五經師、訓詁之學，皆師所口
> 授，其後乃著竹帛，所以經師之說，立於官學，與經並
> 行。五經出於屋壁，多古字古音，非經師不能辨。經之
> 義存乎訓，識字審音，乃知其義。是故古訓不可改也。
> 經師不可廢也。[87]

惠棟的意見其實就是他父親所提出的解經方法。弄清古字的讀
音是語言音訓的基本問題。惠棟解經，其實並不完全依賴漢經
師的訓詁。他大量引用比較先秦兩漢著作中的字，通過假借、
異讀、古今文字異寫、訛傳等辨析，以證明古經原來的讀音及
意義。在《九經古義》、《明堂大道錄》、《禘說》中，除了《說
文》、鄭玄的注釋外，他引用《荀子》、《管子》、《韓非子》、
《呂氏春秋》、《國語》、《戰國策》、《淮南子》、《公羊傳》、《韓
詩外傳》、《史記》、《漢書》、《焦氏易林》、《方言》、《孝經》，
以及碑文中的異字，甚至被證明為偽作的《古文尚書》都被引
用。惠棟特別注意古今文及不同的異寫，即同音異字。[88]

惠士奇、惠棟亦非全唯鄭玄是依。惠士奇在《禮說》中，
多處批評鄭玄解經錯誤。[89]惠氏父子的解經方法，與其他學者
不同的地方在於強調辨明上古讀音作為解釋經文的基礎。惠棟
被視為漢學的代表人物。其實，他和他父親的研究方法並非限

---

87 惠棟：《九經古義》，《叢書集成新編》，第 10 冊，頁 163。
88 惠棟的《九經古義》重點是辨明讀音，指出同音異寫、古今文異字、古字
　　通用假借的現象。見《九經古義》，頁 163-208。
89 參見惠士奇：《禮說》，卷 7、9、11、12，《四庫全書》，第 101 冊。

於漢經師的意見。更重要的是超越漢經師個人見解的古音古義的知識。由此觀之，雖然惠氏父子一方面重視鄭玄及漢人的著述，但他們並非盲目尊信，此與三禮館的其他學者有程度上的差異。因此，「漢學」這個概念並不能切合地說明經學與禮學從康熙時期，轉到乾隆中期的強調辨別古音作為解釋經文的根本方法。

六、結論

禮學在整個清代不但是顯學，且是經學的重點。清代經學集中在對古禮的研究，尤其是商周之禮。從三禮館纂修三禮的學者的言論，以及他們的私人著作中可以見到乾隆初的經學界，考證學的重點是古禮。禮學研究一方面具有實際的應用目的，但由於經籍的權威，禮學已經變成注疏之學，集中對商周古禮的學術研究。這時期的經學與禮學，有幾方面仍然繼續康熙時期的一些特點。朱熹以及宋元儒者的經注在當時考證古禮的著作中仍然佔主導地位。與此同時，研究古禮的學者普遍承認鄭玄對古禮注疏的貢獻。康熙時的陸隴其與乾隆初年汪紱的意見可以說是有相當的代表性。上面已經引述過陸隴其的言論，現在看看汪紱的意見。

汪紱已經指出康熙時期很多學者的意見，認為漢儒，尤其是鄭玄，對周代的禮制有關名物器數所提供的歷史資料，最為寶貴，可靠性比很多後儒的解釋為高。他說：

> 漢唐諸儒惟事訓詁，多為枝葉，不有朱（熹）、蔡
> （沈）何以大其廓清之功乎？禮則不然。禮僅節文之
> 跡，存乎器數。與俗更革，去古日遠，其跡日湮。數千
> 百年而失亡盡矣！漢儒去周未遠，周之所遺車服禮器，
> 或有存者。漢初猶及見之。而孔壁逸《禮》五十篇，
> 孔、鄭猶得而參考焉。雖其雜引讖緯，不無失之誣妄，
> 而器數名物迄今可考，則非孔、鄭、馬、賈不為
> 功。……大抵言事理而見古人之心，漢儒所短。考器數
> 而得古人之制，漢儒所長。然則，禮經無漢儒，今人幾
> 不識耳目何加，進退何所矣。[90]

汪紱認為漢儒與宋儒各有長處：後者長於義理，所以可以辨析漢儒經注中摻雜讖緯誣妄的言論。而漢儒經注卻又提供重要的歷史資料，以資後人對古禮所牽涉的器物、名稱，種種細節，得以明確的了解。因此，清代的考證學由清初康熙時期一直到乾隆初年，變化不大。研究清代學術思想史的學者，往往認為調和漢儒及宋儒的意見，漢宋並用，是嘉、道以後，學者為了挽救乾嘉考證學繁瑣、不切實用的學術風氣而出現的現象，這是忽略了康熙、乾隆初期經學，尤其是禮學研究中，宋經學與漢經學並用的情況。

　　了解到康熙、乾隆初的經學、禮學考證漢宋並用的特點，便必須重新思考乾隆中葉到嘉慶時期，經學家何以轉而大肆攻擊宋經學，以為不可靠。三禮館的纂修官之中，強調通過對古音的釐清、古今文的異寫、同音假借等研究，並將這個歷史語

言學的方法引申到利用先秦文獻，以證成古字的讀音，惠士奇算是例外。然而他這個研究經籍的方法到了乾隆中期，變成了所謂漢學的獨特解經方法。就是因為這個方法建立在歷史語言的方法上，秦漢以後解經家，如果不明古音，他們的解說便不大可靠。因此，宋元儒的經籍注疏便受到貶低，認為不可靠，所謂宋儒不識字。對古音的研究，明末的陳第，清初的顧炎武都有著述，但沒有把古音學提高到基礎性的地位，作為一切解讀經典的根本學問。乾隆初經學家大部分都沒有強調這種以古音為基礎的釋經方法，過了三十年卻變成了經學的主流，及所謂乾嘉考證學方法的核心，其中的原因何在，這還要作深入的研究。

此外，清初淨化思潮中的疑經考證潮流，到了乾隆初年三禮館時期，仍然在很多纂修官的著作中看到。李塨很早就察覺到疑經的危險，[91] 但這種對於運用考證方法來懷疑儒經可靠性的警覺，似乎要到乾隆中葉才被普遍了解。例如程廷祚（1691-1767）就反對萬斯大，不同意他懷疑《周禮》是劉歆偽造。[92] 戴震（1723-1777）曾致書任大椿（1738-1789），告誡他不要攻擊鄭玄、孔穎達，更不應懷疑《禮記》、《周禮》的可靠性及權威性，勸他「毋輕議禮」。[93] 雖然戴震並不主張墨守鄭玄，但他反對疑經，對儒經的尊信態度，與其他的漢學家是一

---

[91] 有關李塨這方面的警覺，參看 Kai-wing Chow, *The Rise of Confucian Ritualism*, p.168.

[92] 〔清〕程廷祚：〈與家魚門論萬充宗儀周二禮說書〉，《青溪文集》（臺北：大通書局，出版年不詳），卷 11，27-28。

[93] 〔清〕戴震：《戴震集》（上海：上海古籍出版社，1980 年），頁 177。

致的。[94]到了乾隆中葉,清初考證學中的疑經所導致推翻儒家
思想的典籍基礎的危險,無疑已經取得大部分學者的默認及背
棄。這種疑經思潮的淡落與經學家轉而強調古音學作為解經的
基礎,兩者之間是否有一定的關係?

乾隆初宋經學與漢經學並用的禮學考證學,為何到了四庫
全書開館的時候,一些標榜漢學的學者,視漢經學與宋經學為
兩個截然不同解經系統,認為漢經學比宋經學為可靠嚴謹?這
三十多年之中,究竟有甚麼重要事件或變化,導致這種學術思
想的轉變?這仍然是我們要努力去探究的。

---

[94] 戴震反對當時學者「株守先儒而信之篤」。見戴震:《戴震集》,頁186。

乾嘉經典詮釋的典範性綜論
——思想史的考察

鄭吉雄[*]

一、問題的提出

我於八年前開始以「乾嘉學術思想」為研究對象,直至今年,計中文、英文、日文的論文已總共累積了十五篇。我訂於 2008 年將中文的論文輯成專書《戴東原經典詮釋的思想史探索》(以下簡稱《探索》)刊佈,謹以本文作為一個總綱,略識全書宗旨。

我之所以將戴東原置於乾嘉經學的背景,又將研究縱深延伸到「思想史」,終極的原因是要探討二十世紀中國思想史的特殊性何在;要探討這個問題,必須先為清代思想在中國思想史上尋找價值與定位;要尋找此一價值與定位,則必須先了解乾嘉學術的思想史意義;而要了解乾嘉學術的思想史意義,又要先了解乾嘉經學的特殊範式;要了解乾嘉經學的特殊範式,

* 臺灣大學中國文學系博士,曾先後擔任美國(西雅圖)華盛頓大學、香港中文大學、中央研究院中國文哲研究所籌備處訪問學人,現任臺灣大學中國文學系教授。研究範圍主要為《易》學、清代學術史及宋明理學史。著有《王陽明——躬行實踐的儒者》、《清儒名著述評》及相關之學術論文二十餘篇。

當然不得不先探討戴東原的經學與思想。但倒過來說，研究戴東原的經學與思想，也不能不對乾嘉學術或者清代思想史有深入的了解。因此，上述所提出的幾個大問題，彼此之間其實是密不可分的。

戴東原以及其他乾嘉學者經典詮釋的方法與方法論，似乎是問題的關鍵。倘若我們無法平情地了解考證學的方法與理論，對於戴東原經學的終極關懷，也根本無從談起。原因在於，作為思想家的戴東原，其思想幾乎完全奠基在他的經學研究之上。換言之，在「經學家戴東原」和「思想家戴東原」密切重疊的前提下，任何針對東原的思想分析，都必須奠基於對其經學的分析；而對東原經學了解之深淺，也涉及對其考證方法的深淺。同時，我們也必須從乾嘉經學和思想史的背景去考察，才能了解東原經學的終極關懷。這樣一來，乾嘉考證學也就不能只視為一種外在的學術範式去理解，而必須發掘其背後的理論依據了。

近一世紀以來，學術界關於乾嘉學術的研究成果極為豐富，研究者持論不同，深淺互見，對於這個領域的研究，都有其不可磨滅的貢獻。[1] 自 1949 年以後，海峽兩岸三地學術分途

---

1 關於「乾嘉學術」的研究，重要的論述很多，幾可說是不勝枚舉。章太炎〈清儒〉一文可能是影響二十世紀學術界關於清代學術屬性問題相關論述最深的一篇作品，其中的吳皖分派說即引起了無數的討論。太炎對宋明理學的評價不高（詳所著〈菿漢微言跋〉），而對漢學則懷有一種遺民意識，稱漢學家為「學隱」，即隱居於故紙堆而非山林中的學者。其後胡適之高唱戴東原的哲學以及清儒治學的科學方法，梁任公在《清代學術概論》及《中國近三百年學術史》中有清學為宋明理學「一大反動」之說，亦同樣推崇清儒的科學精神，引起了重視宋學的錢賓四先生不滿，而寫了另一部

發展，在清代思想的特質、乾嘉學術的屬性等問題的研究上，大致上說，中國大陸學者受唯物史觀的影響較深遠，相對上，臺灣學者依文史哲不同領域而有較多樣化的觀點。[2]此外，北美、日本的學者亦各有其特殊的創獲。[3]將眾多觀點略為歸

《中國近三百年學術史》將清學溯源於晚明東林書院，並認為清代樸學家治學之深淺端視其治宋學之深淺以為準衡，且引道咸學者對考據學的批判，映照十九世紀宋學的復興。與賓四先生同時期的馮芝生指稱清代哲學為宋代道學一部分的延續。從梁、胡、錢、馮四先生身上，即可觀察出清學評價的兩端分歧：適之及任公推崇清學，貶抑宋學；賓四、芝生則推崇道學，而貶抑清學。其後余英時先生撰文提出「內在理路」之說，認為清儒知識主義是道問學與尊德性爭議發展的必然結果；復撰《論戴震與章學誠》以說明經學與史學之間的緊張性。余先生從一般學者意想不到的角度，綰合了前述兩派的看法：清儒沿道問學宗旨而發展知識主義，我認為這是汲取了錢賓四先生清學源出宋學論點的精髓；又余先生稱許戴東原捨朱子第一義「主敬」而以第二義「問學」為第一義，此則汲取了胡適之先生推許清儒具科學精神之論的宗旨。余先生的論點之所以廣受推崇，其故在此。同時期何佑森老師也提出了實學、經世、體用、形而上與形而下等幾個重要的考察點，對如何正確認識清代思想，提出了啟發性的論點。（《探索》所收〈從乾嘉學者經典詮釋論清代儒學的屬性〉一文有說。）其餘對於清代學術思想的特質做過深入研究、並提出突出見解的學者很多，如侯外廬、任繼愈注意啟蒙、唯氣論等觀點，楊向奎注意清學中自然科學的精神，葛榮晉、辛冠潔提出「實學」。其餘名家如王俊義、黃愛平、葛兆光、周積明、陳祖武、漆永祥各有專著，均各有所見。

2　如劉又銘從「氣論」的立場提出「理在氣中」，林慶彰注意到經學復興、回歸經典和儒學思想轉變的關係、唐海雲提出「實學」、張麗珠提出情性學、張壽安提出「以禮代理」、王汎森以宋代以後為新傳統時期，而關注明末清初則多著眼注意社會變動的狀況對於學術思想的影響。

3　狄百瑞（Wm. Theodore de Bary）從東亞文明演進的觀點切入考察明末清初學術思想的轉變、成中英從他所提出的本體詮釋學理論切入分析戴東原，郭穎頤（Daniel W. Y. Kwok）曾研究 1900-1950 年中國科學主義的發展、司馬富（Richard J. Smith）注意到清儒將道德律落實於社會事務、周啟榮（Kai-wing Chow）提出的「儒家禮教主義」並認為明代的考證學不能被視為清代考證學的遠源、研究清代今文經學和清初李光地思想的伍安祖（On-cho Ng）則從詮釋學角度比較中西經典詮釋的觀點而有獨特的見解、

納，可以統整為三類的視角：哲學的角度以探討氣論的發展為主，史學的角度以探討社會經濟與制度（如科舉）的變遷為主，文獻學的角度則以探討經典研究與考證方法之興起與轉變為主。

我有幸生於許多前輩耆宿之後，在撰寫這部書的過程中，當然很容易汲取了不同的資源，我在進行研究時，在思想上受到章太炎、梁任公、錢賓四等先生的影響，那是不在話下的；就戴東原研究而言，如岑溢成、鮑國順、李開等幾位先生關於戴東原學術思想的專著，我向來是很佩服的。[4]在方法論背景上，我基本上同意余英時先生所說，清代思想史的解釋需要一種內在理路（inner logic）的進路；但我也不認為余先生的意思是完全否定外緣因素的分析。如果我們綜繪近世研究清代思想的著名學者的研究方法，我們會發現外緣因素和內在因素其實

艾爾曼（Benjamin A. Elman）注意科舉考試與知識圈在社會的流動問題等。日本方面，山井湧的名著《明清思想史の研究》（東京：東京大學出版會，1980 年）和溝口雄三《中國前近代思想の屈折と展開》（東京：東京大學出版會，1980 年）二書相當具代表性，分別注意到「氣」思想的發展和社會經濟結構轉變所引起的觀念轉變問題。村瀨裕也《戴震の哲學》（東京：日中出版，1984 年）是一部相當有啟發性的論著，作者從清代考證學的時代因素，透過分析唯物論和觀念論的衝突，以及雙方在道德價值上的差異，分析中日學術界對戴東原思想的解釋。其餘討論過戴東原思想的學者甚多，如河田悌一、橋本高勝、伊東貴之、木下鐵矢、中山久四郎、山口久和、井上進、青木晦藏、水上雅晴等。

[4] 至於近年中國大陸崛起關於「徽州學」的研究，當然也是一個值得關注的領域。將戴東原思想置於徽州的經濟環境與人文氣圍考察，已經讓近年清代學術界和徽州學界有了許多意想不到的成果。讀者可參姚邦藻主編：《徽州學概論》（北京：中國社會科學出版社，2000 年），尤其是王俊義先生為該書撰寫的〈序〉。

是一種多層次的、相互糾纏而又互為因果的狀態。例如過去章太炎認為清代考證思想源出於反滿意識，稱樸學家為「學隱」。這看起來是一種外緣的解釋，[5]但如果我們考察清初以迄晚清政治上的滿漢矛盾、[6]樸學家與政治之間的疏離感等等因素，[7]則反滿意識其實一直沈埋在漢族士大夫的情感之中，甚至可以說是導致晚清古文經學家章太炎反滿倡革命的思想遠源。那麼外緣因素，亦自有其內在成分存在。基於十七世紀滿

---

[5] 如余英時先生〈清代思想史的一個新解釋〉即將此說歸屬為外緣解釋。該文收入氏著：《論戴震與章學誠》（臺北：東大圖書公司，1996 年），頁 344-345。事實上二十世紀中葉以後，受到唯物思潮的影響，研究清代學術思想的大陸學者，多認為抽象的思維取決於具體的物質條件，或者可以說是精神文明是受物質文明所支配。思想史家尤喜在描述某一思想家或某種思想流派時，先針對社會背景、生產條件、經濟環境等作出分析。如謝國楨《明末清初的學風》（北京：人民出版社，1982 年）舉出社會商業、手工業的發展，土地的兼併、社黨的階級成分等因素，認為「明末清初的學風」之所以「有這樣豪邁的風格，堅貞不屈的氣節和多種多樣的體裁」，是「由於社會經濟發展的條件，同時又由於明末農民的大變亂摧毀了明朝的腐朽政權，也有力地打擊了滿洲貴族。」（頁 2）其實，即如日本前輩學者溝口雄三對於中國思想價值的研究與批判，亦往往與其注意到東亞世界經濟秩序與因素的變幻，有密切關係。

[6] 清廷早在順治時期即已存在滿漢矛盾，文字獄之興，亦為確證。這方面可供參考的論著頗多，如讀者可參錢穆《國史大綱》（臺北：國立編譯館，1977 年），下冊第八編；蕭一山《清代通史》（北京：中華書局，1986 年）、孟森《明清史論著集刊續編》（臺北：南天書局，1987 年）、陳寅恪《柳如是別傳》三冊（上海：上海古籍出版社，1980 年，尤其是下冊「復明運動」一節頗詳。）拙著〈讀《清史列傳》對吳偉業仕清背景之擬測〉（《臺大中文學報》1998 年第 10 期，頁 273-197）亦有討論。

[7] 此則自錢賓四先生《國史大綱》已有精闢的說明。錢先生稱「江浙學者間，有一科舉以家傳經訓為名高者。亦有一涉科第，稍邀仕宦，即脫身而去，不再留戀者。要之在清代這一輩學者間，實遠有其極濃厚的反朝廷、反功令的傳統風氣，導源於明遺民，而彼輩或不自知。」（氏著：《國史大綱》，下冊，頁 654。）

族和漢族之間的民族矛盾為漢學興起的內在動力，清初以迄清中葉的「漢學」活動，我直接稱之為漢族士大夫的歷史文化的集體同憶（collective recall），[8]目的在於尋找文化生命的根源；而「漢學」之「漢」，除了「漢代」的意義外，還蘊藏更為深沈的「漢族」之意涵。士大夫既不能標榜漢族，則轉研「漢」學，既可以名正言順標立異幟於清廷推舉的程朱理學之外，又可以不觸犯忌諱，同時透過心繫自身文化思想，而維繫漢族民族意識於不墜。

關於清代思想的本質以及乾嘉學術的思想史意義等問題，學者的理解各不相同，我也有不同的看法。[9]《探索》一書所收各篇文章，偶或有異於眾說的特殊觀點與解釋，但事實上這絕不代表我有欲睥睨前賢的傲心，相反地，對於所接觸過的每一種關於清代思想、乾嘉學術以及戴東原研究的論著，我都存在一種感謝與欽佩之情。因為每一種我讀過的論著，不論我同意其論點或者不同意其論點，事實上或多或少都曾啟發過我。這是我所不能否認的。

---

[8] 我所謂集體回憶是指一種潛在於漢族士大夫內心的感情、並由此種感情為動力驅使他們追憶其民族之精神與來源的心理活動，與學界較常用的集體記憶（collective memory）基本上一致。關於「集體記憶」的問題，讀者可參 Maurice Halbwachs, *On Collective Memory*, ed. & trans. Lewis A. Coser (Chicago: University of Chicago Press, 1992).

[9] 如張岱年為王茂、蔣國保等合著的《清代哲學》一書撰〈序〉，指出「清代哲學的主流是回歸原始儒學」（參王茂等著：《清代哲學》〔合肥：安徽人民出版社，1992 年〕，頁 2），這個講法不能說錯，但「回歸原始儒學」云云，恐為皮相之論，因為歷代儒者無不以「回歸原始儒學」為終極目標，因此此六字實未觸及清代哲學的核心精神。

二、心性侷限與詮釋侷限

　　戴東原既是十八世紀最受矚目、以博學強記著名的考據學家，也是乾嘉時期最具思想理趣的經學家。這兩項條件，讓我們有充分理由視東原為清代學術典範性的主要代言人。不過近一世紀以來學術界對東原學術思想的評價頗分歧，這主要是因為許多討論東原的學者，傾向於借用東原的思想來映襯自身的理念，而非真正對於東原感興趣的緣故。也就是說，在戴東原研究者中，「東原注我」的人遠多於「我注東原」的人。這種現象並不足為奇。「經典詮釋」本來就是主體和客體難以區分的一種工作。它之所以充滿弔詭之趣，正在於詮釋經典的學者必然長期閱讀經典，久已受經典的價值觀念所薰陶。他所運用的語言和所秉持的理念，既然大多來自經典，那麼所謂「詮釋」，其實泰半是不自覺地受到經典與傳注的理念和語言所驅遣，又不斷羼入（解經者）自身性格的侷限性，來解釋一部他自以為是獨立於自身以外，卻其實從未離開他精神世界的典籍。在這種情形下，詮釋經典者自以為可以客觀地以種種文獻的方法與理據解剖經典，而真實的情形，卻往往是自己在解釋自己：當詮釋者利用經典知識得到正確義解時，實不啻經典與其傳注傳統不斷地借詮釋者的手和口「復活」，進行自我解釋；偶然當詮經者悖離經典原義時，則詮釋者便陷入一個自我封閉的狀態，自言自語。詮釋者自身性格的侷限性，往往是經典詮釋最大的「理障」，遮蔽了經典本身在理想的情況下可以如如透顯的價值。所以我始終認為，經學研究者不應該只講文獻和名物制度，而必須提升到理論反思的層次。

　　我常常提到詮釋者的性格侷限性，並不是要全盤否定哲學家喜談的人類心性之超越性，只是認為「超越性」本就是鏡花水月，難以言詮；「侷限性」才指出了人類心性罅漏真實而普遍的所在，反而是學者應該真正注意和自覺的。儒、釋、道三家各有其心性修養的理論與方法，其預設的理念，即係承認人類心性是受侷限的；唯其有侷限性，故古代賢哲治學修身，常不得不強調定慧、內觀、致中、誠正等等工夫，正因其欲針對侷限性加以克服，而不得不如此。即從凡夫俗子的角度而言，每一個人都必然受限於其特殊的個性和成長背景。撇開貧富和階級的背景不論，每個人的稟賦各不相同：器量有寬狹之分、脾氣有緩急之異、智慧有高下之別。傳統思想家之所以處處講「道」、「誠」一類所謂「超越性」的觀念，並非因為他們自矜於擁有異於常人的智慧和穎悟，而是因為他們對眾多沈淪於苦痛的眾生投予悲憫之情，並在覺察到人類心性侷限之餘，將理想遙寄心性超越之論。聖賢在某方面來說也是平凡人，當然不會不自知自身亦受天賦、健康、年歲種種限制。當他們真正明瞭到人類心性侷限性是多麼頑固難移、自身能力又是多麼受限時，往往只得回歸自己的心靈世界，試圖在其中追尋答案。古今許多聖哲畢生上下求索，踽踽獨行，無不有此種既普遍又特殊的心情。古代希臘哲學家柏拉圖著《對話錄》，近代思想家錢賓四先生著《雙溪獨語》；「獨語」和「對話」，在某種情況下看來，其實是源出於相同的生命體驗。

　　自二十世紀初以降，中國學術範式與知識架構經歷了激變，思想界本身亦經歷種種衝擊，新思想觀念、新價值秩序不

斷湧現。[10]知識分子漸漸將「學習」和「求知」視為外在的活動，知識研究則更被歸類為一種行業。置身於大學或研究機構的知識研究者或從業員（不一定是知識分子）與普羅大眾的關係，甚至遠不如俗世的宗教團體。知識研究者以傳授知識為行業，以經典文獻為對象，既遠離心性實踐工夫，又焉能真正了解心性超越為何物？心性的超越，又豈能夠藉由撰寫幾篇學術論文，宣揚一兩位大師的學問可以「講」得清楚？我寧可認為，普遍存在於人類生命中的侷限性，才是值得學者注意與討論的課題。我之所以特別提出這一點，主要是因為我注意到近年頗有一些研究理學或哲學的學者，肆意抨擊他們素不研究的清儒及其訓詁方法和理論思維。[11]這種情況委實令人不解。我並無意批評任何人，因為作為知識分子，本來就應該反求諸己而非嚴以責人。[12]尤以古人已經逝世，無法起於九原以下自我辯白。詈罵古人，實不啻攻擊手無寸鐵的弱者，亦非大丈夫所為。在此，我也不想費辭去做口舌之爭，唯自我檢討，發現個人撰寫《探索》各篇時，也曾在字裡行間批評過某些觀點。這

10　郭湛波：《近五十年中國思想史》（濟南：山東人民出版社，2002 年）稱「近五十年來，中國思想變動之劇烈，派別之複雜、較之春秋戰國只有增加而無遜色。」（參該書「重版引言」，頁 1）

11　前輩學者如牟宗三先生譏貶清儒，固然人所周知。近年學術界眾多言論，諸如「戴震之學可說是儒學歧出的歧出」、「顏李論『理』，固多狹義，戴氏尤甚」、「清代漢學家的盲點在於欠缺『詮釋學循環』的概念」、「戴震以訓詁學的方法解決詮釋學的問題」云云（以上所引，姑隱持論者的姓名，以免鉗我市朝之譏），不一而足。

12　《論語》：「古之學者為己，今之學者為人。」《荀子》：「君子之學，入乎耳，儲乎心，布乎四體。喘而言，一可以為法則。」王陽明：「只不要去論人之是非，凡當責辯人時，就把做一件大己私克去方可。」（《傳習錄·下》）

當然證明了我自身也有侷限，但我自信從未浮誇地自認為可以毫無障礙地宣揚個人研究成果皆「是」，並指斥其它研究論點一概為「非」。學海無涯，飲者不過滿腹而已。我願能藉由前賢先哲智慧的灌注，稍稍打破自己心性的侷限，讓心靈獲得某一程度的提升。如果說《探索》一書是我人生心路歷程的一段紀念，那是一點也不為過的說法。

將上述的觀點切入前面討論的經典詮釋主觀客觀的問題，我就聯想到一個有趣的課題：假定真有狄爾泰（Wilhelm Dilthey, 1833-1911）所謂的「詮釋之環」（hermeneutic circle）存在，那麼這絕對不是一個單一的環，而是經典有經典之環（包括語彙上和概念上），詮釋者有詮釋者之環（包括性格與感情），而經典與詮釋者之間也有許許多多的環（端視經典的性質和詮釋者的個性而定），彼此重重疊疊，環環相扣，也就是狄爾泰所稱的「整體」和「全部」的繁複關係。石濤有一首題畫詩說：「心目周境外，置身於其間。」詮釋者自以為能讓心目周游經典境界之外，其實卻一直置身於經典境界之中；當然，對於高明而自覺的詮釋者而言，一直置身經典之中，也不妨其可以將心目周游於境界之外。

就《探索》一書的性質而言，我也從沒有將之視為一種單純的經學研究或考據學研究。我的終極關懷，是要在「戴東原及乾嘉學者經典詮釋」和當代社會與文化問題之間，找一個接合點。我特別希望闡發的要義共有四點，分別為：社群意識、多元價值、語言結構、內證方法。這在本文會有較詳細的說明。

　　二十年前我腦海中出現的一個問題是：清代學術思想的特質為何？我原本只將這個問題定位在「清代學術」如何有異於「宋明理學」一點上，[13]但近年來我深深感到，如果不徹底弄清楚十七世紀中葉至二十世紀初這二百多年的思想典範何在，以及這種典範經歷了何種轉變，那麼我們要了解二十世紀將會困難重重，更遑論要在二十一世紀找尋思想的出路了。倘若人類連自身的過去都不了解，又怎能了解未來呢？我相信思想史的轉變就如羅素（Bertrand Russell, 1872-1970）所說的，思想既是「因」（causes）也是「果」（effects）。我生於二十世紀中葉，處於二十一世紀初的今天，一直相信人文學研究不應只看過去，而應該要放眼未來。正因為要放眼未來，才不得不努力了解過去。因此，要探知二十一世紀人類的前景，徹底了解二十世紀思想的狀況是有必要的；若要了解二十世紀，更絕對有必要先了解清代學術思想的特質。

　　但不幸地，由於二十世紀經學的式微，以精研經學見長的清儒，已經和當代的思想史研究者之間存在巨大的鴻溝，以致清代學術思想的本質為何，始終鮮少有人得到正解。翻開坊間所有的思想史著作，其中「清代思想」這一段，往往僅列舉個別思想家略述其學術要旨，在清初則黃梨洲、王船山、顏習

---

13 研究戴東原學術的前賢學者中，亦多由注意漢學、宋學之相異點切入。如鮑國順《戴震研究》第三章「治學」，即首先說：「近三百年來之儒學發展，論者每謂有漢宋之分。約略言之，漢學重訓詁、尚考據，近於道問學一途；宋學言義理，明心性，鄰於尊德性一派。蓋因治學取徑之不同而有此分別。……唯即清代之學術界而言，漢學家較占有優勢，則為事實。而漢學之領域內，又以惠棟、戴震為巨擘。」見氏著：《戴震研究》（臺北：國立編譯館，1997年），頁153。

齋，清中葉則討論戴東原，晚清則討論龔定盦、康長素等，但對於「清代思想的大方向為何？」「清代思想的基本屬性與方向性是什麼？」等問題，則歧見仍多。我在研究戴東原與乾嘉學術的歷程中，最後申述到「社群意識」的興起，也只能說是現階段我理解到的一個暫定的結論。我最終提出「社群意識的興起」，[14]其實完全出乎我當初的意料之外。我原本就一直深信古典研究具有現代意義，經過了這些年，最後竟然發現，「社群意識」既是清代思想的重要內容，也是當代人文學界應該重視的要義。在當前全球東西方宗教文明嚴重衝突的困境中，人類社群如何能在尊重多元價值的前提下，進行調和與融合，的確是迫在眉睫的大問題。八年前對戴東原與乾嘉學者的一點興趣，最終將我自己引導到思考「社群意識」的各種問題，這是我始料不及的。毋怪乎許多前輩先哲認為一部著作或一項研究發展到某一個階段，都彷彿有了自己的生命，自己會找到發展的路向。這種形容的確是很貼切的。

三、清代思潮的精髓──社群意識與多元價值

近代清代學術思想研究，已有由考據文獻學研究轉向廣義的社會史研究之趨向，海內外學者頗不少，臺灣學者如王汎森、黃進興，大陸學者如桑兵、黃愛平，美國學者如周啟榮、

---

[14] 2006 年 1 月 4 日我在新加坡國立大學中文系主辦的 International Conference on The Qing Episteme 發表的論文 "Dai Zhen and the Consciousness of Community in Late Imperial China" 有較詳細的分析。該文即將編入專書。

艾爾曼等。[15]「社群意識」是我撰寫這部書的最後一年才比較認真考慮到的一個重要觀念，卻是個人長期閱讀上述學者之著述、終而融貫出來的想法。我所提出的「社群」（community）並不是指某一地域、階級或行業定義下的社交圈、學術社群或社會階層，而是指普遍意義的人類社會。清儒注意到中國政治的動盪和普羅大眾的苦難，真正的關鍵問題並不在抽象的道德理念有沒有落實成為心性實踐的指導方向，而是在於人類群居所創造的正面價值（如禮制文化所顯現之「善」）能否制衡負面的力量（如引蔽習染而產生之「惡」）。無論「善」、「惡」，

---

[15] 當代社會科學研究者早已注意到社群意識隨著帝國主義的式微而有了更快速的發展，相關問題可參 Amitai Etzioni, *From Empire to Community: A New Approach to International Relations* (New York : Palgrave Macmillan, 2004). 研究清代歷史或清代思想史的學者，尤多著眼於社會問題。陸寶千於 1978 年完成《清代思想史》，附錄一文〈近代平民社會中之價值觀念〉，已注意到「了解此階層之日常行為，從而亦可有助於了解中國近代歷史之發展」。（氏著：《清代思想史》〔臺北：廣文書局，1983 年〕，頁440。）不過，陸先生該文僅略統整清代社會習俗流傳之價值觀念，尚未注意到上層思想觀念的發展，實泰半因下層社會結構改變而改變。近數十年特別注意社會史之變動條件而刻劃清代思想轉變的學者，多為專業史家，故能特別注意到抽象思維之發展與學人生活之社會基礎密切相關，難以分割。如 Benjamin A. Elman, *From Philosophy to Philology: Intellectual and Social Aspects of Change in Late Imperial China* (Cambridge, Mass.: Council on East Asian Studies, Harvard University, 1984)即注意江南地區士大夫的社會活動與思想史發展的關係。Elman 的觀點雖然曾被周啟榮（Kai-wing Chow）批評，但周啟榮的考察點，諸如親屬關係、禮教主義、印刷事業等，都著眼於社會活動的情狀。餘如王汎森《中國近代思想與學術的系譜》、《思潮與社會條件：新文化運動中的兩個例子》；黃進興《優入聖域：權力、信仰與正當性》；桑兵《晚清學堂學生與社會變遷》；黃愛平《樸學與清代社會》都有獨到的觀點。這些學者廣泛地從經世思潮的崛起、清廷文化政策、中西文化交流、知識社群的崛起、社會階級的變動等各方面切入。

都涉及「群」這個觀念。首先，儒家以「禮樂」為中心的價值系統，原本就是從群體生活中體現。仁義禮智、忠信孝悌等價值，都是人類群居形成聚落以後，逐漸發生的新創造；但在儒家價值系統逐步發展奠立以後，這些觀念又在不斷壯轉變之中，反過來影響社群的發展與構成。因此，凡研究儒家的思想觀念，實不能不先研究其背後支撐的力量──以倫理為架構的社群基礎；反過來說，凡論及深受名教羈絡的中國傳統倫理社會，又不能不深入了解儒家思想觀念。儒家思想觀念和社群結構基礎二者，對中國思想和中國歷史研究而言，有著太多太多無法解開的糾結。

社群意識的激起與傳播，推動了清代以儒學為主體的思潮轉變。清儒思想中社群意識形成的起始點，約於十七世紀初即晚明時期。北宋理學大盛，社群的意識卻並不明顯。理學家以道德的準則建立起人間的秩序，標舉的是理、氣、性、情等含有濃厚道德價值的觀念，憑藉的是格、致、誠、靜等個人的工夫體驗。在宋明儒者建構形上世界的同時，群體社會的種種繁複龐雜的結構，以及由此種結構的變動所導致的各種問題，包括下層社會禮俗的變遷、氏族的遷徙、人口流動、經濟區域的轉移、田土河流的管理、糧食的分配、種族的矛盾、中央與地方權力的平衡等，在「德性義理」此一核心關懷的映照下，一直沒有成為理學家最關心的課題。[16]

---

[16] 本節的意旨並非全盤否定理學的精神與價值，唯認為任何具有價值體系之思想信念，都必然有其偏弊之處。有時所謂偏弊，與其優點甚至僅一線之隔。例如理學的盛行鞏固了綱常的觀念，從而強化了士大夫殉國的節操，造就了北宋以降歷史上許多忠義瑰偉的事蹟；但何冠彪引述狄百瑞的論

　　明末儒者以「鄉約」的方式實踐下層經世，[17]那是屬於實
務的層次；對於社群意識的理論，在晚明則尚未奠立，有待於
清初儒者的展開與建立。過去宋儒如朱子認為人類之有善惡，
「善」是天命所稟賦（此即以孟子「性善論」為前提），而
「惡」則來自於氣稟、物欲。先天之性為純然至「善」，「心」
則為「具眾理」，是「能」而非「所」。王陽明以「良知」生天
生地、神鬼神帝，全體光明；「惡」則如蔽日的烏雲，故學者
工夫在於撥雲見日。清初儒者則完全捨棄此一詮釋，如王船山
有「性日生日成」之論，認為精神層面的「性」亦如形體生命
一樣，雖手足俱備，但要趨於成熟，必有待後天的養成。這就
根本反對明儒本於「性善」觀念的「童心」、「初心」一類的理
念。至於「惡」的根源，清初諸儒反對將「惡」歸諸氣稟，主
要是認為生命一體，不能以「理」和「欲」對立，以前者對治
後者。推於極致，理學家授徒治民，固不能勸舉國人民一歸於
無欲，即使其自身亦無法迴避物質生活。顧亭林和顏習齋視人
性之「惡」來自群體社會，「善」則必有待於禮制的建立與健
全。此一觀念的意義在於：與其空談人類心性的善惡，倒不如

點，認為「宋明理學的盛行，使『受教育的上層分子』產生了『新儒家個
人主義』。他們『只專注自己，不再以服務百姓或闡揚真道為職志』，其中
有些人『從自我犧牲的殉難行為』，成就他們的『英雄事蹟』，從而『自得
其樂』。」（引自何冠彪：《生與死：明季士大夫的抉擇》〔臺北：聯經出版
事業公司，1997 年〕，頁 5。）

17　關於明末理學家以「鄉約」的方式進行實踐經世理念的問題，請參王汎
森：〈明代心學家的社會角色──以顏鈞的「急救心火」為例〉，刊《鄭欽
仁教授榮退紀念論文集》（臺北：稻鄉出版社，1999 年），頁 249-266。並
參王汎森：〈清初的下層經世思想〉，《大陸雜誌》，第 98 卷第 1 期（1999
年 1 月），頁 1-21。

致力研究改善政治社會的制度。黃梨洲刊佈《明夷待訪錄》，暢論政治理論與制度，並在《明儒學案·序》提出「心無本體，工夫所至，即其本體」，顯然是同一心情。他們可謂揚棄了宋明儒普遍視人性之「惡」為出於「氣稟」的舊說，而將是非善惡一類屬於理學家人性論和本體論的主要論題，導入社群的範疇討論。這是明末清初思潮的一大轉變。

清初以降，理學思潮逐漸消竭，學者群趨於經學研究，尤其著眼於經史文獻與典章制度。經史文獻是儒家「道」的紙本載體，典章制度則是「道」的實質寄託。推究其根本，典章制度即是古代群體人類共同遵循的生活儀軌。要研究典章制度，以及典章制度所反映的文化與文明，總不能只憑藉〈大學〉、〈中庸〉等幾種著作，或演繹格物、致知、誠意等幾個觀念，而必須將研究對象全面地擴大到所有涉及制度的古代經典，並及於其文化內涵。清代學者研究的文獻基礎，自清初即從經學擴大到史學，俟清中葉又從史學擴大到先秦諸子，證明了清儒真正的治學動機，不是整理故紙堆，而是探討整個古代典章制度與文化文明的發展；而典章制度與文化文明，正是社群在歷史發展中漸次創造出來的。

乾嘉時期，經學大盛，儒者治經，對於宋明理學精神層次的抽象價值多存而不論。然而先秦儒家傳統，孔曰成仁，孟曰取義，堅持的都是屬於精神層次的抽象價值。從此一角度看，倘若單講經學考據而不探索抽象的思想觀念，考據學自必成為毫無價值的故紙堆學問。戴東原作為乾嘉學者，對道、理、性、命的字誼本義求之若渴，既受江慎修（永）的啟發，而又

能突破程朱的矩矱，卓然樹立於宋明理學樊籬之外，為考據學賦予了崇高的價值。依照東原的思路開展，程朱思想居於最高層次之「理」，其境界既屬超越又涉及極端個人的精神體驗，那就很難有客觀的驗證。要知道在群體社會中，當每個人都高唱一種無從驗證的「理」觀念時，一切關乎「理」的討論，必然淪為叢林法則：誰掌握實質權力，誰的辯才無礙，誰就能佔有「理」的解釋權而得「理」；反之則必被指為失「理」。此即劉師培批判宋儒所謂「以權力之強弱，定名分之尊卑」。[18]有權力者藉開展「理」的論述進一步使其權位合法化，名譽亦可以兼取；失「理」者則一無所有，甚至不免遭殺身之禍，死後還將蒙受污名之玷。這是東原痛言「以理殺人」的真意。東原認為，唯有透過「禮」的研究，探知群體社會演進過程所呈現的人類共同心理，得其情而無纖毫爽失，始為得「理」。東原此一想法，其實亦係一難以企及的崇高理想。彼既不相信宋儒抽象而超越的「理」，轉而深入古代典章制度，認為跨越時代、奠基於人倫、人人共行共遵的禮制，才是真正的「心之所同然」的體現。譬如婚禮，夏殷周秦漢隋唐可以各有不同儀式，但其體現男女須經歷嚴肅崇敬的儀軌結合而組成家庭，則是千百年以降的人類「心之所同然」。以此論點相映照，宋儒強調透過身體修養而獲致的「理」，的確會有流為「意見」的嫌疑。和許多浮泛地批評宋明理學的清儒比較，東原提出的理論確如石破天驚，切中心性之論在現世的弊端，發前人之所未發。

---

[18] 劉師培：《劉申叔遺書》（南京：江蘇古籍出版社，1997 年），上冊，頁597。

　　抑且東原暢論「氣化」，從萬物的「分殊」之中講「一體」，強調宇宙的整體性，認為陰陽氣化之始，萬物即分別各得「氣化」的一端，而具有不同的形質。形質雖不同，卻可以彼此相通。譬諸食物、水和人體三者，為三種不同之物，但人類飢餐渴飲，飲食化為養分（即東原所謂「營衛」），而使人獲得健康，證明各不相同的萬物，彼此其實一氣相通、互相支援。在此東原提出了一個多元的視界：正因為萬物各有分殊，具多元性，故可以相互補充支持，構成一個森然萬有、生生不息的巨大機制。這種觀點，遠溯則與裴逸民「崇有」之論相抉發，近溯則與全謝山「去短集長」之旨一致。唯一不同的是，謝山強調的是歷史上不同思想派別彼此互相支援，共同成長，最後共同形成一段漫長的思潮；而東原則更擴大到說明天地萬物在矛盾競爭之中調和共生的多元觀念。相較之下，東原的思想和當代生態學的訴求是相應的。

　　東原發千載之祕，而睹於一曙，在《六經》的世界中暢發一套「理」的新典範思想，卻並未被同時期的經學考據家所認同。《孟子字義疏證》竟被譏為「戴氏可傳者不在此」，[19] 令人遺憾。唯有章實齋深悉東原，窺見東原畢生最得力者正在「理」思想而不在考據學。實齋自身亦深受東原影響，故闡發「道」的觀念，在〈原道〉篇中屢述三人居室而道形，什伍千百而道著，禮樂射御之制、仁義道德之名，都是不得已而後

---

19 此江藩《漢學師承記》所載朱筠語。參氏著：《漢學師承記》（臺北：廣文書局，1967 年），卷 6，頁 5b。

起。[20]換言之,「道」是人類大社群跨越時代的發展,亦即文化與文明的逐漸演進。此一「道」論和東原的「心之所同然」的立論模式,幾如出一轍。實齋了解東原甚深,對於東原思想的限制也切中肯綮。他接受了東原「理」的論點,卻同時洞悉經學家僅治《六經》而未能擴及於事變出於《六經》之後者的限制。換言之,從實齋的觀點看,東原求索「天下萬世皆曰:是不可易也」之「理」的理想,即以東原自身的治學途徑,其實亦無法達致。故實齋以史學自豪,認為唯有史學可以取代經學,而史學要切實於人倫日用,必須取徑於方志的編纂。因此其畢生最得意者,在於撰志,並鑽研方志體例。實齋認為,唯有編纂方志,訪求文獻於民間,始能真正接觸「百姓日用而不知」的內容,亦即考察人類社群中「道」或「理」的最基礎、最細微的變化。從方志去探研「道」,是經典考據家如東原等學者所無能為力的。但話說回來,東原從經書探研「理」,和實齋從史書中探研「道」,前者論社群「不變」的法則,後者論社群「變」的法則,彼此雖似殊途,實則同歸,因為「變」與「不變」,都是社群存在與發展的原理的一部分。實齋與東原取徑雖似矛盾,從一個宏觀的角度盱衡全局,則是殊途同歸。

1840 年以後,社群意識益形高漲,復有新的發展,主要具體表現在兩個方面:一為方志的編纂,一為十餘部《經世文編》的編纂。清代方志的興盛,在上則得力於政府的獎勵,[21]

---

20 章學誠:《章氏遺書》(臺北:漢聲出版社,1973 年),上冊,頁 21。
21 清朝首議全國性有系統地修志者為衛周祚。其進言於康熙十一年（1672）。

在下則得力於地方官員的推動。原來康、雍、乾三朝均通令全國編纂方志；而各省州縣官員每於上任之初即訪求舊志以諳識地方狀況，又多積極編修新志以記載自身政績，而地方士紳亦樂於捐助參與，以存令譽於鄉里。方志編修之事遂大行。乾嘉時期學者治方志學者頗不少，編纂方志者更多。雖然其中像章實齋那樣具有高度理論自覺者並不多見，[22]但也顯示了清代無數的儒者不約而同地將目光從心性仁義的德目，轉移到社會與群眾之上的大趨勢。至於《經世文編》的編纂，本上承明末陳子龍《皇明經世文編》，而在清朝，其事始於賀長齡、魏默深合編《皇清經世文編》。後繼者踵事增華，至民國三年（1914）編成《民國經世文編》而止，凡十七部《經世文編》共同顯示近代中國經世的思潮。這些《文編》所討論的問題，從中央至地方，舉凡軍事、教育、學校、洋務、建設、議會、科學、實業等均全面涉及，反映了中國近代上層社會至下層社會的變遷痕跡。十九世紀末嚴幾道（復）譯著〈群己權界論〉，章太炎著〈明獨〉，「群」（community）和「獨」

《清史列傳‧貳臣傳》「衛周祚傳」記康熙十一年周祚「言『各省通志尚多闕略，宜敕儒臣修纂，舉天下地理形勢、戶口田賦、風俗人才燦然具列，彙為《一統志》，以備御覽。』上並嘉納之。」（《清史列傳》〔北京：中華書局，1987年〕，第20冊，頁6590。）康熙二十二年張所志撰《江西通志‧序》：「聖明在御，氛祲蕩平，武功既暢，文德斯敷。夏六月，奉部檄各使司輯通志以進，將成全書。」（《江西通志》，收入《中國方志叢書》第781號〔臺北：成文出版社，1989年〕，頁28。）又雍正三年以一統志久未成，慎簡重臣，敦率就功。七年，詔各省重修通志上之職方，以備採擇。（詳參傅振倫：《中國方志學通論》〔臺北：臺灣商務印書館「人人文庫」本〕，第17章「方志之撰述上」，頁101。）

22 即乾嘉時期赫赫有名的方志名家謝啟崑，其成名著作《廣西通志》，亦多襲用實齋的方志理論。

（individual）實即決定社會秩序與價值系統的兩個重要觀念，為有清一代社群意識的發展，劃下了有力的句點。

從上可見，社群意識是清代思想一股深沈而有力的潛流。

多元價值也是我在戴東原與乾嘉學術系列研究的另一個意外收穫。乾嘉學風因為強調實證，在重視實物接觸與測量的學風指引下，學者必然偏重於著眼考察人、事、物之間的個別性（particularities），戴東原的強調分殊，章實齋的區分博約，都是在這一種思維下出現的觀點。正如我們所知，本世紀全球人類共同面臨的重大問題，除了環境污染、糧食短缺等等之外，還有物種滅絕速度過快、影響全球生態平衡的問題。[23]拙文〈從生物多樣性論人文多元價值的建立〉[24]主要即借用自然科學的「生物多樣性」（biodiversity）概念，對照人文價值多元的重要性。當前生態學家提出「第六次滅絕」（The sixth extinct）以呼籲全人類注意到物種的多樣性對全球生態有著無可比擬的

---

[23] 人類約到了上世紀 70 年代末期才警覺到物種滅絕的驚人速度超乎人類的意料之外。約到了 80 年代，生物學家警覺到物種滅絕威脅到人類的生存，提出了「生物多樣性」（biodiversity）此一概念。在人類演化的百萬年歷史時程裡，絕大部分時間，人類在自然生態中僅僅扮演一個微不足道的小角色。但在近一萬年之間，世界人口急劇增加到超過六十億。地球在億萬年間逐漸累積的各種資源，泰半已被我們在過去一萬年之間消耗掉。與此同時，我們改變了許多物種賴以生存的環境，包括大氣的品質、海洋的溫度、水土的養分等等數不清的各方面。而這些條件彼此之間是相關連的：一個環節遭到改變，其他環節也同時受到衝擊。這使得與我們一同在地球分享生存權利的其他物種，不斷面臨來自人類世界的龐大擠壓，在不斷變化的自然環境之中苟延殘喘，甚至殞命。據「世界野生動物基金」（The World Wildlife Fund）各種研究數據顯示，至 2050 年將有高達三分之一的全球物種滅絕或瀕臨滅絕，另外的三分之一亦將在 21 世紀末走向絕路。

[24] 該文在成功大學通識課程上發表，即將由成功大學文學院編輯出版。

重要性。這雖然為時已晚，但也未嘗無警醒之效。然而，學術界對人文價值多元性的注意，卻少得可憐。事實上，生物多樣性和人文價值多元性對人類的重要性是相同的；唯一的差別在於，前者是屬於可以測量的物質世界；而後者則完全屬於無法用任何數據測量的精神思維層次。我在書中討論了全謝山和戴東原兩位清儒，對於他們思想中所蘊涵的人文價值多元性，尤其深感訝異和欽佩。全謝山認為，不同學派的思想，縱使其宗旨相互衝突，在發展過程中也必然互相影響；更精確地說，正因為對立的雙方互相批評，更激發了彼此在發展中綻放智慧的光芒。將朱陸異同置於此一思想史解釋模式考察，則朱學之大盛須歸功於陸學一派，陸學之發展亦須歸功於朱學一派。謝山逝世不到一百年後，東原再提醒我們，正因為萬物各有分限、心性各有分殊，人類在群體生活中必須先學會尊重各種不同類型的價值，才能有溝通融和的可能。回看當前人文學研究，或存在儒、道信仰的衝突，或各自堅持漢、宋的立場，各有所重，而溝通靡易。再看近年全球宗教與文明的衝突，伊斯蘭世界與歐美文明社會之間各種層面的矛盾衝突，我不能不承認謝山和東原的大聲疾呼，頗有暮鼓晨鐘，發人深省的意味。

四、乾嘉經學的基礎——語言結構與內證方法

關於乾嘉學術特性或乾嘉學風的研究甚多，「漢學立場」或「反宋學」似乎是一個世紀以來比較多被提出的一個論點。[25] 我並不認為這個觀點錯，只是認為漢學宋學僅能說明基本立

---

[25] 此說自嘉道以來已被學者廣泛討論，至梁任公、胡適之揚清貶宋，錢賓四

場，而不能說明清儒與宋明儒在面對相同的幾部儒家經典時，體現出何種根本價值上的相異。倘從最淺層著眼考察，乾嘉學者經典詮釋的特色之一，依一般的理解，是特別強調語言的探討、也就是以經典語言成分的研究為基礎。戴東原在〈題惠定宇先生授經圖〉中所謂「訓故明則古經明，古經明則賢人聖人之理義明，我心之所同然者乃因之而明」[26]這三句話，是常常被引以證明清儒「明訓詁」以「通義理」的證據。對於東原提出的「訓詁→義理」的命題，我的理解與回應可以從兩方面談。首先，清儒的確特別偏好透過研究語言文字來破解（decode）儒家經典的義涵，也發掘出許多宋明儒所未曾夢見的新發現。[27]過去部分治哲學的學者認為「明訓詁」並不等於「明義理」。其實二者間固然不可能劃上等號，但要說捨棄訓詁可以完全無礙於義理的闡明，那也是絕無可能的事。如果沒有戴、段、二王及其他清儒在訓詁方面的研究，許多古代經典的內容根本無法通讀，更不用問義理之能否明白了。因此，那

先生尊宋抑漢，大家的討論焦點始終集中在漢學宋學的精神迥異之問題。近年如張維屏提出「尊漢抑宋」為考證學的基調（氏著：《紀昀與乾嘉學術》〔臺北：臺灣大學《文史叢刊》，1998 年〕，第二章第三節「尊漢抑宋的考證學基調」，頁 40-44）漆永祥亦認為乾嘉考據學具有學宗漢儒的風氣（氏著：《乾嘉考據學研究》〔北京：中國社會科學出版社「博士論文文庫」，1998 年〕，第一章「三」「實事求是、學宗漢儒風氣的形成」，頁 24-31）。

26 參張岱年主編：《戴震全書》（合肥：黃山書社，1994 年），第 6 冊，頁 505。

27 詳參拙編：《東亞視域中的近世儒學文獻與思想》（臺北：臺灣大學出版中心，2004 年），頁 13-14。又參梅廣：〈語言科學與經典詮釋〉，收入葉國良編：《文獻及語言知識與經典詮釋的關係》（臺北：臺灣大學出版中心，2004 年），頁 53-84。梅教授近年撰寫關於清儒語法學研究的論文以及關於經典詮釋的論文，均有相當深入的討論和嶄新的發現。

些隨意輕蔑清儒訓詁學貢獻的講法,根本不值一駁。尤其經過近三十年來出土文獻的刺激,新出土簡帛必先經過語文學家以各種語文學知識分析解讀,才能作哲理分析,這更證明了訓詁的探研的確有助於闡明義理。另方面,過去先秦思想史的研究,語言是一個常常被忽略的課題,近一世紀以來的思想史著作幾乎都很少涉及這方面的討論,即為明證。這方面仍有待學術界補充研究。其實,即就儒家而言,名教的思想所表現的,正是一套反映整體宇宙秩序的語言系統。從詮釋方法切入觀察,儒家經典詮釋方法中特別繁複的語言策略,譬如孔、孟、荀以降至於董仲舒、劉熙等喜用的「聲訓」的方法及其方法論背景——正名思想,以及此一思想所形成的「名教」傳統,正是我們研究中國思想史所不可不正視的重大課題。如果我們從儒家思想的反面——先秦反儒思想的角度看,名家的惠施、公孫龍子,道家的老子、莊子,墨家的墨辯都各有其名學,甚至針對反儒思想提出反擊的儒者孟子和荀子,也都各自建構其獨特的語言策略,以表述其思想體系;而其語言策略,同樣也反映了彼此相異的宇宙論。從這個角度理解,「訓詁明則理義明」雖是一個舊命題,但若運用得當,實有助於我們了解先秦經典,尤其是儒家經典的文獻架構與思想系統之間的關係。它在思想史研究上的重要性,恐怕是需要被重新評估的。語言體系作為乾嘉經學的基礎,不但在經學研究上有意義,在儒家思想和先秦思想史上的意義更是難以評量。[28]近年來我在臺灣與學術界朋友共同推動「經典詮釋中的語文分析研究計畫」,嘗

---

[28] 《探索》所收錄〈乾嘉治經方法中的思想史線索——以王念孫《讀書雜志》為例〉一文有說。

試以「語文學」（philology）的方法研究「觀念字」（或稱「哲學範疇」，key notions / philosophical words）意義的變遷，其實就是想將「訓詁明而後義理明」此一舊命題作新的反思與探討。近兩年來個人研究《周易》時，常常注意觀念字形音義的內涵與轉變，也是這一思路所激起的。

至於內證方法，就原理而言是考據學的一種方法，當然不是清儒所專有。但清儒在這種方法上灌注了一種特殊的理論，借用黃梨洲在〈萬充宗墓誌銘〉中描述萬充宗治經的理念可以說明：「非通諸經，不能通一經；非悟傳注之失，則不能通經；非以經釋經，則亦無由悟傳注之失。」[29]梨洲如此慎重地標舉出充宗這一論點，等於從歷史的角度提出了一個文獻傳述的層次，並藉由此一層次企圖貼近最古老、最原始的經典意義，而這也是清初以迄乾嘉考據學者共同的理想。這種理想，原在於確立漢族歷史文化的核心基礎。然而，這種強調「以經證經」的內證方法，施諸儒家經典後，竟引起了兩個意想不到的結果：其一是儒家古史觀在三百年之內（自清初至民國初年）從理想之典型迅速轉變為全盤的崩潰；其二則是引導出先秦諸子學的復興，使中國知識分子於十九世紀末在接引西方人文思想時，有了一個較諸「經學」為廣大的基礎。關於第一點，我在 "Inter-Explanations of the Classics: Qing Scholars' Methods for Interpreting the *Five Classics*" [30]和〈從乾嘉學者經

---

[29] 該文原刊《南雷文定》，收入黃宗羲著，沈善洪主編：《黃宗羲全集》（杭州：浙江古籍出版社，1994 年），第 10 冊，頁 405。

[30] 該文原為 2001 年 10 月我參加美國 Rutgers 大學涂經詒先生主辦的經典詮釋研討會時發表的論文。後收入 Ching-I Tu ed., *Interpretation and*

典詮釋論清代儒學的屬性〉[31]兩篇論文中曾指出，清儒一方面全力發展嚴密的考證學，一方面又堅持深信《六經》成於多位聖賢之手，而聖賢是具有非常一致的理想的（一致到經典和經典之間絕對不會有邏輯上的矛盾，因此清儒非常放心地「通諸經以通一經」）。簡而言之，儒家經典在年代、著者、思想、性質等各方面本就不一致，而清儒在深信經典的同時，又不斷質疑經典。這種矛盾的心情發展至崔東壁《考信錄》，達到一個臨界點。東壁本身是儒家的信徒，他「考信」的目的，原本是要存儒家信史之「真」；但他所運用的「科學方法」（用胡適之語）卻是一把兩面刃：它固然有助於奠立儒學的信仰，但反過來也提出了「瓦解整個儒家經典結構體系」的可能性。發展至二十世紀初，古史辨學者極力推崇東壁，全力推翻偽古史，證明了這把兩面刃的力量。換言之，清儒以求真求實的精神，漸次建築了一個具儒家理想的經典世界；但這種求真求實之力，竟被二十世紀初的學者用以逐步將這個世界拆毀。這種情形，豈是乾嘉考據學者所能預知的？

至於前述的第二點，乾嘉學者尤其是戴、段、二王幾位學者特重語言學，他們認為掌握了古代語言即可以解剝經典，直探聖賢的語義。王氏父子提出「因聲求義」之法可說是最具代表性的一種。但二王為了全面建構古代語言基礎，竟將文獻範疇從儒家經典擴大到先秦諸子典籍。王念孫的《讀書雜志》可

Intellectual Change, Chinese Hermeneutics in Historical Perspective (New Brunswick: Transaction Publishers, 2005), pp.191-204.

[31] 收入彭林主編：《清代經學與文化》（北京：北京大學出版社，2005 年），頁 244-265。

說是代表作，他對先秦諸子文義的分析，不自覺地將諸子書中許多義理性的內容弄清楚了。再加上前後期學者如畢秋帆（沅）、汪容甫（中）等人對《墨子》等諸子書的提倡，先秦諸子學終於逐步走上復興之路，並在晚清大放異彩。十九世紀末嚴幾道和章太炎更扮演了關鍵的角色。幾道翻譯《天演論》、《原富》等書，引進西方思想，而撰《侯官嚴氏評點老莊》，將先秦諸子思想和西方思想相縛合，進行新時代的「格義」工作。[32]章太炎則以西方經濟理論發揮《管子》的要義，所謂「近引西書，旁傅諸子」，[33]更深化了這種中學西學互為體用的思想。中國於十九世紀末接受西方思想衝擊時，自身的思想基礎，已不再是經學或儒學獨尊的局面，而是加入了許多具有反儒思想特質的諸子思想內容。[34]這又豈是乾嘉學者所能想見的呢？

　　重視經典的語言結構以及重視研究經典必須運用的內證方法，都是乾嘉學者對於「知識」的特殊信念與態度所產生的特

---

[32] 郭湛波說：「光緒二十三年（1897）（嚴復）與同志創辦《國聞報》于天津，未及而戊戌變作，遂出都反津。肆力譯述，成穆勒（Mill）之《群己權界論》。至光緒二十六年庚子（1900）義和團亂，由津至沪，開始譯《穆勒名學》，至 1902 年，京師大學堂開辦，張伯熙為管學大臣，聘為譯局總纂，譯甄克思（E. Jenks）之《社會通詮》。」氏著：《近五十年中國思想史》，頁 48-49。

[33] 太炎在〈致譚仲修先生書〉（光緒廿二年（1896）七月十日太炎寫給譚獻的信）中說：「麟前論《管子》、《淮南》諸篇，近引西書，旁傅諸子，未審大楚人士以傖父目之否？」見姚奠中、董國炎著：《章太炎學術年譜》（太原：山西古籍出版社，1996 年），「光緒二十二年條」，頁 44。

[34] 說詳拙著：〈《先秦諸子繫年》與晚清諸子學思潮〉，收入臺灣大學中文系主編：《紀念錢穆先生逝世十週年國際學術研討會論文集》（臺北：國立臺灣大學中文系，2001 年），頁 443-477。

殊結果。在清代以前，理學家多將知識區分為「德性之知」與
「聞見之知」，以前者為主體而以後者為附庸。乾嘉學者則逕
以為「知識」本身即可以發展出與生命相契合的「道德」之
境，而求知活動本身更是道德的必要保證。這一點，《探索》
所收錄〈從乾嘉學者經典詮釋論清代儒學的屬性〉中有所說
明，在此暫不贅辭。

訓詁與微言
——宋翔鳳二重性經說考論

蔡長林[*]

一、前言

　　常識性的來講，雖然在各種關於晚清今文學發展的宏觀敘事中，被視為羽翼劉逢祿（1776-1829）的宋翔鳳（1776-1860），從不曾消失在敘述者的視線之外；[1]也有不少學者曾撰文討論宋翔鳳的經說內涵，鉤勒出宋氏的學術輪廓。[2]可以說宋氏的學術底蘊，已經過學者的充分闡發。然依筆者淺見，如何理解在常州學派學術群體的序列中，宋翔鳳所占有的位置，

[*] 臺灣大學中國文學系博士，現為中央研究院中國文哲研究所助研究員。研究領域涵蓋中國經學史及中國近三百年學術史。著有〈論崔適與晚清今文學〉及《常州莊氏學術新論》等論文十數篇。

[1] 代表性的著作，可參徐世昌：《清儒學案》、梁啟超：《清代學術概論》、錢穆：《中國近三百年學術史》、張舜徽：《清儒學記》、楊向奎：《清儒學案新編》、陳其泰：《清代公羊學》、孫春在：《清末的公羊思想》、李新霖：《清代經今文學述》、艾爾曼：《經學、政治和宗族：中華帝國晚期常州今文學派研究》。

[2] 相關討論，可參鍾彩鈞：〈宋翔鳳的生平與師友〉，收入國立中山大學清代學術研究中心編：《清代學術論叢》第三輯（臺北：文津出版社，2002年），頁167-168；鍾彩鈞：〈宋翔鳳學術及思想概述〉，《清代經學國際研討會論文集》（臺北：中央研究院中國文哲研究所籌備處，1994年），頁355-381；陳鵬鳴：〈宋翔鳳與今文經學〉，《書目季刊》第30卷3期（1996年12月），頁12-23；路新生：〈宋翔鳳學論〉，《孔孟學報》第73期（1997年3月），頁175-198。

以及就相應於莊、劉之學所顯現出宋氏個人的學術特質而言，對於宋翔鳳的研究，似仍有補充討論的空間。學術界關於晚清今文學的主流敘述，往往是龔、魏二氏繼劉逢祿而起，為之推波助瀾，產生以《公羊》議政之風，遞降至晚清康、梁而發揚光大，形成所謂的「線性歷史解釋」模式。這種「觀念史」的研究取向，當然有其合理之處，不過敘述過程中所產生的導引及排他作用，容易讓人忽略了主流論述的視野之外，尚存在著其他的面相，有待釐清。例如清中葉常州學派向晚清今文學過渡的轉換過程，以及今文《公羊》之學在晚清文人群體之間擴散的具體情況，學術界至今似尚缺乏系統性的討論。這一片研究上的空白之所以會產生，與形成於現代性語境中的研究視野關係密切。學者當有此認識，觀察常州之學在晚清的接受與傳播，除了可以從思想或政治領域，也就是專注在思想史或政治史的探討（著重思想的連續性與政治效應）之外，文學或經學的角度，乃至文學與經學合一的角度，是更重要且更原質的觀察進路。此一認識前提須先確立，否則恐難以對宋翔鳳在晚清學者文人之間所產生的影響，作出具體而有建設性的評估。

　　學者不應忽略章太炎的兩位老師譚獻與俞樾，都曾受到宋翔鳳的影響，前者為詞學名家，而以常州學派自居；[3]後者雖承乾、嘉學術之脈，然治《春秋》而祖右《公羊傳》，[4]其中所

3　〔清〕譚獻：《復堂日記》（臺北：新文豐出版公司影印《叢書集成續編》，第 217 冊，1989 年），卷 2，頁 11b。

4　相關記載，可參章太炎：〈俞先生傳〉，《太炎文錄初編》，收入《章太炎全集》第 4 冊（上海：上海人民出版社，1984 年），頁 211；繆荃孫：〈清誥授奉直大夫誥封資政大夫重宴鹿鳴翰林院編修俞先生行狀〉，收入

顯示出的學術傳播之意義。另外，章太炎、劉師培對宋翔鳳的批判，也正是看到了宋氏高標西漢的文人說經方式，對晚清文士有極大的吸引力之故，[5]所謂「南方學者聞風興起」者，[6]其背後所蘊藏學術的接受與傳播之內涵，正有待吾人詳細地分疏。況且就散播常州學術而言，翔鳳以其遊歷大江南北的交遊圈，較蟄居禮部，鬱鬱早卒的劉逢祿，[7]更易發揮影響力，上舉譚獻、俞樾即其顯例。更何況還有如何紹基、戴望、王闓運、龔自珍、龔橙、施補華、莊棫、吳嘉淦、潘祖蔭、翁同龢、夏曾佑、張爾田等著名官僚文士集團為之揄揚。這些人，或為友朋，或為年家子弟，或為聞其緒論而繼起者。所以，正

《清碑傳合集》（上海：上海書店，1988 年），第 3 冊，頁 2898b；支偉成：〈皖派經學家列傳第六〉，《清代樸學大師列傳》（臺北：藝文印書館，1970 年），卷 6，頁 230；徐澂：《俞曲園先生年譜》（上海：上海書店，1991 年影印《民國叢書第三編》，第 76 冊），頁 1。

[5] 章太炎云：「長洲宋翔鳳，最善傅會，牽引飾說，或采翼奉諸家，而雜以讖緯神秘之辭。……其義瑰偉，而文特華妙，與治樸學者異術，故文士尤利之。」（《訄書‧清儒》，收入《章太炎全集》，第 3 冊，頁 158）又說：「常州莊、劉之遺緒，不稽情偽，惟朋黨比周是務。……高論西漢而謬於實證，侈談大義而雜以令言，務為華妙，以悅文人，相其文質，不出辭人說經之域。」（〈說林下〉，收入《太炎文錄初編》，《章太炎全集》，第 4 冊，頁 119）

[6] 劉師培云：「嘉、道之際，叢綴之學多出於文士，繼則大江以南，工文之士以小慧自矜，乃雜治西漢今文學，旁采讖緯，以為名高，故常州之儒莫不理先漢之絕學，復博士之緒論，前有二莊，後有劉、宋，南方學者聞風興起。」劉師培：〈近代漢學變遷論〉，《劉申叔先生遺書》（臺北：華世出版社，1975 年），第 3 冊，頁 1784。

[7] 據梁章鉅所記，劉逢祿在京時，「古心樸學，不能諧俗，同輩多揶揄之，獨好與余講求《禮》學，謂禮官當以此為盡職。時署中方輯《通禮》，數與余議服制，各條皆得行。自余外出，而申甫之勢乃孤，未幾而歸道山矣，惜哉！」〔清〕梁章鉅：〈武進劉申甫主事〉，《師友集》（道光二十五年刊本），卷 5，頁 19-20。

如桐城派在晚清的興盛，是因為有陳用光、梅曾亮、管同、劉開、方東樹等桐城五子，及繼起者如姚瑩、鄧廷楨、吳德旋、曾國藩等人揚其風騷；同樣的，晚清《公羊》學的大盛，其根本原因，或不必待康、梁之繼起，而是與眾多科舉文士的推波助瀾，密切相關。即此而論，則宋氏在常州學派所應有的地位，已值得學者深思。

另外，學者關注宋翔鳳的角度，多有從《公羊》學立論，討論其繼劉逢祿《論語述何》之後，撰《論語說義》（後改名《論語發微》），以《公羊》學標榜的微言大義涵攝《論語》所載夫子性與天道之言，進而討論宋氏在群經大義《公羊》化的過程中所做的貢獻。[8] 此一根據文本進行觀察與詮釋的進路，無疑能加深吾人對宋翔鳳《公羊》之學的內涵，以及對常州學派以《公羊》大義通釋群經的治經導向及其學術累積歷程之認識，然宋氏可堪討論者或不僅於此。宋氏經說多繼承而少新創，專從學說內涵討論之，將無以見其學術之特殊性。筆者以為，宋翔鳳的特殊性，理應置於常州學派乃至整個晚清今文學發展的序列中來觀察。除了他對晚清文士的影響之外，更值得

8　相關討論，請參陳靜華：《清代常州學派論語學研究──以劉逢祿、宋翔鳳、戴望為例》（臺南：成功大學中國文學研究所碩士論文，1994 年）；劉錦源：《清代常州學派的論語學》（臺北：政治大學中國文學研究所碩士論文，1995 年）；張廣慶：〈清代經今文學群經大義之《公羊》化──以劉、宋、戴、王、康之《論語》著作為例〉，收入《經學研究論叢》第 1 輯（桃園：聖環圖書公司，1994 年），頁 257-321；孔祥驊：〈論宋翔鳳的《論語》學〉，《歷史教學問題》1999 年第 6 期，頁 8-10；鄭卜五：〈常州公羊學派「經典釋義公羊化」學風探源〉，收入《乾嘉學者的義理學》（臺北：中央研究院中國文哲研究所，2003 年），下冊，頁 637-672。

注意的是，他整合莊氏家學與漢學的二重性格經說，在整個常州學派的傳衍中，所顯現出不同學風相互「對話」的學術意義。今觀《清史列傳》、《清史稿》、《清儒學案》皆有翔鳳「通訓詁名物，志在西漢家法。微言大義，得莊氏之真傳」[9]的記載，其間消息，卻罕見闡發。這兩個足以論定宋氏學術地位的觀察視角，誠有待學者深入討論。當然，不論是就《公羊》學在晚清文人群體之間擴散的貢獻，或是宋氏二重體系經說的學術意義，皆有必要將學術史的視野納入其中，作為所考察議題的認識背景。限於篇幅，本文謹就第二點申論之。

考據學風潮的擴散，對藉科舉起家之文人最大的衝擊，當是經術與文章的分合。對眾多的科舉文士而言，在乾隆以前，「經術文章」的概念尚稱完整。簡言之，即藉文章（古文／時文）闡述自身的經術（學術／政治）見解；然自乾隆朝以來，伴隨著考據學的興起所引發的對八股非學問的批判思潮，經術與文章的分合之間，曾在考據學者與科舉文士之間展開劇烈攻防；至乾、嘉之際，包括常州在內的眾多江南文士，在科舉功名與考據思潮結合的雙重影響下，通籍之前，往往須兼學舉業文章以及訓詁考據之業；通籍之後，多有盡棄舉業而肆力於訓詁考據者。翔鳳之父宋簡如此，常州學派自莊述祖以下，如丁履恆、莊綏甲、劉逢祿、宋翔鳳亦皆如此。不同的是，莊綏甲、劉逢祿等人所接受的考據學方法，主要是經過莊述祖「加

---

9 蔡冠洛編纂，王鍾翰點校：《清史列傳》（北京：中華書局，1987 年），卷 69，頁 5606；趙爾巽等撰，啟功等點校：《清史稿》（北京：中華書局，1998 年），卷 482，頁 13268；徐世昌等編：《清儒學案》（臺北：燕京文化事業公司，1976 年），卷 75 下，頁 28a。

工」過後，以區別古、今文字為基礎，進而分別今、古文經說的莊氏「家法」，其學術內涵，多先驗性的主張；其學術方法，多強考據以就我，展現出對家族經說探求聖工微言大義的堅定立場。而翔鳳則出身蘇州，首先接受的是來自於父親及世交長輩如汪元亮、徐承慶等人所教授，以蒐羅漢學古義、校讎學術源流為主的樸學觀念。在二十三歲（嘉慶四年己未，1799）隨母歸寧常州之後，始從述祖受外家之學。[10]其後遊學四方，與當代通人文士交往，往來論難，而能逐漸將各家之說安排進自己的學術系統之中。宋氏之承學論交既有如趙懷玉、張惠言、李兆洛、丁履恆、陸繼輅、周伯恬、方履籛、董士錫、洪孟慈等與莊氏家族關係密切的常郡文士，亦有當代考據學者如錢大昕、段玉裁、王念孫父子、孫星衍、阮元、陳壽祺、臧庸、鈕樹玉等漢學專家，[11]與莊、劉的學術交遊並無大異。然正因為有早期的樸學經歷為之鋪墊，宋翔鳳的學術觀照面相較莊、劉而言要寬廣許多之外，對以許、鄭為代表的漢學也不排斥，而能平情的與當代漢學家展開對話。亦即宋氏為學，既承襲常州莊氏之學術緒論，也展現了他在方法學及學術價值觀上，對漢學考據的尊重。這種尊重，不僅表現在他轉換外家學說為考據語言的嘗試中，更表現在將微言大義與典章制

---

[10] 翔鳳云：「先母為先生女弟，己未歲歸寧，命翔鳳雷常州，先生教以讀書稽古之道，家法緒論，得聞其略。」〔清〕宋翔鳳：〈莊珍藝先生行狀〉，《樸學齋文錄》（上海：上海古籍出版社，《續修四庫全書》第1504 冊影印清嘉慶二十五年刻《浮谿精舍叢書》本，1995 年），卷4，頁 27b。

[11] 有關宋翔鳳的生平概況及交遊簡歷，請參鍾彩鈞：〈宋翔鳳的生平與師友〉，頁 157-176。

度平等對待的態度中。

　　另外，從往返的書信中可以看出，宋氏基本上是在考據學的語境中與當代賢達對話，然而在對話中，他往往以考據語言包裝來自舅氏所授外家學說；宋氏的著作，也出現類似的情形。他有意的將常州經說融入考據學語境之中，仔細閱讀的話，我們很容易掌握到他隱藏在考據語言背後的常州式觀點。顯然地，表述方式的差別決定了宋翔鳳與莊、劉等人的學術性格之異同。莊、劉視家族之學凌駕於許、鄭之上，考據學方法不過是其論證家族聖王天道之說的工具而已。亦即以許、鄭（包括當代許、鄭學者）為薪蒸，既汲取其疏釋典章制度的方法，又就所詮解制度之內涵作更深層次的發揮。其間所展現的方法論與價值觀，即是「齊一變而至於魯，魯一變而至於道，由東京典章制度以進於西京微言大義」[12]此一著名治經原則；而翔鳳則是仍考據家「訓詁明則義理明」之舊貫，在訓詁方法的基礎上，企圖整合東京典章制度與西京微言大義為一個整體，亦即在考索各種典章制度的過程中，將莊氏家族所申闡的義理融入其中。宋氏學術最有意義的一面，理當由此展開討論，而其前提，則須掌握其早年的樸學經歷。

二、宋翔鳳的樸學教育

　　宋翔鳳與莊、劉之不同，早在啟蒙的階段，就已決定。宋

---

[12] 此言典出魏源：〈兩漢京師今古文家法考序〉、〈劉禮部遺書序〉，《魏源集》（北京：中華書局，1983 年），頁 152、242。

氏在接觸外家學術之前，既出於環境之浸染，也出於科舉之需要，即與考據學關係密切。考據學對翔鳳的意義，不僅止停留在學術方法的層次而已，而是早已形成價值意識，為其日後治學不可抹滅的記憶。所以，討論宋翔鳳的經學內涵，不宜忽略其早期的樸學經歷。宋翔鳳出身的長洲縣，隸屬於考據學大本營蘇州府，年少求學時，對他影響最大的，除了八股及詩文的習作之外，就是當時流行的考據之業。翔鳳曾兩撰〈憶山堂詩錄序〉，[13]皆言及年少時居里中學為考據之情形，如嘉慶二十三年（戊寅，1818，42 歲）所作〈憶山堂詩錄序〉云：「余十許歲，里門耆宿方談古文訓故之學，聞而竊慕。」[14]又嘉慶二十五年（庚辰，1820，44 歲）所作之〈憶山堂詩錄序〉亦云：「余初事篇什，風氣已降，為者空疏無事，學問可率意而成，遂不甚致力，乃學為考據，則如拾瀋，莫益於用，而又置之。」[15]從這兩則記載中，可以看出年少的宋翔鳳無法避免於考據學風潮之吹襲，其「莫益於用，而又置之」之說，只是心情低潮的感嘆，不必真為對考據學之疏離，從其命名文集曰《樸學齋文錄》，吾人可以概見他內心對訓詁考據之學的重視。

---

[13] 按：翔鳳《憶山堂詩錄》有兩種不同刻本，其一為嘉慶二十三年刻本，其一為道光五年增修本，二本之序亦不同，前者撰於嘉慶二十三年，後者撰於嘉慶二十五年。本文所錄詩，以道光本為據。

[14] 宋翔鳳：〈憶山堂詩錄序〉，《憶山堂詩錄》（桃園：聖環圖書公司影印上海圖書館藏嘉慶二十三年宋氏家刊《浮谿精舍叢書》本，1998 年），卷首，頁 1a。

[15] 宋翔鳳：〈憶山堂詩錄序〉，《憶山堂詩錄》（《續修四庫全書》第1504 冊影印道光五年增修本），卷首，頁 1a。

　　翔鳳自言「余少識故訓」，[16]《吳縣志》本傳說翔鳳「少跳盪不樂舉子業，嗜讀古書。不得，則竊衣物易書，祖父夏楚之不能禁」。[17]又說他「平生精治小學」。[18]龔自珍曾有詩云：「玉立長身宋廣文，長洲重到忽思君。遙憐屈賈英靈地，樸學奇材張一軍。」並自注云：「『奇材樸學』，二十年前目君語，今無以易也。」[19]李慈銘云：「于庭承其舅氏莊葆琛之學，專為《公羊》家言，而不菲薄《左氏》。其於漢學，亦尊西京而多回護鄭君，此足見其實事求是。」[20]張之洞《書目答問》亦將宋氏列入漢學家之列，說他「篤守漢人家法，實事求是，義據通深」。[21]至於柯劭忞撰翔鳳所著《周易考異》之提要，將該書與李富孫《周易異文箋》作比較，認為翔鳳研究細密，在富孫之上，而在具體問題的考索上，也是深入訓詁學之闈奧，非李氏所及也。[22]從這些記載可以看出，至少在晚清民初間，除了來自章、劉一派出於對常州的惡感，而有文人說經之譏外，尚有不少學者認為宋氏能以「實事求是」的治學態度成為漢學考據名家的。

16　宋翔鳳：〈小爾雅訓纂序〉，《樸學齋文錄》，卷2，頁10b。

17　吳秀之、曹允源等修纂：《吳縣志》（臺北：成文出版社，1970年），卷68上，頁29b。

18　同前註。

19　〔清〕龔自珍：〈己亥雜詩〉，《龔自珍全集》（上海：上海古籍出版社，1999年），頁522。

20　〔清〕李慈銘：《越縵堂讀書記》（臺北：世界書局，1975年），頁1193。

21　〔清〕張之洞撰、范希增補正：〈國朝著述諸家姓名略〉，《書目答問》（香港：三聯書店，1998年），頁267。

22　柯劭忞：〈周易考異提要〉，《續修四庫全書總目提要·經部》（北京：中華書局，1993年），頁128。

　　當然，翔鳳也不是無師自通，而是來自父師所授。翔鳳由
父親啟蒙學業，「授以章句，數年之間，《九經》差能成誦」，
不過「十三（乾隆五十四年己酉，1789）以後，不獲隨侍，遠
違過庭」，[23]到十九歲（乾隆六十年乙卯，1795）隨父之官雲南
之前，他一直跟隨長洲前輩汪元亮學習。這一段學習經歷，對
其爾後治學，帶來不可磨滅的影響。[24]汪元亮字明之，號竹香
子，其著作雖多散逸，尚可從有限的記載中，看出汪氏與考據
學的深厚淵源。如翔鳳〈徐謝山先生家傳〉云：「先生姓徐
氏，元和縣人，名承慶，字夢祥，謝山其自號也。先生……鍵
戶讀書，所與遊者，則嘉定錢曉徵詹事、王鳳喈閣學，元和江
叔澐方正，金壇段若膺大令，長洲汪明之學博，皆精摯實學，
一時大師。」[25]其〈貴筑廨舍哭汪明之先生〉則提到：「碩儒東
原翁，招邀話秋藤，往復輒辨論，共期絕學興。數年東原死，

---

[23] 宋翔鳳：〈讀書日程自序〉，《樸學齋文錄》，卷2，頁3a。

[24] 按：翔鳳對其業師汪元亮可謂深懷孺慕之情，嘉慶元年（丙辰，1796，
20歲），翔鳳作詩感懷云：「陋巷汪夫子，深居盡典墳，三年曾著錄，一
卷識奇文。講畫歸家法，門牆埶張軍，近為臨碩難，此義幾時聞。汪竹香
師」嘉慶二年（丁巳，1797，21歲），汪元亮卒，翔鳳作詩哭之，緬懷身
居門下之日，並以守師道自誓，如云：「翔鳳時童子，……得坿同門朋，
學問豈敢言，稽古得一鐙。時時春風座，講畫揮以肱，新論闢茅塞，奇詣
得上乘。先生五十餘，述作隨年增，弟子十許輩，疑義扣必膺。魯申濟南
伏，道氣如山凝，遺經抱未泯，將見蒲輪徵。……巍巍漢唐學，厥若杇岸
崩。師門諸君子，守道皆兢兢，會當博千古，莫學秋林蟪。大義如冥鴻，
所貴弋以矰，申明一師說，不作詞模稜。」嘉慶四年，翔鳳返家，憑弔汪
氏故居，有「高歌今未得，唯有涕如傾」之句。以上諸作，可以測翔鳳對
汪元亮的感情，以及汪氏對翔鳳治學之影響。宋翔鳳：〈懷人三首〉之
一、〈貴筑廨舍哭汪明之先生〉、〈過明之先生故居〉，《憶山堂詩錄》，卷
1，頁12b；卷2，頁10a-b、14a。

[25] 宋翔鳳：〈徐謝山先生家傳〉，收入〔清〕徐承慶：《說文解字注匡謬》
（《續修四庫全書》，第214冊影印清張氏寒松閣抄本），卷首，頁1a。

同輩多蜚騰，不為形勢趨，歸臥秋風膵。陋巷屋數間，圖書堆千層，一室處婦子，一室供校讎。」[26]這兩處記載中，既將汪明之提高到與錢大昕、王鳴盛、江聲、段玉裁並列的大師；又強調汪氏與戴東原交往，並往復辯論，以期共興絕學的經歷，於此可見翔鳳對汪氏的推崇。而此絕學不言可喻，當是訓詁校讎之學，故詩中又強調汪氏圖書千層，以供校讎之用。翔鳳在嘉慶二十五年作詩回憶少年讀書時的情景云：「鐙火十年同竹屋，牙籤萬卷理牸窗。」[27]顯示出翔鳳年少時頗受汪明之校讎之學的影響。

有幾則記載可以顯示翔鳳當時從事校讎與讀書的成果，如十八歲（乾隆五十九年甲寅，1794）時作〈校正神異經十洲記序〉，利用《漢書・東方朔傳》及〈藝文志〉互校，推定《神異經》及《十洲記》應列在〈藝文志〉所載「東方朔二十篇」之數，認為二書與《山海經》相類，並云：「若此固近古所述，非同無稽，儒者讀《山海經》，亦怪其荒誕，然極絕域以窮水地，皆有跡可驗，則兩書體類，其紀載實相近矣。」[28]強調不應以經驗所限而致疑方外之記載。值得注意的是，也在同一年，翔鳳作〈鈔書自題〉，分詠《尚書大傳》、《駁五經異義》、《論語鄭注》，顯示其校讎學術的功力，如云：

伏學山東盛，今文科斗偕，師傳徒放失，大義此根荄。
〈洪範〉二鑰別，〈洪範五行傳〉，劉子政父子作，不當雜入

---

26 宋翔鳳：《憶山堂詩錄》，卷2，頁9b。

27 宋翔鳳：〈錄別六首〉之二，同前注，卷2，頁16a。

28 宋翔鳳：《樸學齋文錄》，卷2，頁1a-b。

《大傳》四十一篇。《崇文》四卷乖,《崇文總目》《書大傳》四卷,已非元本。何時合經傳,斯誤起松崖。《漢書·藝文志》:「《尚書傳》四十一篇。」康成詮次為八十三篇,不與二十八篇經文數合,則是通論大義,如《韓詩外傳》之例,不必附麗于當篇之下也。故康成敘云:「別作章句,又特撰大義,因經屬指,名之曰傳。」則經文別為章句,不雜傳內。今雅雨堂本經傳雜廁,出惠松崖手也。[29]

認為〈洪範五行傳〉不當雜入《尚書大傳》,以及鑑別《崇文總目》所載《尚書大傳》,已非原本,並且指出《尚書》經文與《尚書大傳》相雜廁,乃出於惠棟之手,已非粗治《尚書》者可盡;更何況這一番辨章學術、考鏡源流的言論,乃是出於一個十八歲的少年之口,又殊為不易,於此可見翔鳳讀書校讎之勤。從現存翔鳳著作觀之,有不少是屬於以校讎學術的眼光所為的訓釋及纂輯古籍之業,如《周易考異》、《尚書略說》、《尚書譜》、《論語鄭注》、《論語孔子弟子目錄》、《論語師法表》、《孟子劉注》、《孟子趙注補正》、《四書釋地辨證》、《大學古義說》、《漢甘露石渠禮議》、《五經通義》、《五經要義》、《小爾雅訓纂》、《管子識誤》等。正如鍾彩鈞先生所言,翔鳳著作多有積稿數十年始刊布者,而晚年的《過庭錄》、《論語說義》亦多收考證文字。[30]可見早年所從事的樸學之業,對其一生治學之影響。訓詁校讎,可謂其一生治學的主要形式,即便發揮外家之說亦不例外,並力求二者的平衡。

---

[29] 宋翔鳳:〈鈔書自題·尚書大傳〉,《憶山堂詩錄》,卷1,頁5a-b。

[30] 鍾彩鈞:〈宋翔鳳的生平與師友〉,頁169。

　　翔鳳在十九至三十五歲（嘉慶十六年辛未，1811）之間，除了幾次應考及隨母歸寧外家之外，基本上隨父宦遊雲、貴等地。十九歲赴滇之後，主要是跟隨父親學習，而由母親督促，其內容亦不外詩文的習作與古義之蒐羅。例如〈秋日懷人詩·序〉云：「余以上章之歲（嘉慶五年庚申，1800，24 歲），至古羅甸（今貴州）之國，過庭之餘，每托謠詠，望遠之頃，彌增永懷。」[31]二十六歲（嘉慶七年壬戌，1802），作〈經問自序〉云：「志學之年，九經畢誦，未知臧否，章句略辨，揚舲三湘，驅馬六詔，羸媵履屬，卷軸未去。過庭之餘，勉以問學，念欲麤立條例，以存大體。」[32]三十歲（嘉慶十一年丙寅，1806）上書朱珪，信中仍言「隔中原之徒侶，作邊徼之旅人，雖願慰趨庭，而學同鄉壁，每思贈別之篇，殊有投荒之意」。[33]顯示至而立之年，仍依親邊鄙，雖能晨昏定省，然頗有投身邊荒的落寞。三十四歲（嘉慶十五年庚午，1810）致書徐景唐，仍提到「隨侍官所」，自謙「篋中檢盍，稽古無功」。[34]在這幾則文獻中，不斷出現「過庭」、「趨庭」、「隨侍」等字眼，吾人似不可輕忽其意義，合以翔鳳晚年彙集生平讀書筆記，仍名曰《過庭錄》，可以推見父親的教誨對翔鳳的治學門徑、仕進態

31　宋翔鳳：《憶山堂詩錄》，卷 4，頁 13b。

32　宋翔鳳：《樸學齋文錄》，卷 2，頁 7a。

33　宋翔鳳：〈上大興朱相國牋丙寅〉，《樸學齋文錄》，卷 1，頁 8b。

34　宋翔鳳：〈平遠州寄妹婿徐景唐書庚午〉，同前注，卷 1，頁 15a-b。又〈先府君行述〉云：「不孝翔鳳困躓公車二十餘年，時時侘傺，府君輒諭以自安義命。不孝翔鳳先往返都下，時到子舍。歲辛未（翔鳳 35 歲）後，府君以官舍清苦，命遊學四方。嗣官泰州，隨侍之日益少。」同前注，卷 4，頁 38a。

度、生涯規畫的影響之大。今按翔鳳〈先府君行述〉云：

> 府君年二十，娶先妣莊孺人，日侍重親之養，晚則一燈
> 相伴，攻苦達旦。時場屋騖為聲華炳烺之文，府君則從
> 妻兄莊葆琛（述祖）先生學為古文詞，又與同邑汪明之
> 先生游，專精《三禮》鄭氏學。乾隆五十一年（丙午，
> 1786），侍郎大興朱文正公珪、編修大庾戴公心亨來主
> 江南鄉試，以〈鄉黨〉篇「過位」二節發題，府君解過
> 位為路寢之庭，升堂為路寢之堂，士子通是解者皆中
> 式，府君與焉。……府君少壯，肆力文史，學識所到，
> 悉融合為科舉之文。莊葆琛先生稱為紆餘暢達，似歐陽
> 子。既成進士，乃專治許叔重氏書，丹黃校勘幾滿，已
> 而成《說文諧聲》一書，於同時金壇段氏、曲阜孔氏
> 說，多所舉正。宦轍半天下，歷九州山川之險夷，兵戎
> 之儆擾，皆為詩篇以述之，然不與時人相酬荅。於考古
> 異同之事，亦不肎斷斷為辨論。[35]

宋簡所業，正是乾、嘉之際江南文士典型的學問模式。他一方
面學習詩古文詞，並將所學經史知識化為舉業文章；另一方面
又從汪明之肆力《三禮》鄭氏之學，從事樸學考據之業。通籍
之後，則專治許氏《說文》，校勘異同，諍及段、孔，從事於
「學問」之業。

　　值得注意的是，乾隆五十一年的江南鄉試，主試者皆是朝
中支持漢學最力的學者型官僚，頭場以〈鄉黨〉篇「過位」二

---

[35] 同前注，卷4，頁31b-37a。

節發題。按照朝廷功令，應以朱子系統的注釋，如《四書章句集註》或元儒陳澔的《禮記集說》作為闡述之依據，不過主考官顯然喜歡的是漢學之說，所以「過位」二節的標準答案來自江永的《鄉黨圖考》，主考官朱珪之題解即以古注、今解對勘，而以江永之說定其正誤。朱珪明白指出「過位」一節的諸家解釋中，「以位為外朝之虛位，以治朝廷立之處為有堂」的「今解」是錯誤的，江永所依據包咸等人的古義方為正解。[36]是科如阮元、汪中、孫星衍、張惠言、宋簡、汪廷珍、馬宗槤以及錢大昕弟子李賡芸等能以古義作答者皆中式。[37]

艾爾曼曾針對清代鄉會試題目來分析乾、嘉考據學的影響之擴散，據其統計，至遲到 1766 年（乾隆三十一年丙戌）會試中已有關於乾、嘉漢學關注的課題；1793（乾隆五十八年癸丑）年到 1823 年（道光三年癸未）考據學影響考試之程度逐漸顯現；在鄉試部分，則在 1790（乾隆五十五年庚戌）年以後

---

36 〔清〕梁章鉅：《制義叢話、試律叢話》（上海：上海書店出版社，2001年），頁 272。

37 梁章鉅嘗言：「吾師阮雲臺先生，於乾隆丙午第一次鄉試，即遇朱文正公主試，試題『過位』二節，用江慎修新解，中式第八。」又言：「朱文正師主江南丙午鄉試，首藝『過位』二節題，阮芸臺師從江氏新說，中第八名。」又引姚鼐之言曰：「江慎修先生以諸生說《論語·鄉黨》篇尤多於古制不明，乃作《鄉黨圖考》。……《鄉黨圖考》昔已梓行，乾隆五十一年，朱石君侍郎典試江南，以『過位』章命題，士有達於江氏說者，乃裒錄焉。」梁氏之說，可與朱珪之題解及翔鳳〈先府君行述〉所載相參。《制義叢話、試律叢話》，頁 213、272、268。相關記載，亦可參〔清〕張鑑等撰，黃愛平點校：《阮元年譜》（北京：中華書局，1995年），卷 1，頁 6；王章濤：《阮元年譜》（合肥：黃山書社，2003 年），頁 20-21。

已看得到類似題型。[38]艾氏之分析稍嫌保守,在鄉試中出現以漢學答題的現象,最遲在乾隆初年即已出現。[39]另外,早在乾隆十九年(甲戌,1754)的會試,已有考官親出策問,並錄取精通漢學的士子。今觀錢大昕所記:「(乾隆十九年甲戌,1754)三月會試,中式第十九名。……是科,文敏公(錢維城)自撰策問條目。闈中遍搜三場,所得如王禮堂(鳴盛)、王蘭泉(昶)、紀曉嵐(昀)、朱竹均(筠)、姜石貞(炳璋)、翟大川(灝)輩,皆稱汲古之彥。揭曉之次日,午門謝恩。文敏公謂諸公曰:『此科元魁十八人,俱以八股取中,錢生乃古學第一人也。』」[40]又《制義叢話》載朱珪之言:「十八房中各有一房首,謂之房元,雖主考不能與爭,惟十九名始為主考所專,亦與各房無與。」[41]合觀此二條記載可知,錢大昕等人所以中式,是錢維城遍搜三場所得,且因諸人所專精者在考古之學,而非時人看重之八股,若非座主親出策問,且合觀三場,有意援引,則專精古學諸公,能否得售,尚在未定之天。亦由此記載而可推知,乾隆中葉以前,科場試士之內容及取士標準,已有分化之跡象。[42]

---

[38] 艾爾曼:〈清代科舉與經學的關係〉,收入《清代經學國際研討會論文集》(臺北:中央研究院中國文哲研究所籌備處,1994年),頁15-21。

[39] 據王昶所記,惠棟應乾隆九年(甲子,1744)鄉試,所以見擯於有司,在於逾越朱熹《四書集註》的範圍,引用《漢書》語立論之故。〔清〕王昶:〈惠定宇先生墓誌銘〉,《春融堂集》(嘉慶丁卯塾南書舍刊本),卷55,頁1b。

[40] 〔清〕錢大昕撰,〔清〕錢慶曾續補:《竹汀居士自訂年譜》(香港:崇文書店,1974年),頁12「乾隆十九年甲戌年二十七歲」條。

[41] 梁章鉅:《制義叢話》,頁361。

[42] 按:關於乾隆十九年進士取錢大昕等人在漢學考據上的重大意義,已有不

《清史稿》載朱珪「於經術無所不通，取士務以經、策校《四書》文，銳意求樸學之士，門生遍天下」。[43] 蓋朱珪於乾嘉之際，屢掌文衡，其校士之標準，即為重視二、三場經義、策論，而不僅有取於頭場之《四書》文。今觀王子蘭〈伯申府君行狀〉云：「乾隆乙卯（六十年，1795），府君應京兆試。……諸城劉文恭公（墉）為同考，得府君卷，曰：『理法精純，根柢深厚。合觀二、三場，博通古今，知為績學士。』遂以官生舉孝廉。」[44] 按理、法、辭、氣，向為舊時八股衡文之標準，王子蘭之言，乃首場合格，仍須合觀二、三場之證，此處記載，與前條之意相同；而且乾隆六十年的科舉程式，已是將經義移至二場，故王引之二、三場所考者，正是《五經》義及經史策論。

又劉恭冕記李貽德鄉試中式之情況云：「嘉慶戊寅（二十三年，1818），本省鄉試，以經、策博贍中式，出高郵王文簡公（引之）之門。文簡小學為海內所推，既得卷，甚喜。」[45] 此則亦是以二、三場經義、策論勝出之證，其應試場合為浙江鄉試。再來看幾則道光時的記載，桂文燦云：「包季懷孝廉世

少人注意到。詳細討論可參艾爾曼：《從理學到樸學》、漆永祥：《乾嘉考據學研究》、張維屏：《紀昀與乾嘉學術》、王達敏：《姚鼐與乾嘉學派》。

43 趙爾巽等撰，啟功等點校：《清史稿》，卷 340，頁 11097。

44 〔清〕王子蘭：〈伯申府君行狀〉，收入〔清〕羅振玉輯：《高郵王氏六葉傳狀碑誌集》（1925 年上虞羅氏排印本《高郵王氏遺書》，第 2 冊），卷 5，頁 2b。

45 〔清〕劉恭冕：〈序〉，收入〔清〕李貽德：《春秋左傳賈服注輯述》（《續修四庫全書》，第 125 冊影印清同治五年朱蘭刻本），卷首，頁 3a。

榮，……五試鄉舉，至道光辛巳（元年，1821），始以經藝醇茂，策問詳贍中舉人。」[46]包氏久居揚州，閉戶讀書，與劉文淇、薛傳均、姚配中為友，其所參加者，乃江南鄉試。又云：「道光十二年（壬辰，1832），程春海（恩澤）侍郎典試來粵，素聞曾勉士（釗）學正深於經學，並讀所著《詩毛鄭異同辨》，喜其釋《詩》『定之方中』，以為『旦中』之說，欲羅致之，以魁多士。次場以『六月食鬱及薁，七月烹葵及菽，八月剝棗』命題，以覘其用鄭《箋》『課男功』之說。三場以經書天文為第一策題，因問『定之方中』，以覘學正之對。」[47]又云：「黃子謙同年，……治經通漢儒之學，肄業學海堂，以解經見重於德清高學使，補儒學生。道光己酉（二十九年，1849）以經藝用漢注說，中舉人。」[48]這是系出學海堂，而在二場經義、三場策論以漢學知識中舉者，其應試場合則為廣東鄉試。

另有以漢學連捷者，據桂文燦所記：「近時鄉試，皆以古義獲雋者，以文燦所聞，得一人焉，曰周秩卿（寅清）進士。……乙未（道光十五年，1835）恩科順天鄉試，欽命《四書》首題為『未若窮而樂富而好禮者也』，進士據皇氏《疏》本作『未若貧而樂道』為說，見重主司，中舉人。甲辰（道光二十四年，1844）會試，副總裁為徐侍郎士芬，次場《書》藝以『同律度量衡』為題，進士本鄭《注》『同為陰律，律為陽

---

46 〔清〕桂文燦：《經學博采錄》（《續修四庫全書》，第 179 冊影印民國三十一年刻《敬躋堂叢書》本），卷 8，頁 1b-2a。

47 同前注，卷 3，頁 4a。又同書卷六頁 3-4，亦有相同記載。

48 同前注，卷 2，頁 11a-b。

『律』為說獲雋。」[49]周寅清所參與者，為順天鄉試。至於會試本鄭《注》為說而獲雋，並不是考官對他特別欣賞，而是其答題符合考官之預設。[50]其實，從乾隆中葉以來，榜不論進士舉人，地不分順天廣東，以漢學知識藉二、三場獲雋者，並不在少數。所以，宋簡、阮元參與的乾隆五十一年鄉試，可以視為乾、嘉、道三朝漢學大潮滲透到科場的具體事例，是主考官運用漢學經說以試士子，士子依據漢學知識進入仕途，在乾嘉之際風氣已開的例證。[51]這就意謂著至少在乾嘉之際，考官以漢

---

[49] 同前注，卷5，頁15a-b。

[50] 桂氏又云：「馮展雲學士譽驥，……自少肄業學海堂。道光庚子（20年，1840），以經藝見重主司，中舉人。甲辰會試，次場《尚書》題為『同律度量衡』，學士本鄭注『陰律陽律』立說。餘藝亦經義紛披，迥異常卷。房考某公驚異，以示同校某編修。編修曰：『此必吾邑陳蘭甫孝廉卷，最深經學者也，亟宜薦之，以冀獲雋。』某公從之，竟得售。」又云：「文簡（王引之）之子名壽同，字子蘭，亦深經學。道光二十四年（甲辰，1844）會試，《書》藝題為『同律度量衡』，本鄭君『陰律陽律』之說成進士。」蓋王氏父子兩代，皆以經藝獲雋，此非漢學入科舉最佳之證？而學子不分南、北，學問不必出詁經精舍、學海堂，以許鄭代朱子，風潮日盛，蓋已有不可掩之勢。同前註，卷6，頁1a；卷8，頁7a。

[51] 按：從紀昀的一則奏疏中，也可以看到漢學對科舉的滲透。紀氏為嘉慶七年會試正考官，他對考生不顧題意要求，只管繁徵博引，提出批評。另外，陳致最近的研究亦指出，制義中引入漢學，其勳業最著者，前有閻若璩，在制義內部提倡訓詁典實；後有江永、戴震，從外部影響制舉中巍科人物。閻若璩從訓詁方面糾明代制義名家之謬，江永則專從三代典章制度糾明人八股文之失。戴震師承江永，又受惠棟的影響，於訓詁、制度兩重之。又戴震於乾隆十九年入都避禍，本年中式進士如王鳴盛、紀昀、王昶、朱筠、錢大昕於乾隆十九、二十（乙亥，1755）年先後與戴震結交，在學術上大受其影響。嗣後，這些汲古之彥直至嘉慶初，皆屢主文衡，先後任鄉、會試考官、地方學政與重要書院的山長，對於制義中引入漢學具深刻影響。到乾、嘉之際，在前輩諸公的推揚闡發之下，制義中的漢學頓成風氣，其影響直至道、咸以降。而其具體情況則是從聲音訓詁來索求經

學古義出題，或考生以漢學古義入科舉文章，已超越個別行為，得到朝廷的認可或默許，而業已在科場中占有一席之地。

所以，宋簡既憑此晉身，對翔鳳的教育也必有這方面的訓練；細檢翔鳳著作目錄，有如此多對漢學古義的蒐羅整理，就是最好的說明。乃至參與會試，也以古經義答題，欲借融漢學知識入科舉文章以求售，此所謂「用科舉之體，達經學之原，士必有因是而興者」[52]也。今觀臧庸〈跋宋虞廷會試卷後辛未季春〉云：

> 此文之根據《說文》、《禮記注》、《三禮記目錄》，為合乎本經，而不依隨今日之《集解》、《集注》，則非究心經學訓詁之深者不能辨，無論售否，終恐當世鮮能心知此文所以精妙之故，因為跋其尾如是，虞廷無以得失為欣戚也。辛未閏月一日庸敬識。[53]

辛未為嘉慶十六年（1811），正是臧庸辭世前夕。臧庸因為屢次以漢學經義作答而遭黜，既對自己的不遇耿耿於懷，也對與

旨，乾、嘉之際諸君子，如阮元、陳壽祺、王引之、梁章鉅輩在制藝中均擅此法，當時人多稱之為「通訓詁、重典實」，此乃當時科舉中一種新起的風氣。紀昀：〈王戌會試錄序〉，《紀曉嵐文集》（石家莊：河北教育出版社，1991年），卷8，頁151；陳致：〈從劉顯曾、劉師蒼硃卷看儀徵劉氏的先世、科舉與學術〉，《南京曉莊學院學報》第3期，頁66-78；陳致：〈清代中晚期制義中的漢宋之別：以劉顯曾硃卷為例〉，《傳統中國研究集刊》第2期，405-426。

52 梁章鉅：《制義叢話、試律叢話》，頁268。又姚鼐在〈鄉黨文擇雅序〉（《惜抱軒文集》卷4）中，亦有類似言論。大抵重視科舉之人，多從正面論述八股文之功能。

53 〔清〕臧庸：《拜經堂文集》（《續修四庫全書》，第1491冊影印民國十九年宗氏石印本），卷4，頁9b。

他有相同命運的宋翔鳳頗戚戚焉。蓋翔鳳釋「中庸」，棄朱子之說，而據鄭玄「記中和之為用」之義，臧庸深致贊嘆，故為文獎之。只不過即使在科場之內，也有漢宋對峙的情況，立場近程朱的考官或讀卷官，往往會以不合朱《注》而絀落試卷，故文章能否得售，有時須視掌文衡者的學術立場而定。[54]

當然，類似以古義出題答題的情況，自乾嘉之際始，有越來越多的趨勢。如乾隆四十九年（1784）甲辰科策問，所問為唐開成石經、郭京《易舉正》、宋王應麟《詩考》、《禮》之〈大學〉、《書》之〈武成〉，以及《春秋三傳》經傳異文，又問及辟雍、靈臺、明堂、清廟、太室名實之異同，以及三老、五更之義等，[55]此類經學知識學問題，實非朱學系統之《章句》、《集註》所能範圍，與習其學者著重在性理與天道的闡述，亦不相類。[56]另外，《制義叢話》載阮元、陳壽祺之應試，

---

54 此處舉二事為例。桂文燦云：「乾隆中，士習樸陋，率誦四子書、本經各一部，時文數百首，以資弋獲，其全讀《左氏傳》、《禮記》者，父兄輒以為外務，廢正業，同輩亦相率嘲笑。州伴（錢坫）……素未習宋人經說，始就小試，以漢說說之，有司至不能句讀，黜之至再。」又梁章鉅云：「囊聞江南道光甲午（14 年，1834）鄉試，首題『執圭鞠躬如也』一節，有一卷薈萃眾說，生面獨開。闈中以與朱《注》不合，又不知其所據何書，將擯落之。後以次三藝璀璨陸離，知為積學之士，遂以散榜中式。」梁氏所言試卷主人，即陳立。而所謂的「次三藝」，指的是二場的經義考試。《經學博采錄》，卷 7，頁 17a-b；《制義叢話、試律叢話》，頁 273。

55 覺羅勒德洪等奉修：《高宗純皇帝實錄》（《清實錄》，第 24 冊），卷 1205，頁 124a「乾隆四十九年四月下」條。

56 按：根據王達敏最新的研究，除了在乾隆初葉的短暫尊宋之外，六十年的乾隆廟堂，在學術上經歷了從尊宋到崇漢的轉變，而其具體的動作表現在淡漢宋學，反對程朱的政治學說、不同意程朱的經學見解、反感程朱的講學和講程朱之學、寬容與程朱立異者、摧折或屈抑尊奉程朱的理學家、厭

一者專以聲音訓詁入試，一者好以經語排纂[57]，阮元於乾隆己酉（54 年，1789）科會試中式，陳壽祺則於嘉慶四年（1799）己未科成進士。陳壽祺之同榜進士有姚文田、王引之、胡秉虔、張惠言、馬宗槤、謝震等積學之士，據桂文燦所記：「嘉慶己未，……是科會試正總裁為朱文正（珪）相國，屬副總裁阮文達相國先盡閱二、三場之卷，而後閱首場《四書》文。是科中式如王文簡尚書、張皋文編修、郝蘭皋戶部、許周生兵部、胡春喬司馬、陳詩庭大令，皆湛深經學之士。」[58]而《清史稿》記錄此科得人之盛為：「一時樸學高才，收羅殆盡。」[59]此皆足證至少藉由二、三場以漢學知識入科舉，早在乾嘉之際，已取得立足之地；在道光一朝，則開枝散葉，從《經學博采錄中》，可以看到以漢學入科舉的大量記載；降至晚清，即使頭場《四書》文，亦難脫漢學語言的浸染，從《清代硃卷集成》中，可以看到很多這樣的例子。[60]

棄八股和懷疑八股取士制度、崇奉漢學。王達敏：《姚鼐與乾嘉學派》（北京：學苑出版社，2007 年），第四章：「從尊宋到崇漢」，頁 80-99。

[57] 梁章鉅：《制義叢話、試律叢話》，頁 214、361。

[58] 桂文燦：《經學博采錄》，卷 6，頁 2a-b。

[59] 趙爾巽等撰：《清史稿》，卷 364，頁 11424。

[60] 按：時至晚清，以漢學主導科場，其勢已成。如光緒壬辰（18 年，1892）科會試，吳士鑑（絅齋）頭場即遭黜落，後因二、三場為主考官翁同龢所賞而得售，譽之為「吾門之馬、鄭」。同樣的，劉顯曾光緒十八年三場會試硃卷的本房原薦批文，更可顯示「據有一席之地」已不足以形容漢學在晚清科場中的勢力，如首場批文云：「以經訓詁題，疏證亦確。……推闡趙《注》，援證皆精當不易，此謂經生之文。」又如次場批文云：「《易》主爻辰，曲證旁通，推闡無遺，可謂高密之功臣。《書》正句讀，經生聚訟，得此以解。其《書》斷亦恪遵馬、鄭家法。《詩》申

鄭箋，語語皆有裁斷，字字皆有碻詁。《春秋》起《廢疾》，攻《墨守》，亦高密家法也。《禮》根據《周禮》後鄭注，熟於算術，佐以訓詁，遂覺解經不窮。五藝皆篤信鄭學，不案家法，此謂經生，不惟才士。」另外，據廖平回憶，丙子（光緒 2 年，1976）科試時，因應試用《說文》而大受張之洞欣賞，由此轉調入尊經書院讀書。而據無名氏撰廖平《會試硃卷》提要，言：「（廖平）己丑（光緒 15 年，1889）會試硃卷也，雖屬八股經義之作，而獨抒己見，自鑄偉詞，非流俗可比，宜閱卷諸臣，均歎為宿儒經師也。……按此卷共文八篇、詩一章，其文題多屬《五經》，……均有關經傳考據之大題，惟平深通《六藝》，據典引經，發前人所未發，雖於八股中，於古代典制，考證綦詳，洵傑作也。而五考官中，於平經學，皆備極稱許，推為宿儒。又批其經、策淹通，洞明古訓。」據此，則可以推時至晚清，以考據之法行漢學之說的取士標準，已非個別考官所持的單獨現象。而二、三場經、策，其重要性既不下於《四書》文，即士子於《四書》文之答題，亦已逸出朱子《集註》之解。造成此一現象，與晚清書院培養大量專精漢學的士子有密切關聯。劉禹生云：「自阮芸臺總督兩廣，創建學海堂，課士人以經史百家之學，士人始知八股試帖之外，尚有樸學，非以時藝試帖取科名為學也。陳蘭甫創菊坡精舍繼之，浙江俞陰甫掌詁經書院，及南皮督學湖北，創經心書院；後督鄂，創兩湖書院；督學四川，創尊經書院；督兩廣，創廣雅書院。於是湖南有校經堂，江蘇有南菁書院，蘇州有學古堂，河北有問津書院等，皆研求樸學，陶鑄學人之地。士人不復於舉業中討生活，皆力臻康、乾、嘉、道諸老之學，賤視爛墨卷如敝屣，光緒中葉以前之風氣如此。」事實上，還得加上太平天國亂後，許多重建或新建的書院如蘇州正誼書院、杭州詁經精舍、上海詁經精舍及龍門書院等以經解詩賦取代八股文教學。必須指出的是，劉氏所言，稍嫌偏激。這些書院雖不以八股課士，卻並不自外於科舉，而賤視爛墨卷如敝屣。以張之洞為例，其興學課士雖以通經史、明小學為尚，然從所著《輶軒語》提點舉子應注意各色科舉程式觀之，他的目的實在普及乾嘉漢學的基礎上，抹退反科舉的色彩，並著力於藉科舉促進已衰落的漢學。另外，從孫星衍〈詁經精舍題名記〉、俞樾〈詁經精舍課藝五集序〉觀之，精舍所選乃高才，已具八股的能力，加之以學識的訓練，而能得高弟。所以，在科舉制度未廢除以前，大量研習漢學的士子，仍須透過科舉制度進入仕途。也正是有大量與劉顯曾、廖平背景相同的學子加入科舉行列，晚清科舉考試的內容，才會充滿了漢學考據的氣息。徐一士：〈談吳士鑒〉，《一士類稿》（瀋陽：遼寧教育出版社，1997年），頁 118；顧廷龍主編：《清代硃卷集成》（臺北：成文出版社，1992 年），第 75 冊，頁 62「光緒壬辰（1897）科會試劉顯曾卷」；廖平：〈經話甲編〉卷 1，收入李耀仙：《廖平選集》（成都：巴蜀書社，

　　所以，不難看出，自乾隆中葉以後，鄉、會、殿試必有歧出功令而傾向漢學的主考、同考及讀卷官，才會有阮元、汪中、孫星衍、張惠言、王引之、宋簡、陳壽祺、汪廷珍、馬宗槤、李賡芸、臧庸、宋翔鳳、程恩澤乃至嘉興李氏等諸多士子的以漢學答題。[61]至於翔鳳融漢學古義於文章的科場企圖，也不難看出與宋簡「肆力文史，學識所到，悉融合為科舉之文」的為學方式，在本質上有共通之處，即治學之目的離不開為仕途開闢道路，並且以時趨決定其內容。

　　了解到在乾、嘉之際，漢學古義已充分運用於科場之發揮，才能理解為何有如此多的江南學子，也爭為漢學考據之業。其動力無非是希望藉紛綸古義，能射科中的。翔鳳在〈吳嘉之詩序〉中說：「余外家在常州，少壯時，往來其間，凡言訓故詞章之士，無不與交，而所學無不相合。」[62]又〈寄吳中諸友書〉曰：「伏想諸兄，或彎許鄭之書，或奮曹劉之筆。」[63]而陸繼輅在推薦纂輯省志的人選時，所舉如李兆洛、丁履恆、

1998 年），上冊，頁 449-450；佚名：〈《會試硃卷》提要〉，收入《續修四庫全書總目提要稿本》（濟南：齊魯書社，1996 年），第 36 冊，頁 257；劉禹生：《世載堂雜憶》（北京：中華書局，1997 年），頁 14；李兵：《書院與科舉關係研究》（武漢：華中師範大學出版社，2005年），頁 246-260。

[61] 陳致最近以乾隆中期至道光初期的嘉興李氏子弟為例，討論其由文士轉而治經，且治經競以考異相尚的原因，與乾隆時期科舉政策、內容、形式的變化密切相關，讀者可參。陳致：〈嘉興李氏的經學研究——從一個世家經學群體的出現來看乾嘉時期的學術轉型〉，2005 年 6 月 23-24 日臺北中央研究院中國文哲研究所「浙江學者的經學研究第一次學術研討會」發表論文。

[62] 宋翔鳳：《樸學齋文錄》，卷 2，頁 33a。

[63] 宋翔鳳：《樸學齋文錄》，卷 1，頁 14a。

莊綏甲、宋翔鳳、沈欽韓、董士錫、方履籛、吳育、周伯恬、顧蘭崖、張成孫、陸劭聞等人，並稱許諸子是方今之「珪辟樸學」，[64]可以想見當時江南士子競為辭章考據的盛況。晚清朱一新批評像《九經古義》、《讀書雜記》、《讀書脞錄》之類彙整經學古義的讀書筆記，既無當於精要，只能是士子們刺取經義以應試的最佳參考書，[65]蓋有見乎以漢學入功令所必然產生的現象。即如俞樾《群經平議》，誠為繼高郵二王後又一鉅著，然亦未能免於淪入科舉參考書之地位。[66]誠如任源祥所言：「從來天下之風氣，成於制科。制科尚躬行，則天下之風氣趨於實；制科尚文辭，則天下之風氣趨於澆。」[67]其意蓋謂考試制度引領學術風氣。然則科舉尚古義，則天下之風氣競為漢學矣。

---

64 〔清〕陸繼輅：〈上孫撫部書〉，《崇百藥齋續集》（《續修四庫全書》，第1497冊影印嘉慶二十五年合肥學舍刻本），卷3，頁19a。

65 〔清〕朱一新：〈示兒萃祥〉，《佩弦齋雜存》（臺北：文海出版社，1978年影印葆真堂板《拙盦叢稿》），卷上，頁54a。又按：早在乾嘉之際，焦循即批評世俗之所謂考據者，乃補苴掇拾者之所為，不過擇其新奇，隨時擇錄，與經學絕不相蒙，止可為詩料策料，在四部書中為說部，不得竊附於經學。〔清〕焦循：〈與孫淵如觀察論考據著作書〉，《雕菰集》（北京：中華書局，1985年《叢書集成初編》，第2194冊影印文選樓叢書本），卷13，頁212-213。

66 俞樾曾在文章中提到當時學者，以舉業之故，多喜讀其《群經平議》，而少措意於《諸子平議》，故曲園於此，亦嘗致憾焉。另外，在書信裏，亦憂慮其《茶香室經說》成士子揣摩迎合考官之資。參以朱一新之說，顯示以蒐羅、辨證古義為主的經學札記，隨著漢學對科舉的滲透，在清末有成為讀書士子枕中鴻寶的跡象。俞樾：〈左祉文諸子補校序〉，《春在堂襍文》五編（上海：上海古籍出版社，1995年），卷7，頁2b；俞樾：〈與徐花農學使〉，《春在堂尺牘》六（臺北：中國文獻出版社，1968年影印《春在堂全書》），頁35b。

67 〔清〕任源祥：〈制科議二〉，《鳴鶴堂文集》（光緒己丑年重刊本），頁6b。

　　至於翔鳳對漢學古義的態度，吾人可以從〈荅段若膺大令書〉一文中來考察，他說：

> 蓋旨莫正於《六經》，說莫詳於前疏。……揆之鄙臆，《易經》、《三禮》以及《三傳》，宜兼貫、孔、徐、楊之疏；《論語》、《孟子》、《孝經》、《爾雅》，祇列漢、魏、晉、唐之注，則業不徒勞，學皆準古。……蓋《六經》雖炳，故訓則隱，苟宗馬、鄭，易逐逐於章句；不窺漢、唐，徒冥冥於元理，學失統紀，遂成支離。有志之士，宜理兩漢之遺業，追群師之緒論，則唐賢《正義》，實為階梯。前書雖佚，徵引略具，順文之繁，宜從乎刊落；同異既見，乃得而參合。標厥門類，芟其複重，彙為一編，題曰《要義》，就掇拾而已。[68]

按「掇拾」二字，頗堪玩味。順著翔鳳的思路來看，所治諸經既兼采多方，而以唐賢《正義》為階梯，廣蒐漢、唐舊說，彙為一編；且非專主馬、鄭，又與漢學家專主馬、鄭的思路迥異。然則宋氏刊落古義，兼采眾家，分門別類，以備掇拾的用意，很難不讓人聯想到其「理兩漢之遺業，追群師之緒論」的治經態度之下，還有一層為考試文章的旁徵博引預做準備之意。類似之作，尚有《經問》一編，翔鳳云：

> 志學之年，《九經》畢誦，未知臧否，章句略辨。揚舲三湘，驅馬六詔，羸滕屨屩，卷軸未去，過庭之餘，勉以問學。念欲矗立條例，以存大體，適有殊方學者，邊

隅好事，子雲之書未出，臨碩之難已生。復有東南大師，蠻中講學，示我疑問，導我更端。王弼疑經，奚止七事；虞翻證鄭，豈徒一書？繹平日之所聞，應君子之下問，翱翔三載，成茲一編，竊於諸經，大通其條例，細別其訓故，詳論家法，刊落卮言，自謂近之。[69]

明白表示此編既有平日讀書及與同儕相論難之所得，又有聆聽東南大師講學之筆記，錄之以備父親考問。其所謂「通其條例，別其訓故，詳論家法，刊落卮言」者，頗有將龐雜的古經說去蕪存菁之後，分別部居，以便采擇之意。又觀此篇〈經問自序〉行文風格，頗有其父「學識所到，悉融合為科舉之文」的意味（如篇中以外家微言大義之說，統合漢學家法），則對通籍前的翔鳳而言，父親考問的內容形式，其實並不難推知。至於所序洪頤烜《讀書叢錄》，雖盛推其以聲音文字為之根柢，古人心思制作，皆可推見，可謂菁華薈萃，條例明白。[70]然原其根本，此類讀書筆記之作，蓋有朱一新所譏為射策所資者也。

來看王鳴盛的一則記載：「任生文田，篤志窮經，嚅嚌古學有年，爰摘取三代兩漢之書幾十種，釐為上下冊，目曰《述記》，以嘉惠藝林。嘻！以此為說經之佐證，而供帖括之取資，誠迷津之法寶，昏塗之束炬矣。行且不脛而走，爭先睹之為快。」[71]翔鳳《要義》、《經問》，擬諸任兆麟之《述記》，其

69 宋翔鳳：〈經問自序〉，《樸學齋文錄》，卷2，頁7a。

70 宋翔鳳：〈讀書叢錄序〉，《樸學齋文錄》，卷2，頁23a-b。

71 王鳴盛：〈任文田《述記》序〉，收入〔清〕任兆麟：《述記》（北京：

出於科考之目的，顯然可見。所以，翔鳳早年即從事諸多漢學古義的蒐羅、纂輯與詮釋，既可視為在考據學風潮下應運而生的漢學輯古之作，也當有為融漢學入制舉之文預作鋪墊之意。

然而此間所蘊涵的意義似不宜輕易視之，翔鳳往後治學的道路上，在面對不同學風時，除了能平情對待，無有偏頗之外，還能善於整合不同的學術體系，將性質互異、凌雜無緒的經說，安排進自身的學術系統內，與他早年廣蒐漢學古義融入制舉文章的具體實踐，有密切關聯。當然，翔鳳引起晚清文人競相效仿，卻招致章、劉批評的融微言大義於文章之法，不難看出其吸引人之處，正是為眾多士子在科舉應試的框架下，如何將各色學術見解融入文章提供範本之故。黃季剛云：「常州派今文家皆擅文采而傅以經義，流毒迄於今茲。荀子曰：『持之有故，言之成理。』常州派之所以風靡天下乎？」[72]「擅文采而傅以經義」，這是在討論翔鳳學術特色時，所當納入思考一大重點。

另外，翔鳳在跟隨父親宦遊西南時，用力最勤者應是為《小爾雅》作訓纂與補正《孟子趙注》。今觀翔鳳於嘉慶十一年（丙寅，1806，30 歲）所撰〈上大興朱相國牋〉中云：「況翔鳳箸錄十年，遠遊萬里，雖違口講，每結心旌。……維於晨昏之暇，攷訂前編，《小疋》則五卷初成，趙《注》則七篇思

北京出版社，1997 年《四庫未收書輯刊》第 9 輯第 15 冊影印乾隆五十二年任氏映雪草堂刻本），卷首。

[72] 黃焯記：〈黃先生語錄〉，收入張暉編：《量守廬學記續編》（北京：三聯書店，2006 年），頁 8。

補。」⁷³翔鳳為《小爾雅訓纂》作〈序〉雖遲至嘉慶十二年
（丁卯，1807，31 歲）正月，不過從寫給朱珪的信中可以看
出，他纂輯《小爾雅》已行之有年，可以說是依親南荒時，心
力之所在。《小爾雅訓纂》卷一至卷五，是標準的訓詁之作；
卷六歷考《小爾雅》之流傳存佚，從中可以看出翔鳳校讎學術
的功力；篇末為〈序〉與佚文。〈序〉中，翔鳳除了再次對
《小爾雅》的歷代流傳略作疏解之外，著重在強調《小爾雅》
的真實性。此書當時學者多以為是後人皮傅拾奪而成者，而非
古小學之遺書，持論最力者為戴震。翔鳳則以為，從時代來
看，《小爾雅》既著錄於《七略》，就理當是《爾雅》之流別，
經學之餘裔。何況依翔鳳考證，毛公說《詩》、鄭眾與馬融說
《禮》，其義往往與《小爾雅》若合符節。所以此書「出西京
之初，儒者相傳，以求佔畢之正名，輔奇觚之絕誼，則其來已
古矣」。⁷⁴隨後話鋒一轉，批評當代治鄭氏學者之墨守，他說：

> 今之為康成學者，恒謗譏此書，以為不合鄭君，同乎俗
> 說。然還按《詩》、《禮》，乃鄭君之改易古文，非《小
> 爾雅》之偭違經義。據其後以疑其前，明者之所不取
> 也。漢之經師，咸有家法，唯有小學，義在博通。就今
> 所傳楊子雲、劉成國、張稚讓諸家之作，多資旁采，愍
> 獲所宗，比之墨守，殆有殊涂。至於此書，則依循古
> 文，罕見凌雜，櫽括以就，源流合一，故中墨之

---

73 宋翔鳳：〈上大興朱相國牋丙寅〉，《樸學齋文錄》，卷 1，頁 8a-b。又
按：從翔鳳《孟子趙注補正》內容觀之，頗受其舅氏莊述祖及當代考據學
者影響，故於另節討論。
74 宋翔鳳：〈小爾雅訓纂序〉，《樸學齋文錄》，卷 2，頁 10a。

《錄》，蘭臺之《志》，入於《孝經》一家，而不從小學
之例，斯其足以貴寶者矣。[75]

翔鳳在此強調的是，《小爾雅》既是西京之初所傳，又與毛
公、鄭眾、馬融之說若合符節，則其真實性當無疑義。惟世之
為康成學者，以其說不合鄭君，遂生譏謗。然據翔鳳所考察，
其實是鄭君之改易古文，而非《小爾雅》之違背經義。更何況
例以漢代，經師治經，咸有家法，唯有小學，義在博通。揚雄
諸家小學之作，即博採大義，而非專主一說。然而此書卻能依
循古文經說，罕見凌雜，不同當世小學之目。所以劉向、班固
從大、小《戴記》別取《夏小正》、《弟子職》、《小爾雅》時，
乃依類分編於《孝經》一家，而不入小學之列。《漢志》此一
校讎學上的特識，曾深為章實齋所推許，[76]翔鳳亦從其所載古
訓，有與毛公說《詩》、鄭眾與馬融說《禮》相合之處，而看
重其輔翼經學之價值。最後強調：「余少識故訓，略求津逮，
見此書之傳，獨遭厚誣，趨庭黔中，居多暇日，疏通證明，遂
未敢後。」[77]顯示此書是翔鳳趨庭黔中頗耗時日的訓詁力作。

　　翔鳳另有〈與臧西成論《小爾雅》書〉，因臧庸疑《小爾
雅》不可信，故致書駁難。按唐代李軌曾作《小爾雅略解》，
以其書本單行，故隋、唐諸〈志〉，並著李軌解，而不著撰
《小爾雅》者名氏，顏注《漢書》亦同。經五代亂世，而其書
遂佚。不過晉人偽造《孔叢子》，曾剌取《小爾雅》以入其

---

[75] 同前註，卷 2，頁 10b。

[76] 〔清〕章學誠：《校讎通義》（臺北：鼎文書局，1977 年），頁 23、24。

[77] 宋翔鳳：〈小爾雅訓纂序〉，《樸學齋文錄》，卷 2，頁 10b。

書，至宋人寫館閣書目，又就《孔叢子》以錄出之，遂題為孔鮒所撰，於是李軌之解乃淹而不傳，唐以前之元本，也不可復見。臧庸持其高祖玉琳先生之說，認為王肅竄易《毛傳》，以駁鄭學。《小爾雅》既從《孔叢子》錄出，而《孔叢子》相傳又是王肅所偽造，故臧庸遂認為《小爾雅》所載，有故意與鄭玄立異者。翔鳳則去書反駁，除了指出漢經師說義與《小爾雅》合者，毛氏而外，如鄭仲師、馬季長亦間有之，不能一概認為是王肅竄改以為難鄭玄，更強調《小爾雅》所載，有鄭氏之前者，亦有合於鄭氏之說者，如「物」字、「鍰」字及「秉」、「筥」異訓之類，如何可以視為駁鄭之書？最後他建議臧庸不應因高祖之論，遂固執而不肯更改，云：

> 玉林先生在康熙間，焯知《孔叢》之偽，僉人害正，既多牽引；良吏決獄，未免株連，平反之功，正在今日。夏侯建，勝之從子，其傳《尚書》，各名一家；小同，康成之孫也，其注《孝經》，即立異說。即康成注書，前後自變，非徒一事。而足下必以墨守為君子，以片言為定論，愚竊以為過矣。[78]

今《小爾雅訓纂》卷六為考歷代史志之著錄情況，翔鳳特下按語云：「臧君庸據宋本《漢書‧藝文志》但稱《小雅》一篇，無『爾』字，斷『爾』字為後人所增，此言未當。」[79]可見翔

---

78 宋翔鳳：〈與臧西成論《小爾雅》書〉，《樸學齋文錄》，卷 1，頁 17b。

79 宋翔鳳：《小爾雅訓纂》（桃園：聖環圖書公司，1998 年影印上海圖書館藏嘉慶二十三年宋氏家刻《浮谿精舍叢書》本），卷 6，頁 1a。按：臧氏之說，見於〈《小爾雅》微文〉（《拜經堂文集》卷二），應是承錢大

鳳對自己辛勤十年纂輯訓釋的《小爾雅》之作，招致臧庸的否定，一直耿耿於懷，甚至是憤憤不平，亦無怪會致書力辯，以至於即使當時已受段氏影響，正從事許、鄭之業，然在言語中，對鄭玄亦不甚尊敬。他卻未意識到其以漢儒注經有與《小爾雅》相合，用以說明《小爾雅》時代久遠的論證，其實已陷入了經典互文性難以考實文本年代先後的循環論證怪圈。當然，其所謂「今之為康成學者」，不難明白即是暗指臧庸。[80]

桂文燦云：「竊嘗考之，漢魏以來，注家徵引此書（《小爾雅》）者，許氏《說文》，仍稱《爾雅》；王肅之說，見《詩》、《禮疏》；《左傳》杜注，訓詁多合；至酈注《水經》，更明著書名。其後《釋文》、《（五經）正義》、《一切經音義》、李善《文選注》，引用尤多。持校今本，則燦然具在。其逸者不過數條，此乃偽造《孔叢子》者，俱錄於策，猶《家語》之取《大戴》、《小戴》及《荀子》、《賈子》耳，何足疑耶？」[81]基本上是相信《小爾雅》的真實性。根據黃懷信最新的研究，《小爾雅》為西漢晚期作品，始作於元帝，成書於成帝之世。[82]雖與翔鳳力主之「西京之初所傳」稍有差距，但基本上是可

昕之論而來（《三史拾遺》卷三）。今人對《小爾雅》之原始名稱多有考論，其詳可參楊琳：〈前言〉，《小爾雅今注》（上海：漢語大詞典出版社，2002 年），頁 1-34；黃懷信：〈《小爾雅》的源流〉，《小爾雅匯校集釋》（西安：三秦出版社，2002 年），頁 1-60。

80 按：臧庸可謂清代《爾雅》學一大家，有《爾雅漢注》行世。陳鴻森言「清代輯錄《爾雅》漢魏五家舊注者，別有余蕭客、嚴可均、葉蕙心、馬國翰、黃奭諸家，就中以臧君所輯，最稱精審，在眾家之上」。陳鴻森：〈臧庸年譜〉，收入《中國經學》第 2 輯，頁 255。

81 桂文燦：《經學博采錄》，卷 12，頁 5a-b。

82 黃懷信：〈《小爾雅》的源流〉，頁 32。

信之書。清代注解《小爾雅》者多達十二家，黃懷信稱：「宋氏書之特點，是有詳有略，不落俗套。詳則窮根究源，遠徵博引，不憚其煩。略則三言五語、僅明音讀，以至無說。總的來說，其書於典制名物之類考據詳博，頗有發明。尤其是對字之正借雅俗，頗能辨正，但有繁亂之嫌。」[83]細讀《小爾雅訓纂》，確實有黃氏所言「繁亂」的情況。然在筆者看來，此書之成，已頗有從事學問的意味，其心思似非單純停留在輯古義以應科舉上面。而且拿來與同期的《孟子趙注補正》相較，或因其文本為單一的訓詁體例之故，至少還是遵守漢學矩矱，未曾闌入外家之說。是故此書既可視為宋氏自少年時學為考據的代表之作，也預示了訓詁之學，將作為在往後的治學道路上，鋪陳其學術見解的基本形式。至於從後人的角度來看，則作為清代《爾雅》學系列新疏之一的《小爾雅訓纂》，當是翔鳳精通訓詁名物的最佳證據，如梁啟超即稱此書為「走偏鋒而能成家」的著作。[84]當然，從宋翔鳳的治學經歷來看，也正是乾嘉之際江南文士兼治辭章與考據之業的縮影。

三、學術整合的痕跡

宋翔鳳的著作中，有許多是關於《說文》及鄭氏學的討論，除了可能有徐承慶的提點外，[85]還有受段玉裁影響的深刻

---

83 同前注，頁 52。

84 梁啟超：《中國近三百年學術史》，頁 332。

85 按翔鳳云：「先生（徐承慶）……於小學，則專治許氏，經學則一宗鄭氏。……翔鳳至象勺之年（青少年時期），以比鄰，時時過從，見其丹黃編削於許、鄭之書，手不停披，又鄭氏之已佚者，分別搜羅，為鄭氏學，

烙印。傳記文獻如《清史稿》、《清史列傳》、《清儒學案》、《吳縣志》於宋氏曾入段玉裁之門皆未記載，惟桂文燦《經學博采錄》記云：「長洲宋于廷大令翔鳳，金壇段茂堂大令弟子也。」[86]翔鳳在〈荅段若膺大令書〉中言「翔鳳在弟子之列，而事先王之業」。[87]另外，翔鳳〈臧叔子禮堂輓詩〉亦載其與臧禮堂（臧庸之弟）曾同師莊述祖及段玉裁，可以證之。[88]而翔鳳著述中屢見徵引《說文》段《注》，且為康成《論語》拾遺補闕之外，又輯康成《論語孔子弟子目錄》，皆可見其學術觀中，有尊許、鄭之一面。翔鳳入段氏之門的年月未有確切記載，不過可以確定是在嘉慶初年。

今觀其〈徐謝山先生家傳〉所云：「因憶嘉慶初年，始見段君，已過七十。」[89]按乾隆六十年至嘉慶三年（戊午，

積成巨編。」宋翔鳳：〈徐謝山先生家傳〉，收入徐承慶：《說文解字注匡謬》，卷首，1a。

[86] 桂文燦：《經學博采錄》，卷4，頁6b。又孫海波云：「于庭亦莊氏之外孫，嘗隨母歸甯，因留常州，從述祖受業，遂通莊氏之學。比長，更游段懋堂之門，兼治東漢許、鄭之業。」另外，王大隆跋桂文燦《經學博采錄》，批評桂氏以翔鳳乃段氏弟子為非，實失考。王大隆：〈跋〉，收入桂文燦：《經學博采錄》，卷末；孫海波：〈莊方耕學記〉，收入周康燮主編：《中國近三百年學術思想論集》（香港：存粹學社，1975年），頁135。

[87] 宋翔鳳：《樸學齋文錄》，卷1，頁12b。按：「先王」，嘉慶二十三年宋氏家刻本作「先生」。

[88] 宋翔鳳：《憶山堂詩錄》，卷3，頁14a。另外，翔鳳亦曾對錢大昕執弟子之禮，今文集有〈長沙贈瞿木夫中溶〉，為憶錢氏之作；其《論語鄭注》亦曾援引錢大昕解「性與天道」之說討論之。宋翔鳳：《憶山堂詩錄》，卷6，頁14b-15a；《論語鄭注》（桃園：聖環圖書公司，1998年影印上海圖書館藏嘉慶二十三年宋氏家刻《浮谿精舍叢書》本），卷3，頁2b。除特別說明者外，後引《論語鄭注》皆據此版本。

[89] 見徐承慶：《說文解字注匡謬》，卷首，1b。

1798，22 歲）之間，翔鳳身在滇中，至嘉慶四年正月，始隨父母抵家，其後又隨母歸寧常州；嘉慶五年（庚申，1800，24歲）春又北上赴京應順天鄉試。[90]所以翔鳳投入段氏之門的「嘉慶初年」，最有可能的時間，應在嘉慶四年隨母歸寧常州，舅氏莊述祖教以讀書稽古之道，得聞家法緒論，再回到蘇州之後，當時段玉裁已寄居蘇州。[91]亦即在同一年，翔鳳曾問業於兩位學風相異的前輩。與年少時所習廣輯漢學古義及訓詁校讎之業稍有不同的是，無論是所聞於舅氏外家緒論，還是從段氏受許、鄭之學，兩家都有鮮明的宗旨，而翔鳳論學，則頗受二家宗旨影響。觀其著作，正是在訓詁校讎的大框架下，呈現出這兩種學術系統交錯融合的情形。

翔鳳受述祖影響者，主要是對聖王微言大義的訴求以及治經講求家法的意識；翔鳳受段氏影響者，除了尊重許、鄭之學外，尚有對漢學學術價值觀的認同。正因為同時接納兩種學術系統，而不似外家對許、鄭之學僅出之以工具理性，所以在往後的治學中，相對於莊、劉所持，他能夠採取較為客觀的立

---

90 按：翔鳳有〈錄別六首〉、〈至常州小住觀是樓書意〉、〈淮安懷袁微士棠〉、〈泰安道中望嶽〉、〈題濟南張氏邇岐《儀禮句讀》二十二韻〉、〈過滕縣〉等詩，分詠其北上應試時，道途所見，詩繫年於庚申。見宋翔鳳：《憶山堂詩錄》，卷2，頁 15b-18b。

91 劉盼遂云：「乾隆五十四年己酉（1789），先生五十五歲。是年八月以前，先生家遇所謂橫逆之事。《說文解字注》卷十五〈自序〉云：『年五十五，避橫逆，奉父遷居蘇州金閶門外下津橋。』按先生文中屢云遷居蘇州在乾隆五十七年（壬子，1792）十月，時先生年五十八歲。是遷蘇州在遇橫逆三年之後。《說文注》渾言之也。」劉盼遂：《段玉裁先生年譜》（臺北：藝文印書館，1970 年影印民國二十五年北平來薰閣書店排印本），頁 22a。

場。例如對鄭玄的肯定，翔鳳著作中時有維護鄭玄之論，[92]此與莊氏家學認為鄭玄是兩千年來學術之大蠹完全相反。[93]又如對劉歆的態度，正如陳鵬鳴所言，翔鳳對《左傳》的觀點，基本上是承襲劉逢祿而來，不過他不像逢祿那樣具體指明《左傳》中「書法」、「凡例」皆為劉歆偽造，而只是從整體上指出《左傳》之中有後人增竄的內容，比起劉逢祿，宋翔鳳的觀點要溫和許多。[94]所以，《左氏春秋考證》裡那一段翔鳳對逢祿「以左氏、穀梁氏為失經意」的經典詰問，[95]透顯出的應是翔鳳有所受於樸學訓練後的客觀見解。另外，鍾彩鈞先生也認為宋翔鳳並非一味地否定《周禮》、《毛詩》、《左傳》等古文經典，而是在比較中有所去取而已。[96]不難看出，翔鳳此一經學態度，與他學出多方的關聯性。

在從莊述祖、段玉裁問業之後，隨著時間的推移，兩種不

---

[92] 例如《過庭錄》卷八有「康成注經與他書違異」條，舉鄭注《大戴禮・曾子天圓篇》、《禮記・樂記》、《禮記・緇衣》、《國語・周語》數條，觀其與諸家說解之異同，而後下案語曰：「鄭君敘五帝不用〈帝繫〉、〈五帝德〉，議七廟則異劉歆，尤其落落大者。鄭於諸書，豈皆未涉？誠以學問之涂，非一端可竟；舃門之學，非異說可移。況於百家蠭起，一貫殊難，或由鄉壁之書，或出違經之論，炫彼小言，改我師法，即非通人，奚名絕業？觀夫鄙淺，好接百家之言，以駁鄭君之注，吹毛洗垢則有得矣，若鄭君之體大思精，何足損其毫末乎！」宋翔鳳：《過庭錄》（北京：中華書局，1986 年），頁 147。

[93] 相關討論，請參拙著：《常州莊氏學術新論》（臺北：國立臺灣大學中國文學研究所博士論文，2000 年），第 4 章第 4 節。

[94] 陳鵬鳴：〈宋翔鳳與今文經學〉，頁 16。

[95] 劉逢祿：《左氏春秋考證》，（《續修四庫全書》第 125 冊影印咸豐十年廣東學海堂《皇清經解》補刊本），卷 2，頁 1a-b。

[96] 鍾彩鈞：〈宋翔鳳學術及思想概述〉，頁 362。

同學術的交匯，逐漸體現在翔鳳的著作中。如嘉慶七年，翔鳳二十六歲，作〈經問自序〉一篇，篇中所言無非微言、大義、家法、鄭玄、玩經文、存大體、推本漢學、博采近儒，[97]其內容駁雜且卑之無甚高論，然可藉以觀其學術容受之跡，即外家之學與許、鄭之說交雜其間，而這正是他接受兩家學說初期的正常反應。同樣在嘉慶七年，《論語鄭注》初稿輯成，觀其序言，可知是在惠棟、丁杰、孔廣林、臧庸等人蒐求鄭玄注《論語》佚文的基礎上，「引申其辭，更拓眾說，為之羽翼」，[98]亦即此書不僅是單純的輯佚文而已，翔鳳還廣引諸家以為注釋。在〈後序〉中，他提到要「解聖人之微言，尋康成之墜緒」，[99]這句話或許尚不足以作為翔鳳欲融匯二家經學的證據，因為他接著又說：「夫自今言學，去古日遠，缺非一經之注，存無數卷之書，遺文可搜，故訓是式，章句詎微，乃云破碎，凡厥有心，網羅放失，當同此懷，遂於《論語》，陳其義例，權輿斯編，將及羣籍，是則區區之願，其能有鑒之者乎！」[100]這裡表明了宋氏持守尊考據學的立場，以及廣輯古注的志願，很容易讓人聯想到他所欲為者乃許、鄭之業。更何況此書詳徵當代考

---

[97] 宋翔鳳：《樸學齋文錄》，卷 2，頁 6a-8a。

[98] 宋翔鳳：〈論語鄭注序〉，《論語鄭注》（臺北：藝文印書館，1966 年《無求備齋論語集成》，第 29 函影印《漢魏遺書》鈔本），卷首，1a。按：翔鳳〈論語鄭注序〉作於嘉慶二十五年，晚於撰〈論語鄭注後序〉之嘉慶七年。又此文《樸學齋文錄》三、四卷本皆未收，存佚待考的六卷本是否收錄，尚無法考知。另外，《清儒學案》卷七十五錄翔鳳〈論語鄭注輯本自序〉，內容與二序亦不同，撰作年代俟考。

[99] 宋翔鳳：《樸學齋文錄》，卷 2，頁 4a。

[100] 同前註，頁 5a。

據家，如惠棟、錢大昕、段玉裁、丁杰、臧庸、錢坫、孫志祖之說；[101]又因康成《論語注》多就《魯論》篇章考之《齊》、《古》，以為之注，故宋氏多輯《古論》經文以備參考，其所疏釋，頗依訓詁矩矱。[102]且從其疏釋內容中，可以發現他對古文《論語》的重視遠較今文諸家為高，此與劉逢祿僅見《北堂書鈔》所錄何休《論語》一條，即以為大類董生正誼明道之旨，乃據而立論，認為《論語》總《六經》之大義，闡《春秋》之微言，並批評其義非安國、康成治古文《論語》之徒所能盡者，明顯不同。[103]

　　不過若詳細分析《論語鄭注》內容的話，他尊漢儒、輯古注的立場之上，還別有宗旨存焉。例如釋〈八佾〉篇「禘自既

---

[101] 宋翔鳳：《論語鄭注》，卷 1，頁 4a；卷 3，頁 2a、頁 2b、頁 4b；卷 5，頁 1a、頁 4b；卷 7，頁 1a、頁 6b。

[102] 如〈為政〉篇「子張學干祿」，《集解》所錄鄭《注》曰：「弟子，姓顓孫，名師，字子張。干，求也；祿，祿位也。」翔鳳釋曰：「按：《七經（孟子）考文》古本注『鄭曰』作『馬融曰』。」又如〈述而〉篇「夫子不為也」，所輯鄭《注》為：「父子爭國惡行，夫子以伯夷、叔齊為賢且仁，故知不助衛君明矣。」翔鳳釋云：「惠棟曰：古之賢人也，古本作賢仁。故鄭云孔子以伯夷、叔齊為賢且仁。徐彥云：古之賢仁也，言古之賢士且有仁行。若作『仁』字，如此解之；若作『人』字，不勞解也。」又如〈先進〉篇「異乎三子者之撰」，引《音義》：「撰，鄭本作僎。」又下按語曰：「《說文》：僎，具也。從人，巽聲。《說文》無撰字，《集解》引孔曰：撰，具也。則孔氏古文亦當作僎。作撰者，隸書之別。鄭讀為詮，當據《齊論》。」宋翔鳳：《論語鄭注》，卷 1，頁 4b；卷 4，頁 3a；卷 6，頁 3a。另外，宋氏關於鄭玄所注《論語》篇章究為《魯論》抑或《古論》的辨證及考論，可參其〈論語鄭注輯本自序〉（《清儒學案》，卷 75 下，頁 29a-30b）及《論語師法表》（頁 3a-3b）。

[103] 劉逢祿：〈論語述何篇〉，《劉禮部集》（《續修四庫全書》，第 1501 冊影印道光十年劉氏思誤齋刊本），卷 2，頁 24a。

灌而往者」，翔鳳據《周禮・薁人疏》、《禮記・禮器正義》引鄭《注》「禘祭之禮，自血腥始」證之，其下則詳引莊述祖《論語別記》對郊、禘制度的疏釋，主要是對鄭氏之說的駁斥，如云：「按：鄭注《周禮・小宰》云『裸之言灌也』，明不為飲，主以祭祀。唯人道宗廟有裸，天地、大神、至尊不裸，莫稱焉。是宗廟以灌鬯為始，而言自血腥始，當指降神以後、正祭之始。不（否）則所謂禘祭，或指郊祭而言，則郊不當有灌。譏魯失禮，然《疏》所引鄭《注》不盡，又皆主祭宗廟言，宜從區蓋也。」[104]述祖所論，意在批評鄭玄解釋灌禮實施的場合互相矛盾，故翔鳳補充說：「葆琛先生晚論郊、禘，多砭鄭學，鄭君此注復不完，難以尋繹，故全載《別記》之文，竊比鄭君箋毛之意焉。」[105]顯示出翔鳳在鄭玄之外，還別有依據。尤可說者，莊述祖《論語別記》於批評鄭玄郊、禘不分之外，又總結鄭氏以降諸家釋郊、禘致誤之由，源於論灌法之不一，導致各自附會。最後指出《春秋》屢書魯用禘禮所隱含的微言大義，即在於譏魯之失禮。其言曰：

> 蓋自魯以禘禮祀周公，故殷祭謂之禘，由是而時祭亦謂之禘；大廟謂之禘，由是而群廟亦謂之禘；魯謂之禘，由是而諸侯皆謂之禘。習而不察，故於魯禘之灌，節取其禮之正，又問禘之說，以正其名之不正也。《春秋》書禘于大廟，又書大事于大廟、有事于大廟；書吉禘于莊公，又書有事於武宮；殷祭曰大事，時祭曰有事。於

> 其始，書禘以著其名之不正，又書大事、有事以著其實
> 非禘。觀此而微言大義可以互相發明矣。[106]

郊祀之禮與禘祫之義，歷代紛紜，未有定說，述祖所作的禘祫
之釋，亦未必為正解。值得注意的是，述祖對典章制度的任何
疏解，都寓有一份聖王制作的微言大義在內，而所採取的途徑
正是透過對鄭《注》的討論中凸顯出來，此正筆者稍前所謂
「以許、鄭為薪蒸，既汲取其疏釋典章制度的方法，又就所詮
解之內涵作更深層次的發揮」之意。

再來看「翕如也；從之，純如也、皦如也、繹如也，以
成」之解，翔鳳集《太平御覽》、《後漢書·班固傳》、《詩譜正
義》、《周禮·大司樂疏》所引鄭《注》：「始作，謂金奏時。聞
金作，人皆翕如，變動之貌。從，讀曰縱，縱之謂八音皆作。
純如，咸和之矣；皦如，使清濁別之貌也；繹如，志意條
達。」[107]其後再引述祖《論語別記》之說，首先駁何晏而從鄭
說；其次旁徵博引，以證成鄭氏之說；最後仍不忘從中引申出
聖王制禮作樂之微意，其言曰：

> 蓋樂之始，必以六律六同求天地陰陽四時之合，由是以
> 均五聲八音，美感人之和，明制器之別，而終歸於五性

---

[106] 同前註，卷 2，頁 4a。按：其下翔鳳又引述祖之言曰：「子入大廟每事
問。按：魯用禘禮，始自周公廟，其後群公廟皆有禘。子入大廟，凡禮
樂、犧牲、服器之等，每事問焉，蓋薄正祭器之時也。雖為之兆，未能
遽革，而或人有執謂知禮之譏。……言問是禮者，欲魯之君臣知其非禮
而革之也。上章子曰：『周監於二代，郁郁乎文哉，吾從周！』則取禘
灌之義可知矣。」

[107] 同前註，頁 6b。

之德所生，以為移風易俗，感格鬼神之本。知此而後四代之樂可得而觀，故夫子以語魯大師與？[108]

在考索經傳文本所載典章制度的基礎之上，闡發內蘊於其間之微言大義的經說形式，不斷重覆出現在莊述祖、莊綬甲、劉逢祿等人的著作中。我們很難想像一個嚴守考證規範的漢學家，在蒐集漢、魏古注，考究典章制度源流的時候，還會加上如此充滿理想性與描繪性的按語。也惟有受到深懷聖人微言大義之意識的常州學派中人所影響，才有可能在輯佚古注的同時，引用其特有的經學觀點來提醒吾人，不忘聖人制作之微意。所以，翔鳳經說的一大特色，就是將所問於段氏的許、鄭之業，以外家微言大義之說實之。在翔鳳眾多著作中，皆可看到這樣的例證，即使如《論語鄭注》這種輯佚之作也不例外，然亦由此可推知翔鳳調和兩種不同學術系統的企圖心。此一企圖，從其釋「竊比於我老彭」中，可以更明顯地看出來。鄭注為：「老，老聃；彭，彭祖。老聃，周之太史。」翔鳳疏證曰：

> 按《莊子音義》引《世本》云：「彭祖，姓籛，名鏗。在商為守藏史，在周為柱下史。」又按《史記》云：「老子，周守藏室之史也。」《索隱》曰：「周藏書室之史。」蓋老、彭二人為商、周之史官，而老在彭前者，孔子於老子有親炙之義，且以尊周史也。《世本》以為一人，傳聞之誕耳。太史主傳述舊聞，此言當為脩《春秋》而發，故孟子云：「其文則史，其義則某竊取之矣。」即竊比之義也。《漢書·敘傳》：「若允彭而偕老

　　今。」師古《注》謂：「彭祖、老聃。」同鄭義也。[109]

翔鳳的疏釋，主要也是為申明鄭說，對於《世本》與鄭說異，將老聃、彭祖合為一人，他直斥為傳聞之誕，並引顏師古注《漢書》為證。不過在證成鄭義的同時，他仍不忘藉由進入考證語境的機會，為其外家《春秋》之說，尋求可操作的空間。其以太史主傳述舊聞，當為脩《春秋》而發者，乃認為孔子所云「竊比於我老、彭」，即如老、彭傳述舊聞而竊取其義，故翔鳳取孟子「其文則史，其義則某竊取」以釋竊比之義。以常識性的判斷來說，「竊比於我老、彭」與孔子脩《春秋》很難產生意義上的連繫，惟有通過特殊的方法，如以並聯間接證據的方式（《史記》、《史記索隱》、《孟子》、《漢書·敘傳》、顏師古《注》），營造似乎彼此可以有關聯的現象，才有可能在考據語境之中，安插外家之說。值得注意的是，與莊述祖出於價值考量，將微言大義視為考索典章制度背後所應透顯的聖人精神相較，翔鳳此則疏解，則顯示出他在方法學的層次上，欲將外家微言大義之說融入考據語境的企圖心。這種差別意識，是翔鳳與外家學風的根本相異之處。

　　如上所言，翔鳳所受於述祖者，除了理解隱含於典章制度背後，別有聖人微言大義存焉之外，還有師法家法的觀念。此一研究模式，是從分別古、今文字入手，進而分別今、古文經學家法。這是述祖藉以辨別漢世《尚書》學流派的利器，同樣也是翔鳳學術概念中非常重要的一環，既時常出現在詩賦文章

109　同前註，卷 4，頁 1a。

裡，[110]當然也體現在他的經學著作中。如所輯《論語鄭注》，
即從分別古、今文字入手，再正其音義；而《論語師法表》，
更是以經學上的師法、家法判斷馬、鄭所據，意在辨章齊、
魯、古三家《論語》流別，以為馬融所注乃《古論語》非《魯
論語》；鄭玄所注乃《魯論語》，而兼用齊、古，且大多以《古
論語》讀正《齊論語》。從其考辨文字中，可見既嵌入家族
《春秋》微言之學，也屢見師法家法之敘述，當然也包含了對
鄭玄的推崇。不論是否出於刻意整合，其兼容並蓄的色彩是十
分明顯的。如疏釋馬融所注乃《古論語》，其言云：

> 《論語集解・序》云：「《古論》唯博士孔安國為之訓
> 解，而世不傳。至順帝時，南郡太守馬融亦為之訓
> 釋。」《釋文・序錄》云：「《古論語》，孔安國為傳，後
> 漢馬融亦注之。」按：此知馬所注為《古論》。皇侃
> 《義疏》云：「馬氏亦注張禹《魯論》。」按：《義疏》
> 家法疏畧，復誤讀〈序〉意，其言不足據，《隋志》亦
> 同斯誤。[111]

此處即以家法的觀念疏理《古論語》的傳承譜系，並批評皇侃
《論語義疏》及《隋志》家法疏略，誤以馬融所注為《魯論
語》。此一以辨別家法來考察學術流變的治學觀念及方法，即

---

110 宋翔鳳：〈與臧西成書〉、〈擬太常博士答劉歆書〉、〈經問自序〉、
〈孟子劉注序〉、〈莊珍藝先生行狀〉、〈秋日懷人詩・莊卿山外
兄〉，見《樸學齋文錄》，卷1，頁16a、23a；卷2，頁6b、12a-b；卷
4，頁27b；《憶山堂詩錄》，卷4，頁17b。

111 宋翔鳳：《論語師法表》（桃園：聖環圖書公司影印上海圖書館藏嘉慶
二十三年宋氏家刻《浮谿精舍叢書》本，1998年），頁2b-3a。

是源自述祖所授，翔鳳曾明言於〈莊珍藝先生行狀〉中。另外，翔鳳釋《齊論語》云：

> 《漢志》：「《齊》二十二篇，多〈問王〉、〈知道〉。」如淳曰：「〈問王〉、〈知道〉，皆篇名也。」按：〈問王〉謂《春秋》素王之事，備其問答；〈知道〉，知率性之道，故能知人知天。《論語‧堯曰》篇記唐、虞、夏、商、周至子張問從政，為孔子素王之事；其記知命、知禮、知言，皆以知道貫之。傳《齊論》者，於二十篇之後，又作此二篇以發揮其蘊，蓋出於內學。漢時齊地最盛，故《齊詩》明五際六情，《公羊春秋》亦出於齊人，胡毋生有孔子受命之事，《齊論》此二篇亦是秘書之流，故《古論》、《魯論》俱不傳此義，亦非淺學所窺，故張侯不以教授。[112]

即使身在漢、魏之際的如淳，也僅知〈問王〉、〈知道〉為《齊論語》的二篇篇名而已，則後人所論二篇內容，若無堅強證據，則皆屬臆測。如晁公武《郡齋讀書志》認為以篇名推之，當是內聖之道，外王之業，清初的朱彝尊即斥之為附會。[113]翔鳳生在千載以下，乃據《論語‧堯曰》之說而為之引申，因篇名有「王」、「道」字，遂堅信〈問王〉是《春秋》素王之事，〈知道〉是知率性之道。又能測古人之志，以此二篇傳自內學，蓋秘書之流，如《齊詩》與《公羊春秋》，非《古論》、

---

112 同前注，頁 1a-b。

113 〔清〕朱彝尊：《經義考》（臺北：中央研究院中國文哲研究所籌備處，1997 年），第 6 冊，頁 591。

《魯論》所能傳，亦非淺學所得窺，所以身兼《齊論》、《魯論》二家之學的張禹，不以之為教授子弟的材料。然翔鳳豈不知《齊詩》、《公羊》為漢代顯學，風行於世，張侯所傳《論語》若與之同為秘書內學，正可為羽翼，又何必不以教授？對〈問王〉、〈知道〉做如此非理性的論證，若非有強烈的「微言大義」意識橫亙胸中，何以致此？乃至理所當然的以二篇為素王之事，率性之道，亦無足怪矣。梁啟超先生在《清代學術概論》中，曾言戴、段一脈是客觀的考古學派，[114]筆者亦嘗言常州學派中人、晚清今文家乃至古史辨派諸公，所為多主觀考據，可謂之主觀的考古學派，觀此可知矣。[115]

　　但總的來說，翔鳳仍未將外家之學擡高到學術終極的位置，吾人不可輕忽鄭玄在翔鳳治學生涯中的意義。這一點，在其著作中一直表現得很明顯。以《論語師法表》為例，除了家法及《春秋》意識之外，尚有不少推許鄭玄之言。如論魯扶卿之學，引《釋文·敘錄》之說為據，而曰：「陸氏敘家法最明晰，或本於鄭氏也。」[116]其論康成之學，既已疏證其家法，曰：「蓋《張論》出，而三家遂微；鄭學興，而《齊》、《古》差見。是康成雖就《魯論》，實兼通《齊》、《古》，而於《古論》猶多徵信，故注中從《古》讀正《魯論》者，不一而足；其從《齊》讀已不可考，然尋兩家之學，可以得其一二，具所錄本中。」[117]又將微言不絕之功，也歸諸鄭氏，云：

---

[114]　梁啟超：《清代學術概論》（臺北：臺灣中華書店，1980年），頁28。

[115]　其詳請參拙著：《常州莊氏學術新論》，第5章第3節。

[116]　宋翔鳳：《論語師法表》，頁1b。

[117]　同前註，頁3a。

> 鄭君出於馬氏，馬專用古文，故鄭多從之。古文分「子
> 張問從政」以下為一篇，而校《魯論》多〈知命〉一
> 章，亦具孔子受命之義。三家唯《魯論》最為淺率，禹
> 本碌碌庸人，徒以名位得傳其學，致誤後來，幸得鄭君
> 為之釐正，微言所在，可以尋求。[118]

將聖人微言、孔子受命之義與鄭玄的古文《論語》作連結，不
太可能出現在專主許、鄭的漢學家言論之中。但是出現在身兼
二種不同學術系統的宋翔鳳身上，卻又顯得如此理所當然。可
以看得出來，尚未而立之年的宋翔鳳，正為整合兩種學術系統
而努力，然或因識見學力之故，其融合過程頗有穿插互見，且
強為之說的痕跡。

　　當然，隨著閱歷的增加，翔鳳的學術整合已能逐漸取得平
衡，並跨越出許、鄭與外家相互嵌合的階段，在許多著作中，
如《孟子趙注補正》、《四書釋地辨證》、《大學古義說》、《論語
說義》、《過庭錄》等，翔鳳皆能透過考據學的形式，將外家與
當代漢學之說納入同一個系統當中，作為補正古注的材料。同
時，也藉由書信的形式與當代漢學家對話，而能進一步將外家
之說，納入更廣闊的考據學語境之中。

　　翔鳳力求整合外家與當代漢學之說的努力，可以他的兩部
關於《孟子》的著作為例來討論。首先是輯《孟子劉注》，其
〈自序〉作於嘉慶十六年（辛未，1811），目的本為「搜而錄
之，以證趙君（岐）」，他認為從現存劉《注》考之，較趙說為

---

[118] 同前註。

勝。尤其劉熙曾纂《釋名》，於訓詁、天文、輿地之學，靡不綜涉，由此推之，則其《孟子》之《注》，當亦博學精思而成之，惜其亡佚。隨後他引《蜀志‧許慈傳》之說，而云：「慈師事劉熙，善鄭氏學。蓋劉君之學，正出於鄭，而以授慈，則此《注》之作，或者原本於鄭氏，故其家法為最正云。」[119] 原宋氏之意，他纂輯《孟子劉注》的目的，在於勘正《孟子》趙《注》，而劉熙之所以優於趙岐者，以其所學為鄭氏學之故，所以在《孟子趙注補正》一書中，翔鳳屢有以劉說駁趙說，或逕以劉說補趙說之處。[120] 順著他的思路來看，以劉熙駁趙岐，即是以鄭玄駁趙岐，這樣的思維定式很容易讓人聯想到他有專主鄭氏之意。

不過若從內容觀之，他其實是企圖透過考據學語言，將外家與當代漢學之說整合成一個互補的系統，作為補充趙《注》的重要形式。翔鳳於道光二十年（庚子，1840，64 歲）所作之〈序〉中表明，此書既有年輕時從學於舅氏莊述祖之心得，也有遊學四方，與當代考據家如王念孫父子、臧庸等人交流之所得，惟以奔走四方三十餘年，其間雖時時有獲，「以暮年無

---

[119] 宋翔鳳：〈孟子劉注序〉，卷 2，12b。

[120] 例如釋「孟子去齊，宿於晝」，趙《注》：「晝，齊西南近邑也。孟子去齊，欲歸鄒，至晝而宿也。」翔鳳則先據《史記‧田單列傳》「聞晝邑人王蠋賢」，《集解》引劉熙曰：「齊西南近邑，晝音獲。」隨後詳引文獻論證趙氏改「晝」為「晝」，乃與應劭為同據俗說之誤，當以劉熙為正。又如釋「知我者其惟《春秋》乎？罪我者其惟《春秋》乎？」逕引劉熙《注》曰：「知者，行堯、舜之道者也；罪者，在王公之位見貶絕者。」《孟子趙注補正》（上海：上海書店，1994 年影印《叢書集成續編》，第 15 冊），卷 2，頁 10a-b；卷 3，頁 21b。

子，恐一旦徂謝，則平生所得，將就放失，乃於簿書之暇，鼉事寫定，以行於世」，[121]因此書迭有累積，又寫定較晚，以故所補正之內容龐雜，保留了不少其整合各家學術的痕跡。

當然，翔鳳在補正趙《注》時，如何將外家之說與考據語言相配合，這是筆者文章所關心之處。我們可以其對外家《尚書》之說的引用為例來說明，如〈梁惠王・上〉引〈湯誓〉：「時日害喪，予及汝皆亡。」趙《注》：「時，是也，時乙卯日也。害，大也，言桀為無道，百姓皆欲與湯共伐之，湯臨士眾而誓之，言是日桀當大喪亡，我與汝俱往亡之。」趙《注》蓋以「時日害喪，予及汝皆亡」為湯誓師之言。翔鳳則歷引《尚書大傳》、《史記》、偽《孔傳》所載，指出「時日曷喪」之言，非湯所言。《大傳》以「時日曷喪」為桀之自言；而《史記》、偽《孔傳》以「時日曷喪」為下民之言。翔鳳從《史記》、偽《孔傳》，以為乃古文說，而以趙《注》乃望文生義。[122]翔鳳此處考釋，就內容及形式言，頗合於訓詁之矩矱，可謂純粹的考據式語言。然若對比於莊氏家族《尚書》之學即可知，翔鳳之以《史記》、偽《孔傳》為據，其實是主觀或先驗地接受外家之說，而不必然出於理性之考覈。

就筆者的粗淺觀察，受到《尚書》今、古文系統自漢末以來即已淆亂不清的影響，後代學者在判定某些《尚書》議題的時候，即使面對相同的材料，使用相同的方法，其判定的結果，往往大相逕庭。例如《史記》引《尚書》究為今文說抑或

古文說，清代考據大家如孫星衍與段玉裁之間，即有截然不同的看法；[123]另外，「宅嵎夷」與「宅嵎鐵」，究竟何者方為今文夏侯說，何者才為古文鄭氏說，臧庸與王鳴盛，亦各有見解。[124]又如「納於大麓」之古典釋義，今文博士說與馬、鄭古文說的內容究竟為何，宋翔鳳、俞正燮、胡玉縉的考釋也迴然相異。[125]這種訓釋各異的情況，諸經傳記皆有，小到字詞訓詁，

---

[123] 〔清〕段玉裁：《古文尚書撰異》（上海：上海古籍出版社，1995 年《續修四庫全書》，第 46 冊影印乾隆道光間段氏刻《經韻樓叢書》本），序頁 2；卷 1，頁 86、96；卷 32，頁 46b；〔清〕孫星衍撰，陳抗、盛冬鈴點校：《尚書今古文注疏》（北京：中華書局，1998 年），〈序〉，頁 2；〈凡例〉，頁 1。

[124] 臧庸：〈上王鳳喈光祿書〉，《拜經堂文集》，卷 3，頁 13 。

[125] 按：宋翔鳳〈尚書說略·上〉有「大麓」一條，詳引「大麓」之今、古文釋義，並以為將「麓」釋為山林川澤，此當時博士所傳，今文家常說。又胡玉縉《許廎學林》有「《書》四門大麓」條，以為「此成周會同之權輿也。……古惟馬、鄭說及鄭《大傳注》為得其恉。……馬融、鄭康成並曰：『麓，山足也。』又鄭注《大傳》曰：『山足曰麓。麓者，錄也。古者天子命大事、命諸侯，則為壇國之外。堯聚諸侯，命舜陟位居攝，致天下之事，使大錄之。』……馬、鄭義與《大傳》合，《傳》出於伏生，卓然為西漢經說，不得以史遷從孔安國問故，偏主《史記》。《史（記）》或自為說也，即果出安國，亦當擇善而從。……爰作此疏，以存馬、鄭，以申伏勝，以黜史遷。」按：伏生《大傳》雖將「納於大麓」釋為「納之大麓之野」，然漢代經師於「大麓」之釋郤大異其趣，今文說釋為山林川澤，古文說則釋其字為林麓之「麓」，其義實領錄之「錄」。何者是，何者非，殆無定論，端視其今、古文立場而決。至於俞正燮《癸巳類稿》有「《書》大麓義」一條，乃謂《史記》所云：「堯使舜入山林川澤，暴風雷雨，舜行不迷。」為古文孔安國義，司馬遷從安國問故，得之；又謂以「麓」為「錄」，言舜大錄萬幾之政者，乃桓譚、鄭君用王莽餘論，或今文伏氏所傳，兼有此義，非孔安國義。三人所用為據者皆同，然其說或互異、或顛而倒之，則所謂考據家言，不過以己意為去取，安得有客觀之考據？宋翔鳳：《過庭錄》（北京：中華書局，1986 年），頁 71；胡玉縉：《許廎學林》（臺北：世界書局，1963 年），卷 1，頁 16-17；俞正

大到學術體系，常見兩造之爭論。即使如《論語》的〈學而〉一章，諸家對「學」字辭性（動詞或名詞）以及「學」字所指涉內涵（讀書、刪定六經、誦禮義）即已聚訟紛云，[126]至於篇章主旨或全書寓意，更不必論矣。

所以，在各家看似簡單的訓詁文句背後，反映的往往是不同系統的學術見解及解釋取向。從某個角度來看，傳統學者在面對此類問題時，支持其考釋方向的，或決定其理解方向的，往往是由某些帶有先驗性的立場（例如其所繼承的學術派別所獨有的基本假設或信念）所決定。以「時日曷喪」這個例子來看，究竟是湯所言，或是桀所言，抑或是下民所言，訓詁考據已不足以成為有效方法，可以為學者提供無可爭議的答案。這個時候宋翔鳳的策略，就是選擇他所相信的，駁斥他所反對的。翔鳳所相信的是外家的《尚書》學觀點，即採納〈書序〉、《孟子》、《史記》所載《尚書》說（對偽《孔傳》亦不全然排斥），並將三者相互印證闡發。《孟子》一書中，引述《尚書》之處頗多，故翔鳳《孟子趙注補正》於外家《尚書》說，或依其成說詳為引申，或取其所據材料自為考釋，為數夥矣，讀者可覆按。

另外，翔鳳的文集中，有許多與當世學者的論學之語，透過分析這些書信內容，我們將可以理解翔鳳是如何將外家學說

燮：《癸巳類稿》（臺北：世界書局，1980年），卷1，頁10-11。
[126] 詳細討論，可參廖名春：〈《論語》「學而時習之」章新探〉，2006年4月24日臺北中央研究院中國文哲研究所「儒家經典之形成」專題演講。

與漢學建立關聯,基本上是同在考據語境中的兩種學術立場之間的對話,而學術立場本質上也就是學術選擇的問題。如在〈答雷竹卿書〉中,翔鳳曾與雷學淇討論治戰國史事應據何種載籍為佳,其言云:

> 翔鳳竊見論戰國事者,據《紀年》甚易,據《史記》甚難。意謂《紀年》後出,疑魏、晉人私有增定,以陰相傳合,故寧為其難者,久之,亦自無隔閡。《六藝》先師,尚各持家法,足下以《紀年》為家法,翔鳳自以《史記》為家法,離之乃見其通,合之適形其固,此中本末,當有莫逆於心者,固不可為流俗人道也。[127]

眾所皆知,雷學淇是《竹書紀年》的專家,其論戰國史事,依《紀年》為據,自是理所當然。然而《竹書紀年》的古本是否亡佚,以及明清通行的今本是否偽造的問題,學者如王鳴盛、錢大昕、崔述及《四庫提要》作者皆持高度懷疑的態度,至於引用其說以證古史是否妥當,亦招致清中葉以降至民國學者的懷疑,[128]然而雷氏卻信之不疑,顯示其考據戰國史事時,已先預設立場。同樣的,翔鳳之所以堅持以《史記》為據,並提高

---

127 宋翔鳳:《四書釋地辨證》(桃園:聖環圖書公司影印上海圖書館藏嘉慶二十三年宋氏家刻《浮谿精舍叢書》本,1998 年),附頁 1a。按:此文三卷本《樸學齋文錄》闕載,四卷本有目無文,此處取《四書釋地辨證》所附〈答雷竹卿書〉補之。

128 民國學者錢基博即云:「丁生學賢來,談上古史,涉《竹書紀年》。余告之曰:『君子治學,總須不囿於風氣;而卒為風氣所囿,俗學也。即以上古史而論,《竹書紀年》豈可為典要,而世論偏疑太史公而信《紀年》,又或執以難《尚書》,此真大惑不解。』」錢基博:《古籍舉要》(臺北:新文豐出版公司,1979 年),頁 95。

到家法的層次，也是因為《史記》所載古文《尚書》說，是莊存與、莊述祖論定《尚書》所載聖王天道時參互印證的主要依據之一。翔鳳在許多著作中，多次援引存與、述祖論《尚書》之說，或將〈書序〉、《史記》、《孟子》合觀，[129]或以〈書序〉、《史記》相參，[130]其「自以《史記》為家法」，而言「有莫逆於心者」者，正是受到二莊對《史記》的信重所影響，而不見得出於研究所得之客觀學術見識。

　　翔鳳文集中，尚有兩封重要信件，皆是與漢學家討論《尚書》問題，分別為〈與陳恭甫編修書〉及〈與王伯申學士書〉，信中圍繞討論〈大誓〉問題。同樣是對〈大誓〉問題的

---

[129] 例如《孟子趙注補正》釋「湯崩，大丁未立，外丙二年，仲壬四年」，云：「〈書序〉：『成湯既沒，太甲元年，伊尹作〈伊訓〉、作〈肆命〉、作〈徂后〉。』太史公傳古文說曰：『湯崩，太子太丁未立而卒，於是迺立太丁之弟外丙，是為帝外丙，帝外丙即位三年崩，立外丙之弟中壬，是為帝中壬，帝中壬即位四年崩，伊尹迺立太丁之子太甲。太甲，成湯適長孫也，是為帝太甲。太甲元年，伊尹作〈伊訓〉、作〈肆命〉、作〈徂后〉。』案：孟子言太丁未立，則言外丙二年，仲壬四年，皆已立而僅有二年、四年也。繼之曰太甲顛覆湯之典刑，凡繼世為君，惟守先王。〈伊訓〉、〈肆命〉、〈徂后〉三篇，俱在逸《書》，其文必明成湯之德，紀成湯之政，故〈序〉言成湯既沒，謂身沒而道存也。言太甲元年，伊尹作〈伊訓〉、〈肆命〉、〈徂后〉，序作書之年也，意在陳成湯之道，以告太甲，故不及外丙、仲壬。說《書》者補〈序〉之闕，又存殷人得立太子母弟之法，文有詳略，非〈書序〉與《孟子》、《史記》異也。」宋翔鳳：《孟子趙注補正》，卷5，頁10b-11a。

[130] 例如《四書釋地辨正》釋〈秦誓〉云：「按（《史記》）〈秦本紀〉云繆公三十三年敗於殽，三十六年自茅津渡河，封殽尸，乃誓于軍，似與〈書序〉秦穆公伐鄭，晉襄公帥師敗諸殽，還歸，作〈秦誓〉，年數前後不合。……〈書序〉通論大義，非屬辭比事者，故舉敗殽一事，以見悔過之本，其實還歸作誓，自在茅津渡河之年也，況太史公親見安國問故，所定定是真古文說，豈可誣乎？」宋翔鳳：《四書釋地辨證》，卷下，頁3b-4b。

討論，陳壽祺與王引之的考論就有極大差異。前者認為今文無
〈大誓〉而有〈序〉，又認為古文之有〈大誓〉，乃由後屬入；
後者則謂今文二十九篇有〈大誓〉而無〈序〉，而以向、歆父
子〈大誓〉後得之說為傳聞之誤。翔鳳一一致書辨難，詳其宗
旨，議論近於陳壽祺而又有所引申。略謂〈大誓〉乃武帝末民
間所獻壁藏之一，為真古文，而由孔安國經倪寬至歐陽和伯這
一系統所傳。今觀《漢志》載歐陽經三十二卷，章句三十一
卷，以倪寬所受於孔安國之〈大誓〉三篇錄入，合以今文二十
八篇，恰為三十一卷，合以〈書序〉，則為三十二卷。所以劉
歆所云〈大誓〉後得，博士集而讀之者，當是指歐陽博士。[131]
至於王引之質疑「今文如〈般庚〉、〈顧命〉、〈康王之誥〉不分
篇，何歐陽錄〈大誓〉獨分篇」？翔鳳則答以「〈般庚〉等不
分篇，此今文之家法也；〈大誓〉分篇，自是古文之家法。錄
〈大誓〉者，所以補今文之闕；仍分篇者，不　亂今文之真，
此傳經之大要也」。[132]從信中可以看出翔鳳清楚的今、古家法
意識，而他討論〈大誓〉的相關知識，無疑是得自莊述祖關於
〈大誓〉之論述[133]，而述祖對〈大誓〉的討論，則是其以古文
字知識重建《尚書》學系統的重點所在，而其建立《尚書》學

---

131 宋翔鳳：〈與陳恭甫編修書〉，《樸學齋文錄》，卷1，頁29a。

132 宋翔鳳：〈與王伯申學士書〉，同前注，卷1，頁32a。

133 按：述祖於《歷代載籍足微錄‧六藝》云：「《尚書》古、今文經久
佚，其三十二卷即二十九卷。然夏侯《經》二十九卷，《章句》、《解
故》亦二十九篇；歐陽《經》三十二卷，《章句》三十一卷，其一卷無
章句，蓋〈序〉也。」（道光乙未年脊令舫藏板，頁1-2「《尚書》古文
經四十六卷為五十七篇；經二十九卷，大、小夏二家；歐陽經三十二
卷」條）

體系的目的，又是為證成莊存與「聖人之於天道」的著名論述。

　　從這個角度來看，宋翔鳳與陳壽祺、王引之的對話，也可以視為是莊氏家學與漢學家之間的對話。只不過莊氏家學在翔鳳的筆下，已大致由追求聖人天道的政治論述轉型為以知識考索為先的學術表達。也正因為這一知識學的本質轉變，使其與漢學家之間的對話，有了相互認可的表達形式及討論基點而成為可能。反過來說，莊存與、莊述祖之所以受到考據學者的批判或排斥，就在於沒有意識到其學術話語的主觀性。這種主觀性，既存在於出以經術文章的語言形式，也包括了以聖人之於天道為論述目標的思想內涵。

　　由莊存與開啟的以論說形式為主的價值闡釋，一方面強調經典所蘊涵聖王天道之崇高理想，一方面又對漢學家的治經方式採取批判的態度，在歷經了莊述祖、莊綏甲、劉逢祿等人的努力之後，常州與漢學之間，似乎可以藉由考據此一共同語言展開對話。然由莊述祖所展開者，只是考據的外在形式，其內涵仍是先驗的經學理想，充滿了價值評判，與考據學者之間，仍舊無法取得共同的對話基礎。明乎此，則宋氏轉化莊氏家學論學形態的意義，方能明顯。至於最能表現翔鳳將外家學術置於方法學與知識學層次的治經原則及其成果，當屬晚年編定的《過庭錄》。十六卷的《過庭錄》不論是經史的考證，還是文論的抒發，隨處可見外家之身影，尤以對《周易》、《尚書》、《詩經》、《春秋》、《老子》的討論最明顯。例如開卷釋「乾坤二卦」，以舜與文王之處境解釋〈乾〉、〈坤〉六爻之升降變

化，其解釋基礎可上溯到莊存與的《尚書既見》，貫串《周易》、《尚書》、《春秋》，主旨在於強調《周易》「明天道以通人事」，與《春秋》「紀人事以成天道」，可互為表裡。只不過莊存與是出之以議論，而宋翔鳳則是出之以考據而已。又如卷四〈尚書略說上〉對「中星」的考證，其考論基礎即來源於莊述祖對〈夏小正〉的討論；卷五〈尚書略說下〉考證武王伐殷之年及周公攝政之說，皆出於莊存與、莊述祖相關的《尚書》論述，又不必論書中時有明引莊氏之說者。譚獻云：「閱《過庭錄》，門庭寬大，既宗鄭學，復不肯輕議程朱，曉人不當如是邪？論《老子》，精研絕學，洞識本原，惜《說義》之書不成。」[134]除了李兆洛之外，譚獻可謂常州學派又一解人，《復堂日記》中隨處可見常州學派的相關論述，而此處強調翔鳳治學門徑開闊，若非對翔鳳的學術有深入理解，恐不足以致此。至於以「精研絕學，洞識本原」形容翔鳳的《老子》研究，指的正是通篇運以述祖所釋「龜藏首坤」之義，今遺書俱在，其間的傳承轉換之跡，讀者可覆按。譚獻文人，其學術評斷總是受到質疑，此處另舉他人見解以為補充。張舜徽云：「翔鳳精研名物訓詁，以進求微言大義，涉覽較博而確有心得。余昔讀其所著《過庭錄》而服其邃密。」[135]張氏「精研名物訓詁，以進求微言大義」之說，正可為《過庭錄》的學術特性作蓋棺論定之語，亦可謂翔鳳一生學術之寫照。

---

[134] 譚獻：《復堂日記》，卷 1，頁 23a。

[135] 張舜徽：《清人文集別錄》（臺北：明文書局，1982 年），頁 370。

四、結論

做為一個經歷豐富，著作等身，而又善於整合不同學術體系的清代學者，宋翔鳳的學術本身，自有其可資討論之處，不應僅被視為劉逢祿的附庸而存在。鍾彩鈞先生認為應從這樣的立場來檢討宋翔鳳的學術：唯有從學術風氣轉變中看到各種豐富的可能性，才能欣賞及評價學者的努力，並使我們在學術主線已明的後世，再回頭看看當時的旁流或伏線，而得到新的啟發。[136]善哉斯言！本文從方法學的差異這一角度切入，討論在考據學風潮吹襲之下，常州學派內部治學之異同。同樣是常州學派，莊、劉之學以考據方法為薪蒸，亦以遭其批判之典章制度為薪蒸，其微言大義的追求，是在考據方法之外，在典章制度之上；而從翔鳳治學的思路來看，則是以微言大義就在訓詁考據內，在典章制度之中，走的仍是漢學家訓詁明則義理明的老路。套句玄學陳言，莊、劉是得意忘象，而翔鳳是即象言意。只不過在實際的操作中，對古代文獻的去取，翔鳳仍帶有主觀性或隨意性而已，然置諸當代詮釋學的角度觀之，此正不足為翔鳳病。更何況即使是漢學家在訓詁考據古代文獻時，也會有類似的情況發生，而引起爭論；至於強調義理的學者，更不必論，此真所謂「經說異同，從來儒先所共有」，[137]多「耗日力於兩造不備之讕辭」[138]也。來看一則陳寅恪關於清代經學

---

[136] 鍾彩鈞：〈宋翔鳳學術及思想概述〉，頁357。

[137] 朱一新：〈附刻來書一〉，《朱蓉生駁康學書簡》（上海：商務印書館民國年間鉛印本），頁19。

[138] 朱一新：〈答康長孺書〉，《朱蓉生康長孺往來書簡》（廣東省中山圖書館藏鈔本），頁2。

研究上的缺陷之評語：

> 其（經學）材料往往殘闕而又寡少，其解釋尤不確定，
> 以謹愿之人而治經學，則但能依據文句各別解釋，而不
> 能綜合貫通，成一有系統之論述。以誇誕之人而治經
> 學，則不甘以片段之論述為滿足。因其材料殘闕寡少及
> 解釋無定之故，轉可利用一二細微疑似之單證，以附會
> 其廣汎難徵之結論。其論既出之後，固不能犁然有當於
> 人心，而人亦不易標舉反證以相詰難。譬諸圖畫鬼物，
> 苟形態略具，則能事已畢，其真狀之果肖似與否，畫者
> 與觀者兩皆不知也。[139]

經學研究因經典文本及其古典解釋失載而欠缺完整性，本就存
在著種種限制，很難形成完整體系。乾、嘉時代的樸學家雖然
在經典文獻的整理上取得很大的成就，然誠如陳先生所云「但
能依據文句各別解釋，而不能綜合貫通，成一有系統之論
述」。所以如此之故，即在於經學材料殘缺，解釋無定這一點
上。只不過經學的問題從來就不是以拾掇補苴為究竟，有不少
學者即使以考據行之，也仍企圖在有限的文獻中建立體系。所
以在形成系統論述之前，勢須先選擇一個論述之立場，錢玄同
云：

> 近代之今文家如莊述祖、劉逢祿、龔自珍、魏源、康有
> 為諸人，古文家之章太炎師，雖或宗今文，或宗古文，
> 實則他們並非僅述舊說，很多自創的新解。其精神與唐

---

139 陳寅恪：〈陳垣元西域人華化考序〉，《陳寅恪文集》二（臺北：里仁
書局，1981 年），頁 238。

> 之啖助、趙匡，至清之姚際恆、崔述諸氏相類；所異
> 者，啖、趙至姚、崔諸氏不宗一家，實事求是，其見解
> 較之莊、劉諸氏及章君更進步耳。[140]

錢玄同之說，可謂一語道破此中關鍵，不論是莊、劉抑或章太
炎先生，二者之學術表述形式雖同為考據語言，然其所以自創
新解者，往往是先選擇學術立場再解釋文獻所造成，而今文家
或古文家的身分，就是他們選擇學術立場後的身分。此正如學
者選擇從事（或繼承）宋學抑或漢學一般，已經超越方法學的
層次，成為學術選擇的問題。只不過相對於許、鄭或程、朱而
言，宋翔鳳選擇另外的（外家）一套義理系統作為其學術表述
形式背後的價值立場而已。最後，筆者引路新生的一段話作總
結，路氏提到：

> 常州一派所重在微言大義，在附會經說的「非常異義可
> 怪之論」。此種學風，原與清儒考據學的治學特點扞格
> 難通。不可通而宋氏強使之通，這就一方面極大地限制
> 了宋氏在小學方面的發展；另一方面，又使宋氏的治學
> 首鼠異端，難求兩全。[141]

路氏之批判，指出宋氏學術之困境，此正不必為賢者諱也。然
如筆者稍前所論，訓詁考據方法並無法為有爭議的經說作出最
後裁斷，故後人對古代文獻的解釋，往往是信其所信，棄其所
惡，從而產生不同的解釋系統。熟讀清人著作者，當不會對此

---

[140] 錢玄同：〈重論經今古文學問題〉，《古史辨》（臺北：藍燈文化事業
股份有限公司，1987 年），第 5 冊，頁 98。

[141] 路新生：〈宋翔鳳學論〉，頁 177。

現象感到陌生。所以，宋氏轉化外家學術形態，使之置於考據學平臺之上，從而與漢學家的「對話」成為可能，不論成功與否，其努力仍值得肯定。至於宋氏的困境，其實不在首鼠兩端，而在於治清代學術者，是否仍執著於以單一的學術思維或學術價值觀的獨斷論立場看待一切學問，此則筆者研究清代學術，深有感於心者。

另外，透過對宋翔鳳學術作為的考察，也可以進一步說明一個現象或問題。亦即與宋氏同時或稍後，學術整合或對話已漸成趨勢，不但是漢學與宋學從乾、嘉以來的「漢宋之爭」逐漸轉型成嘉、道以後「漢宋兼采」或「漢宋調合」的關係；許多學者的學術內涵也有龐雜且轉益多師的跡象。但是在表現方法上，仍是以名物訓詁為主要內涵的考據語言佔上風，這實在是值得深思的一個學術現象。

「思主容」、「渙其羣」、「序異端」
——清人經解中寬容平恕思想舉例

嚴壽澂[*]

一、引言

有清一代的學術，以考證爲主，如梁任公所說，此「乃研究法的運動，非主義的運動」，[1]考證的重心則在經學。任公推爲清學「正統派之盟主」的戴東原（震），[2]其〈古經解鉤沈序〉曰：

> 後之論漢儒者輒曰：「故訓之學云爾，未與於理精而義明。」則試詰以求理義於古經之外乎？若猶存古經中也，則鑿空者得乎？烏呼！經之至者，道也；所以明道者，其詞也；所以成詞者，未有能外小學文字者也。由

* 華東師範大學碩士，美國印第安納大學博士。曾任職於上海辭書出版社，任教於紐西蘭威靈頓維多利亞大學。現執教於新加坡南洋理工大學，並任上海社會科學院歷史研究所特約研究員。研究領域爲中國學術思想史及古典文學。近年專著有《近世中國學術通變論叢》；論文有〈焦循「一貫忠恕」說與儒家多元主義〉、〈「兩行」與治道——讀王船山《莊子解》〉、〈從改善民生、革新行政到議員政府、普及教育——薛光典政治思想述論〉、〈經學、史學與經世——朱一新學述〉等。

1 梁啟超著，朱維錚導讀：《清代學術概論》（上海：上海古籍出版社，1998 年），頁 43。

2 同前注，頁 5。

> 文字以通乎語言，由語言以通乎古聖賢之心志，譬之適
> 堂壇之必循其階，而不可以躐等。[3]

讀書的目的是明道，道記載於經中，經則作於二千餘年以前，其語言大不同於今，故通經必須通其「詞」。詞則由字所積而成，掌握字義於是就成了通經的先務。[4]宋儒強調理義是「自家體貼出來」，[5]因而輕視文字訓詁工夫，在東原看來，這是躐等以解經，所得者只能是一己「鑿空」的「意見」，無與乎聖人之道，甚或為禍生民。[6]

　　錢竹汀（大昕）大概是清代最為博通的經史學者，王靜安以之與顧亭林、戴東原並列，視為清學的開創者，謂「順康之學，創於亭林；乾嘉之學，創於東原、竹汀」。[7]其〈臧玉林經義雜識序〉曰：

---

[3] 戴震：《戴東原集》（上海：上海書店，1926 年《四部叢刊初編・集部》，縮印經韻樓刊本），卷 10，頁 103-104。

[4] 東原〈與是仲明論學書〉曰：「經之至者，道也；所以明道者，詞也；所以成詞者，字也。由字以通其詞，由詞以通其道，必有漸求。」見《戴東原集》，卷 9，頁 98。

[5] 程明道即曾說：「吾學雖有所受，『天理』二字，卻是自家體貼出來。」見《河南程氏外書》卷 12，收入程顥、程頤著：《二程集》（北京：中華書局，1981 年），第 2 冊，頁 424。

[6] 〈答彭進士允初書〉曰：「程朱以理為如有物焉，得於天而具於心，啟天下後世人人憑在己之意見而執之曰理，以禍斯民。」《戴東原集》，卷 8，頁 94。

[7] 靜安以為，清初順康之世，學者志在經世，多為致用之學；乾嘉時期，經史專門之學興起；道咸以降，一面呈乾嘉之風，一面又趨於經世致用。見其〈沈乙庵先生七十壽序〉，引自《王國維文集》（北京：燕山出版社，1997 年），頁 475。

> 嘗謂六經者，聖人之言，因其言以求其義，則必自詁訓
> 始；謂詁訓之外別有義理，如桑門以不立文字爲最上乘
> 者，非吾儒之學也。詁訓必依漢儒，以其去古未遠，家
> 法相承，七十子之大義猶有存者，異於後人之不知而作
> 也。[8]

若不明詁訓，義理便無從談起，因爲「有文字而後有詁訓，有
詁訓而後有義理；訓詁者，義理之所由出，非別有義理出乎訓
詁之外者也」。[9]若窮經而不通訓詁，「欲以鄉壁虛造之說求義
理所在」，便是「支離而失其宗」。[10]其見解可說與東原毫無
二致。

東原雖以「實事求是」的經學考證名家，卻自詡「生平著
述最大者，爲《孟子字義疏證》一書」。[11]然而當時學者所推
尊於東原者，則在彼而不在此。凌次仲（廷堪）撰〈戴東原先
生事略狀〉，以爲「先生之學，無所不通，而其所由以至道者
則有三，曰小學，曰測算，曰典章制度」；對於東原的義理之
學，則說：「理義固先生晚年極精之詣，非造其境者，亦無由
知其是非也。其書具在，俟後人之定論云爾。」[12]詞氣之間，

---

[8] 《潛研堂文集》卷 24，收入呂友仁校點：《潛研堂集》（上海：上海古籍
出版社，1989 年），頁 391。

[9] 同前注，〈經籍籑詁序〉，頁 392-393。

[10] 同前注，〈左氏傳古注輯存序〉，頁 387。

[11] 東原臨終前不久（丁酉四月二十四日）與段懋堂（玉裁）書云：「僕生平
著述最大者，爲《孟子字義疏證》一書，此正人心之要。今人無論正邪，
盡以意見誤名之曰理，而禍斯民，故《疏證》不得不作。」見懋堂所著：
《戴東原先生年譜》，載《戴東原集》，卷末，頁 156-157。

[12] 凌廷堪：《校禮堂集》（北京：中華書局，1998 年），頁 313、317。

軒輊之意顯然。至於錢竹汀，阮芸臺（元）視為「國初以來諸儒」所未曾有，除擅長史學、天算、地理、文字音韻、金石詩文之外，更是「人倫師表，履蹈粹然」，「深於道德性命之理，持論必執其中，實事必求其是」，[13]對其義理之學，深表贊賞。但是竹汀本人則「淡於榮利，以識分知足為懷」，[14]並不以義理之學自詡，似乎是一位純粹的經史專門學者。然而近人牟潤孫作〈錢大昕著述中論政微言〉一文，從其《潛研堂文集》及《十駕齋養新錄》中，摘出多條「論政微言」，「說明竹汀不是一心一意鑽到『故紙堆』中，專去作考據工作，更非知古而不知今，忽略了當代」。[15]竹汀固然時有如牟氏所謂「以古喻今，批評清王朝施行政治的微言」，[16]然而他所著意的，未必全在雍、乾二帝的施政，其中更有其基本政治主張，即寬容與平恕。

錢賓四（穆）先生有〈前期清儒思想之新天地〉一文，謂戴東原雖語多憤激，其立場「還是極平恕，還是同情弱者，為被壓迫階層求解放，還是一種平民化的呼聲」；「清儒此種對於傳統權威之反抗精神，其實還似有一些痕跡可見其為沿襲晚明諸遺老而來」；「求平恕，求解放，此乃乾嘉諸儒之一般意

---

[13] 阮元：〈十駕齋養新錄序〉，載錢大昕：《十駕齋養新錄》（上海：商務印書館《國學基本叢書》本，1937 年），卷首，頁 7。

[14] 見李元度：《國朝先正事略》，收入《四部備要‧史部》（上海：中華書局，1935 年)，卷 34，頁 18。

[15] 牟潤孫：《注史齋叢稿》（北京：中華書局，1987 年），頁 486。

[16] 同前注，頁 487。

見，而非東原個人的哲學理論也。」所言甚確。[17]茲引錢竹汀
《十駕齋養新錄》中三條為例。卷一「易簡」條云：

> 易簡而天下之理得矣。「四時行，百物生」，天地之易
> 簡也。「無欲速，無見小利」，帝王之易簡也。皋陶作
> 歌，戒元首之叢脞。叢脞者，細碎無大略。吳季札所謂
> 「其細已甚，民弗堪也」。易簡之道失，其弊至於叢
> 脞。[18]

卷二「親民」條云：

> 大學之道在親民。「民之所好好之，民之所惡惡之。此
> 之謂民之父母。」此親民之實也。宋儒改「親」為
> 「新」，特因引〈康誥〉「作新民」一語，而不知「如
> 保赤子」亦〈康誥〉文。保民同於保赤，於親民意尤
> 切。古聖人保民之道，不外富、教二大端，而「親」字
> 足以該之。改「親」為「新」，未免偏重教矣。親之義
> 大於新。言「親」則物我無間，言「新」便有以貴治
> 賤、以賢治不肖氣象。視民如傷者似不若此。後世治道
> 所以不如三代，正為不求民之安，而務防民之不善。於
> 是舍德而用刑，自謂革其舊染，而本原日趨於薄矣。竊
> 謂〈大學〉「親民」，當仍舊文為長。[19]

卷十八「忠恕」條云：

---

17 錢穆：〈前期清儒思想之新天地〉，收入《中國學術思想史論叢（八）》
   （臺北：東大圖書公司，1990 年），頁 8-9。
18 《十駕齋養新錄》，卷一，「易簡」條，頁 6。
19 同前注，卷二「親民」條云，頁 31-32。

> 「有諸己而後求諸人，無諸己而後非諸人」，帝王之忠恕也。「躬自厚而薄責於人」，聖賢之忠恕也。離恕而言仁，則為煦煦之仁；舍忠而言信，則為硜硜之信。故曰：「夫子之道，忠恕而已矣。」又曰：「有一言而可以終身行之者，其恕乎！」[20]

賓四先生所謂「平恕」、所謂「同情弱者」、所謂「平民化的呼聲」，即此而了然。

清儒雖標榜「實事求是」，在經史考證中，此一寬容平恕思想，卻有意無意，不免時有流露。竹汀即為一例，頗具代表性的，是解釋《尚書·洪範》中的「思作睿」及《周易·渙卦》的「渙其羣」。竹汀堅持認為，「思作睿」當作「思作容」，「渙其羣」的「渙」當作「聚」解。如此結論，顯然並不全出自「詁訓」，而是從其基本政治主張而來。焦理堂（循）對《論語》中「攻乎異端」的解釋，情況亦與此類似。其他經學家對經文的解釋，也不乏以義理主導訓詁之例。茲分述於下。

二、「思主睿」與「思主容」

《尚書·洪範》載，武王克商，訪于箕子，箕子陳「洪範九疇」，其二曰「敬用五事」。「五事：一曰貌，二曰言，三曰視，四曰聽，五曰思。貌曰恭，言曰從，視曰明，聽曰聰，思曰睿。恭作肅，從作乂，明作晢，聰作謀，睿作聖。」此乃

---

[20] 同前注，卷十八「忠恕」條，頁418。

馬融、鄭玄所定之本的文字，收入《十三經注疏》的孔穎達《尚書正義》本亦從之。末一事「思曰睿」與「睿作聖」，《春秋繁露·五行五事》則作「思曰容」與「容作聖」；而《史記·宋世家》不作「容」而作「睿」，與馬、鄭說同。錢竹汀在多處對此有論列，其《潛研堂文集》卷五〈答問二〉所載最詳：

> 問：〈洪範〉「思曰睿」、「睿作聖」，伏生〈五行傳〉作「容」，鄭康成以為字之誤，先生謂漢儒多作「容」，以「容」字為長。請言其詳。

> 曰：漢儒傳經，各有師承，文字訓詁，多有互異者。即以〈洪範〉一篇言之，如「霽」之為「濟」，「驛」之為「圛」，「豫」之為「舒」，皆文殊而義不殊；若「敬用」之為「羞用」，與「睿」之為「容」，則文異而義亦從之。伏、鄭所傳，有古、今文之別，要未必鄭是而伏非也。伏生〈五行傳〉云：「思心之不容，是謂不聖，厥咎霿，厥罰恒風，厥極凶短折。」說者曰：「思心者，心思慮也；容，寬也。孔子曰：『居上不寬，吾何以觀之哉！』言上不寬大包容臣下，則不能居聖位也。」董生《春秋繁露》述五行五事，亦云：「思曰容，容者，言無不容。容作聖，聖者，設也。王者心寬大，無不容，則聖能施設，事各得其宜也。」西京經師說〈洪範〉，以「容」為思之德，其義昭著如此。許叔重《說文解字》云：「思，容也。」亦用伏生義也。古之言心者，貴其能容，不貴其能察。〈泰誓〉云：

「其心休休焉,其如有容。」《論語》云:「君子尊賢
而用眾。我之大賢與,於人無所不容?」老子曰:「容
乃公,公乃王,王乃天,天乃道,道乃久。」荀子曰:
「君子尊賢而容眾,知而能容愚,博而能容淺,粹而能
容雜。」孟子以仁為人心。仁者必能容物,故視主明,
聽主聰,而思獨主容。若睿哲之義,則於明聰中言之
矣。聖人與天地參,以天下為一家,中國為一人,由其
心之無不容也,故曰「有容德乃大。」[21]

《十駕齋養新錄》卷一「思曰容」條與《廿二史考異》卷
七〈漢書二〉「五行志中之上」條,所論相同而稍簡略。《養
新錄》明確指出:「古本〈洪範〉,皆是『容』字。今《漢
書》作『睿』,乃淺人所改。幸其說尚存,與董生相印證,可
見西京諸儒,傳授有自。」[22]《考異》加上一條理由,即「容
與恭、從、聰為韻。鄭氏破『容』為『睿』,於義為短。」[23]

其中最有文獻依據的理由,當是伏生《尚書大傳·洪範五
行傳》及《春秋繁露·五行五事》。至於所引《說文》,則段
注以為,當作「思曰睿」:「或以伏生《尚書》『思心曰容』
說之。今正。皃曰恭,言曰從,視曰明,聽曰聰,思心曰容,
謂五者之德,非可以恭釋皃,以從釋言,以明、聰釋視、聽
也。」而且思與睿雙聲,「謂之思者,以其能深通也。」伏生

---

21 《潛研堂集》,卷 5,頁 66-67。

22 《十駕齋養新錄》,卷 1,「思曰容」條,頁 12。

23 《廿二史考異》(上海:商務印書館《叢書集成初編》據《史學叢書》排
印本,1935-1940 年),第 2 冊,卷 7,頁 141。

及董仲舒、劉向等西漢經師「以寬釋容」，則「與《古文尚書》作『五曰思，思曰睿』為異本，詳予所撰《尚書撰異》。」[24]

竹汀此說的另一依據，則是《考異》所謂容與恭、從、聰為韻。高本漢亦贊同這一看法，儘管「思曰睿」的經文「在漢以前就已經存在」，而且「明」韻「有些不諧」，然而仍認為以韻腳來判斷當作「容」，「證據非常堅強」，「大概可成定案」，並以《尚書‧泰誓》中「其心休休焉，其如有容」作為旁證。[25]然而〈洪範〉全篇畢竟不是韻文，篇中多數句子也並不用韻，而且「明」韻既然不諧，最後一字當然也不一定非協韻不可。單憑韻腳，似不能說「證據非常堅強」。現代學者屈萬里即以「思曰睿」為是，理由是「睿，通也」，故《尚書大傳》作「容」，乃誤字（其意大概是：「通」與「思」，意義較能相應）。[26]

益陽曾星笠（運乾）有《尚書正讀》一書，楊遇夫（樹達）大加稱賞，以為「通訓詁」、「審詞氣」二者兼具，「既極其精能，而又能以此通解全書」。[27]星笠以為，當作「思曰

[24] 段玉裁：《說文解字注》（上海：上海古籍出版社，1981 年），思部，頁 501。

[25] 高本漢注，陳舜政譯：《高本漢書經注釋》（臺北：中華叢書編審委員會，1970 年），上冊，頁 488-489。

[26] 屈萬里：《尚書釋義》（臺北：中華文化出版事業委員會，1956 年），頁 62。

[27] 楊樹達：〈曾星笠尚書正讀序〉，載曾運乾：《尚書正讀》（香港：中華書局，1972 年），頁 303。

容」，理由是：「人身惟思無所不容，故思之德為容也。」[28]
嗣後湘人周秉鈞撰《尚書易解》，遇夫譽為能擷楊筠如《尚書
覈詁》、曾星笠《尚書正讀》一書之「善說」。[29]此書釋〈洪
範〉，引《孔疏》「思必當通于微密也」，以「思曰睿」為
勝。[30]曾、周二家顯然是根據字義，在「睿」、「容」之間作
一取舍。星笠以為，視、聽等功能有其專注，因而有其限制，
而思則越出某一感覺器官的局限，能統括一切，故當以「容」
說之。而秉鈞則取王肅之說，[31]認為一旦思的功能發揮到極
致，便能「通于微密」。雙方各有其理由，然而均無確切不移
的訓詁依據。

綜上所述，可見竹汀之說，歸根結底，畢竟是以義理為主
導，其要旨是：仁為人心，仁者必能容物，思為心之德，故思
主容。聖人與天地參，正在其心無所不容。

孫淵如（星衍）有〈容作聖論〉一文，謂古文作「睿」，
今文作「容」，以五行性質而言，「容」字義長：

> 案：〈五行傳〉：「次五事，曰『思』。」思屬土。土
> 音屬宮，義當為「容」。《白虎通・五行篇》云：「五
> 行之性，土者最大，苞含物，將生者出，將歸者入，不
> 嫌清濁，為萬物（脫『母』字）。」〈禮樂篇〉又云：

---

28 曾運乾：《尚書正讀》，卷3，頁129。
29 周秉鈞：《尚書易解》（長沙：岳麓書社，1984年），卷首，頁1。
30 同前注，卷3，頁135。
31 按：孔穎達《尚書正義》引王肅云：「睿，通也。思慮苦其不深，故必深
   思，使通於微也。」

「土謂宮。宮者，含也，容也，含通四時者也。」〈五行傳〉既以聽屬水。「聽曰聰」，與「睿」同義，不應思又為「睿」。〈中庸篇〉：「聰明睿智，足以有臨也；寬裕溫厚，足以有容也。」自為二事。《說苑‧君道篇》：「尹文曰：『大道容眾，大德容下，聖人寡而天下理矣。』[32]《書》曰：『容作聖。』（今本作『睿』，亦誤。）」劉向亦今文之學也。容為土德，為宮音。宮為君，土為皇極。故人君以能容為德，不以能察為明。不容則稼穡不成，稼穡屬土也。〈堯典〉「安安」，一作「晏晏」，古義釋為「寬容覆載」，[33]「晏」為天清也。如淳注《漢書》，為（按：當作「謂」）「日出清濟」為晏。故《大戴》有「就日望雲」之喻。[34]容至則公，公生明，足以該「睿」也。〈泰誓〉：「其心休休焉，其如有容焉。」《論語》：「君子尊賢而容眾。」老子云：「容乃公，公乃王，王乃天，天乃道，道乃久。」荀子云：「君子賢而容眾，知而能容愚，博而能容淺，粹而能容雜。」孟子云：「大而化之之謂聖。」稱曰「作聖」，非容不足以當之。……《尚書》今文說俱勝古文，蓋伏生曾見先秦百

---

[32] 按：〈君道篇〉原文「寡」下有「為」字。

[33] 按：《後漢書‧郅惲傳》章懷太子注引鄭康成注《尚書考靈曜》云：「寬容覆載謂之晏。」

[34] 按：《大戴記‧五帝德》原文為：「宰我曰：『請問帝堯。』孔子曰：『高辛之子也，曰放勳。其仁如天，其知如神，就之如日，望之如雲。』」……見〔清〕王聘珍：《大戴禮記解詁》（北京：中華書局，1983年），頁121。

篇之《書》，親授西漢諸儒，雖以今文名，實古義也。
「思作容」之勝「睿」，其一隅矣。[35]

此文舉證豐富，以《尚書大傳‧洪範五行傳》為重心：貌、
言、視、聽分屬木、金、火、水，睿與聰同義，五行屬水，故
思必屬五行中之土，土德則為含容。此外，土德乃宮音，宮為
君，〈洪範〉所論正是君德。因此，當作「思曰容」。另一理
據是：非「容」不足以言聖，是為儒、道各家的共識。〈堯
典〉「欽明文思安安」中「安安」一語，其古義為「寬容覆
載」，更是明證。

如淳注《漢書‧郊祀志》「晏溫」云：「三輔謂日出清濟
為晏。晏而溫，乃有黃雲，故為異也。」[36]《說文》段注則以
為，「晏溫」即是「氤氳」，「〈郊祀志〉『字異而義同』，
如淳以『日出清濟』說之，謂『晏而溫，是為異』，非是。晏
之言『安』也，古晏、安通用。」[37]可見以「寬容覆載」說
〈堯典〉「安安」，未必是的解。段懋堂《古文尚書撰異》對
這一「睿」、「容」公案，有甚為詳盡的論說。指出「古文
《尚書》『五曰思』，《今文尚書》『五曰思心』」，然後列
舉九證以為說明。又曰：「古文《尚書》『思曰睿』，今文
《尚書》作『思心』。」列舉七證以作申說。又以為聖、睿二
字，義實相通：

---

35 孫星衍：《平津館文稿》卷上，《孫淵如詩文集》（《四部叢刊初編‧集
部》縮印原刊本），頁 137-138。

36 《後漢書》（北京：中華書局，1965 年），頁 1226。

37 《說文解字注》，日部，頁 304。

> 《周書‧謚法解》曰：「叡，聖也。」《毛詩故訓傳》
> 曰：「聖，睿也。」然則聖、睿二字相通。為轉注。許
> 君於叡、聖，皆云「通也」。此正二字互訓之證。蓋渾
> 言則不別，析言則聖深於睿。鄭注《尚書》：「君思睿
> 則臣賢智也。」以睿、聖分屬君臣。[38]

懋堂以睿、聖分屬君臣，或不免稍涉牽強。但是說睿、聖二
字，義本相通，而且有淺深之別，則相當貼切。聖之一字，本
有「通」義。楊遇夫《論語疏證》引《論衡‧知實》：「從
『知天命』至『耳順』，學就知明，成聖之驗也。」按曰：
「王仲任之說甚確。《說文》云：『聖，通也。从耳，呈
聲。』耳順正所謂聖通也。蓋孔子五十至六十之間，已入聖通
之域，所謂聲入心通也。」[39]所言確實有據，足可為懋堂此說之
助。懋堂更以為，竹汀引《說文》「思，容也，从心，囟聲」
以證《尚書》當作「思曰容」，實誤。理由是：《說文》此解
「乃訓字，非訓《尚書》也。今文《尚書》『思心曰容』，思
不訓容，謂思貴容耳，不當為是不完之語。假令或云：『視，
明也；聽，聰也；貌，恭也；言，從也。』豈成文理乎？」而
「思必期於睿」，因此，「古文『睿』字，畢竟勝於今文」。[40]

　　竹汀聲稱「考證果到確處，便觸處無礙」，然而他堅信
「容字義長」，根本的考慮在於「思主於睿，則恐失之刻

---

[38] 《古文尚書撰異》，收入阮元輯：《皇清經解》（臺北：復興書局影印學
　　海堂刊本，1961年），第18冊，卷580，頁6568-6569。

[39] 《論語疏證》（上海：上海古籍出版社，1985年），頁42。

[40] 《古文尚書撰異》，《皇清經解》，第18冊，頁6569-6570。

深」，顯然並不是訓詁決定義理，不足以服懋堂之心。[41]咸豐間，元和朱豐芑（駿聲）作《尚書古注便讀》，引《春秋繁露》為證，以為此節所說乃君道，而為君者當寬大包容，「言君貌恭則臣禮肅，君言從則臣職理，君視明則臣照晳，君聽聰則臣進謀，君思容則臣賢智」，故「『睿』當作『容』，寬大包容也」。[42]顯然亦是出於理校。先秦、漢初儒道二家論政，確是如竹汀所云，主張「人君以能容為德，不以能察為明」，然而真睿者必能容，而能容者未必皆睿。鄭康成注《尚書大傳》「思心之不容，是為不聖」所說，「『容』當作『睿』。睿，通也。心明曰聖。《孔子說休徵》曰：『聖者，通也。』兼四而明，則所謂聖。聖者，包視聽言動而載之以思心者，通以待之。君思心不通，則是非不能心明其事也」，[43]甚為有理，故王西莊曰：「居上固主於寬，然容者或有未睿，而真睿者必無不容。鄭義不可易也。」[44]

綜上所析論，可見竹汀、淵如、豐芑諸人之所以堅持「容」字是而「睿」字非，主要依據實不在詁訓，而在義理。錢賓四先生對竹汀〈答問二〉此段的評議最為明通，其言曰：

> 今按此條殊可注意。據段玉裁說，「思曰容」乃《今文尚書》，「思曰睿」乃《古文尚書》，此屬古書版本異

---

[41] 同前注。

[42] 朱駿聲：《尚書古注便讀》（臺北：廣文書局影印民國 24 年成都華西協合大學刊本，1977 年），卷 4 上，頁 128。

[43] 《尚書大傳》（《四部叢刊初編・經部》，縮印陳壽祺《左海文集》本），卷 3，頁 40。

[44] 王鳴盛：《尚書後案》，《皇清經解》，第 12 冊，卷 415，頁 4539。

同。惟人之思想究貴深通，抑貴寬容，此則非關訓詁，實乃一極重大之人生問題，即所謂義理問題也。以常識言，既曰思想，自當主通，不當主寬。寬是屬情感態度方面的字，不是屬思想理智方面的字，故段氏《說文解字注》徑為許叔重改字，不用「思，容也」之原文，這是有理由的。竹汀亦小學訓詁大師，此處卻不免違背了他們當時訓詁明而後義理明的主張，要據義理來決定訓詁。他告段玉裁說，若曰思主於睿，則恐失之刻深。（語見段氏《古文尚書考異》）此已明明透露了竹汀自己對人生問題的見解。清儒常笑宋儒主觀，此等便是清儒亦不免主觀處。「聖人與天地參，以天下為一家，中國為一人」等語，宋明儒最所樂道，故宋明儒所唱，乃人生之高調，清儒則對人生好唱低調，乃說「與天地參，以天下為一家，只在此心能寬容」。這樣的大口氣，大理論，到清儒手裏，只是平民化了，做了他們同情弱者的呼聲。[45]

竹汀《十駕齋養新錄》卷十八「朱文公議論平實」條云：「朱文公云：『近日學者，病在好高。《論語》未聞學而時習，便說一貫；《孟子》未言梁惠王問利，便說盡心；《易》未看六十四卦，便讀〈繫辭〉。此皆躐等之病。』又云：『聖賢議論，本是平易。今推之使高，鑿之使深。……』文公窮理精而好學篤，故不為過高之論。」[46]透露了他為學的祈嚮，足見賓

---

[45] 《中國學術思想史論叢（八）》，頁6。
[46] 《十駕齋養新錄》，卷18，「朱文公議論平實」條，頁424。

四先生之言不誣。清儒對人生問題，所以主張寬容，好唱低調，根本原因在有見於義理本乎人情，若以過高之理要求於普通人，必至人心不安；若是非其人而好唱高調，強以 己之所謂理加於人人，危害更是不可勝言。而且他們深知物之不齊，物之情也，天下本是人各有志，若是強人以同於己，即是違反了恕道，為孔子所不許。竹汀諸人，對此已有所見，稍後的焦理堂，則以此為孔門最高原理，發揮推演而臻於極。

三、「渙其羣」與「羣其渙」

《潛研堂文集》卷四〈答問一〉論〈渙卦〉六四「渙其羣，元吉」云：

> 《呂氏春秋》嘗引斯爻而說之曰：「渙者，賢也；羣者，眾也；元者，吉之始也。『渙其羣元吉者』，其佐多賢也。」呂氏去古未遠，傳授當有所自。孔子云：「寬則得眾。」又云：「羣而不黨。」孟子云：「得道者多助。」《白虎通》曰：「君之為言羣也。」六四，居大臣之位，以進賢為己任，旁求俊乂，聚之於朝，所謂「其心休休如有容」者，故有元吉之占。且「拔茅征吉」，〈泰〉之所以吉亨也；「勿疑朋盍簪」，〈豫〉之所以志大行也。朋黨之議，皆起於叔季之世。聖人處渙散之時，以收拾人心為本，而先散其羣，毋乃蹈商王「億兆夷人，離心離德」之覆轍乎！伊川言「君臣同功，所以濟渙，天下渙散而能使之羣聚，可謂大善之

吉」，與《呂覽》義亦相近。蘇氏云：「羣者，聖人之
所欲渙以混一天下者也」，未合《易》旨。[47]

竹汀此說，亦是以義理決定訓詁之例，其依據只在《呂氏春
秋》「渙者賢也」的一段話，至於純訓詁的根據何在，則未有
交代。今人陳奇猷對《呂覽》此節的按語說：

呂氏以賢訓渙，蓋以聲為訓，「賢」屬真部，「渙」屬
元部，真、元二部本通用（真、諄、元三部相通，詳顧
炎武《古音表》）。段玉裁謂顧氏此一分部係漢、魏間
之古韻（詳《六書音韻表》），亦不誤。蓋呂氏近漢，
音韻多入漢音之範圍矣。[48]

《周易》爻辭作於先秦，先秦古韻與漢、魏間之古韻，當有所
不同。竹汀之說的訓詁依據，顯然並不充分。

時代稍早的吳派經師惠天牧（士奇），以為「渙」之一
字，實「有數訓」。一訓為「文」，「言陰陽相雜，渙有其
文。故《易》之〈渙〉，《太玄》象之以〈文〉，曰：『陰斂
其質，陽散其文。文質班班，萬物粲然。』此渙之義也。卦象
風行水上而文成焉，故訓為文。」二訓為「合」，理據是：
〈卦氣圖〉中，〈渙〉與〈睽〉對，故「《太玄》象之以
〈戾〉，曰：『陽氣孚微，物各乖離。然則睽，離也。渙，合

---

[47] 《潛研堂集》，卷4，頁54。

[48] 陳奇猷：《呂氏春秋校釋》（上海：上海古籍出版社，1984 年），卷
20，〈召類〉，頁1372。

也。』」此外，「《京氏易傳》曰：『水上見風，渙然而合。』則渙又訓為『合』矣。」[49]

他的根據首先是《太玄》〈文〉卦。司馬溫公注此卦曰：「陽家，火，準〈渙〉。揚子蓋以渙為煥，故名其首曰『文』。」[50]渙、煥相通，故渙可訓「文」。其次是《太玄》〈戾〉卦。溫公注此卦曰：「陰家，水，準〈渙〉。戾者，相乖戾也。」[51]〈卦氣圖〉中，〈渙〉與〈睽〉相對，〈睽〉既準〈戾〉，戾意謂相乖反，有「離」義，於是渙便有了「合」義。其第一訓言之成理，第二訓以《太玄》的〈戾〉卦為例，不免稍覺牽強。至於《京氏易傳》之例，看似證據甚確，然而若作進一步分析，則又當別論。《詩·鄭風·溱洧》有「溱與洧，方渙渙兮」之句，毛《傳》云：「渙渙，春水盛也。」鄭《箋》云：「仲春之時，水以釋水，則渙渙然。」馬瑞辰《毛詩傳箋通釋》曰：

> 《太平御覽》引《韓詩傳》曰：「洹洹，盛貌。」《玉篇》以汍為洹之重文。《說文》改作沄沄，從《韓詩》也。段玉裁謂《釋文》汜為沄字之誤，是也。《漢書·地理志》引《詩》作灌灌。蓋渙、洹、沄、灌古音並相近，故通用。洹、沄為正字，渙、灌皆假借字也。[52]

49 惠士奇：《易說》，《皇清經解》，第 6 冊，卷 213，頁 2116。

50 司馬光：《太玄集注》（北京：中華書局，1998 年），卷 4，頁 97。

51 同前注，卷 1，頁 15。

52 轉引自雒江生：《詩經通訓》（西安：三秦出版社，1998 年），頁 237。

詮釋頗爲精詳。可見「水上見風，渙然而合」，正是唐人嚴維詩所謂「池塘春水漫」的情景。春水盛漲而漫，見風則漣漪交互重疊，此即所謂渙然而合，亦即鄭《箋》所謂「以水釋水」，與合羣之「合」，含義自有不同。《說文》所謂「渙，散流也」，亦為此義。[53]

天牧以《京氏易傳》為據，謂「渙又訓為『合』」。然而〈序卦傳〉明明說：「渙者，離也。物不可以終離，故受之以節。」又如何講得通呢？他於是以「言豈一端」釋之，以爲〈序卦傳〉此節「謂離而合，散而聚，一字有數訓。夫言豈一端而已，亦各有所當也。學《易》者見〈序卦傳〉訓為『散』，故〈渙〉卦〈爻辭〉皆以『散』解之。『九五，渙王居』〈象〉曰：『正位也。』位可散乎？失之甚矣。」至於此卦「六四」所謂「渙其羣」以及「渙有丘，匪夷所思」，亦以《呂氏春秋》「渙者賢也」一段為依據作解釋，曰：

> 渙為文章賢能之象，故有元吉之占。如謂散其朋黨，則君子羣而不黨，不可訓為「黨」，亦明矣。朋黨非盛世所宜有也。且朋黨散，謂之無咎可矣，安得元吉乎？〈象〉言「光大」。光大者，渙之正義，非散之謂也。「光被四表」，堯之文章，則渙訓為「文」，信矣。丘指五，……聖明在上，羣賢滿朝，六四得位承尊，止同乎五。陰為平地，陽為高丘，「匪夷所思」者，平地忽

有高丘之象也。卦名「渙」者，謂天下已散，而復聚之人心，已離而復合之。[54]

其論據有四層。首先，君子既然羣而不黨，又何來朋黨可散？其次，盛世並無朋黨，當然也談不上「散」（這和竹汀所謂「朋黨之議，皆起於叔季之世」，如出一轍）。第三，解散朋黨可說是「無咎」，但不可說是「元吉」。最後，〈象辭〉云：「『渙其羣，元吉。』光大也。」因此，「光大」纔是「渙」的正義。而所謂光大，除文章炳然之義以外，復意謂聚合天下已散之人心。如此論證，分明是以義理爲主導。張皋文釋「渙王假廟」，曰：「渙，離也，散也，又有『合聚』之義。京氏曰『水上見風，渙然而合』是也。……三渙其躬，四渙其羣。虛其躬以用人，王者之事，莫先于此，百官總己以聽于冢宰也。」儘管以爲「渙」當訓作「離散」，最後仍對天牧以「渙」爲「賢」、爲「文」之說表示贊同，[55]似乎亦是出於義理上的考慮。

〈渙〉卦〈象辭〉又曰：「九五：渙汗其大號。渙王居，無咎。」天牧釋曰：

「渙王居」者，天子之居曰京。「京」言高也，大也，〈渙〉之象。《詩》云：「命此文王，於周於京。」言改號爲「周」，易邑爲「京」，所謂渙也。故〈象〉曰：「正位也。」……貫通三才謂之王；不煩一夫，不擾一士，謂之王居。言王居安則天下皆安，中國合爲一

---

[54] 《易說》，《皇清經解》，第 6 冊，卷 213，頁 2116-2117。

[55] 張惠言：《虞氏易禮》，《皇清經解》，第 35 冊，卷 1219，頁 13395。

人，萬姓通為一體，故謂之渙。「渙」之言，合也，通
也。如煩一夫、擾一士以勞天下，則堯舜且以為病，王
居安得無咎乎？老子曰：「道大，天大，地大，王亦
大。」是為「域中四大」，故曰大號。俗訓「號」為號
令，「居」為居積，失之矣。「渙汗」，猶謂潰、泮、
泚、汙，風行水上之象，亦所以狀其大也。[56]

在天牧看來，「渙」之義，不論是「文」還是「合」，結穴在
「大」之一字。此卦因此便歸於王居廣大包容，中國合為一
人，萬姓通為一體。

此一結論，與程伊川的解釋甚為接近。然而對於「渙」
字，伊川仍訓為「散」，釋曰：

〈序卦〉：「兌者，說也。說而後散之，故受之以
渙。」說則舒散也，人之氣憂則結聚，說則舒散，故說
有散義，渙所以繼兌也。為卦，巽上坎下，風行於水
上，水遇風則渙散，所以為渙也。[57]

如此釋「渙」字，與毛《傳》、鄭《箋》及馬氏《通釋》詮
「渙渙」，同一機杼。伊川據此說「渙其羣，元吉」云：「方
渙散之時，用剛則不能使之懷附，用柔則不足為之依歸，四以
巽順之正道，君臣同功，所以能濟渙也。天下渙散，而能使之
羣聚，可謂大善之吉也。」[58]錢竹汀因此以為，伊川此釋，與
《呂覽》「渙者，賢也」一段，「義亦相近」。

---

[56] 《易說》，《皇清經解》，第6冊，卷213，頁2117。

[57] 《周易程氏傳》卷4，《二程集》，第3冊，頁1001。

[58] 同前注，頁1003。

　　然而天牧、竹汀均未指出，就訓詁而言，伊川並不釋
「渙」為「合」。朱子因此以為，「渙其羣，元吉」一節，甚
為難解：

> 渙是渙散底意思。物事有當散底：號令當散，積聚當
> 散，群隊當散。〈渙卦〉亦不可曉。只以大意看，則人
> 之所當渙者莫甚於己私；其次須便渙散其小小群隊，合
> 成其大；其次便渙散其號令與其居積，以用於其人；其
> 次便渙去患害。但六四一爻未見其大好處，今〈爻辭〉
> 卻說得恁地浩大，皆不可曉。[59]

〈渙〉之一卦，大意畢竟不甚明確。從字義講，「渙」字自以
「散」義為長。然而正如近人尚節之（秉和）所指出：

> 舊解皆以「風行水上，渙散」為說。然如「渙王居」，
> 「渙其躬」等〈爻辭〉，「散」義皆不通。按：《太
> 玄》擬〈渙〉為〈文〉，司馬光云：「揚子蓋讀渙為
> 煥。」案：渙即有「文」義。《淮南子・說山訓》：
> 「夫玉潤澤而有光，渙乎其有似也。」注：「文采似君
> 子也。」《後漢書・延篤傳》：「渙爛，文章貌。」是
> 渙本有「文」義。故《歸藏》作「奐」。《禮・檀弓》
> 「美哉奐焉。」《釋文》「奐」本亦作「煥」。是揚子
> 之讀，與古訓合。卦〈坎〉為赤，〈震〉為玄黃，

〈巽〉為白，而風行水上，文理爛然，故為「文」也。
為「文」，則於〈爻辭〉無扞格矣。[60]

節之此釋，於「渙王居」、「渙其躬」等語，固能言之有故，
但是對於「渙其羣」，又當如何說明呢？他解釋此卦「六
四」，說道：「〈坎〉為眾為羣，四體〈艮〉，〈艮〉光明，
在〈坎〉上，故『渙其羣』。承陽故『元吉』。〈艮〉為丘，
丘陵所以設險。今去坎險而復遇山險，故曰『匪夷所思。』」
[61]這是以卦象來說，意謂光明照臨〈坎〉上，「水險」於是乎
去。豈非又是取「散」義，不能與其前說一以貫之？

由此可見，朱子畢竟讀書善疑，此卦確是難曉。《語類》
又曰：

> 老蘇云：「〈渙〉之九四曰：『渙其群，元吉。』夫群
> 者，聖人所欲渙以混一天下者也。」此說雖程《傳》有
> 所不及。程《傳》之說，則是「群其渙」，非「渙其
> 群」也。蓋當人心渙散之時，各相朋黨，不能混一。惟
> 九四能渙小人之私群，成天下之公道，此所以元吉也。[62]

竹汀、天牧的解釋，正是所謂「『羣其渙』，非『渙其羣』
也」，畢竟難通。朱子又說：「『渙其羣』，言散小羣做大

---

[60] 尚秉和：《周易尚氏學》（北京：中華書局，1980 年），卷 16，頁
261。

[61] 同前注，頁 263。

[62] 《朱子語類》，第 5 冊，卷 73，頁 1864。按：「九四」當為「六四」之
誤。

羣，如將小物事幾把解來合做一大把。東坡說這一爻最好，緣
他會做文字，理會得文勢，故說得合。」[63]

東坡釋此卦「六四」曰：

> 上九之有六三者，以應也。九五之有六四、九二之有初
> 六者，以近者皆有以羣之。渙而至於羣，天下始有可收
> 之漸。其德大者，其所羣也大；其德小者，其所羣也
> 小。小者合于大，大者合于一；是所謂渙其羣也。近五
> 而得位，則四之所羣者最大也。因君以得民，有民以自
> 封殖；是謂丘也。夷，平也；民之蕩蕩焉未有所適從者
> 也。彼方不知其所從，而我則為丘以聚之，豈夷者之所
> 思哉？民之所思，思夫有德而爭民者也。[64]

東坡終究是冰雪聰明，善會文義，所說似乎最能怡然理順。清
初陳省齋（夢雷）對於此卦，亦持類似的看法，其釋「渙，
亨，王假有廟，利涉大川，利貞」云：「〈渙〉取風行水上，
解散之象。『亨』就卦綜言，詳〈彖傳〉。〈爻辭〉多以渙為
吉，取『解散離披』之義。象兼取『聚渙』、『濟渙』二
義。」因此，「渙其羣，元吉」意謂「小羣既散，大羣自
合」；而「渙有丘，匪夷所思」之象，則是「六爻惟此最
吉」，因為「初、二、三、上皆不得正，唯九五以剛陽得正，

---

[63] 同前注，頁 1865。

[64] 《蘇氏易傳》二（《叢書集成初編》據《學津討原》本排印），卷 6，頁
139。

為濟渙之主；四則以陰柔得正，為輔君以濟渙之臣也」。[65]楊誠齋（萬里）則以為，此卦主旨在散大難而不居，云：

> 濟大難者存乎才，散大難者存乎德，既濟既散而不居者，存乎道。渙，散也。其為卦，坎上巽下。坎，水也，險也，難也。下卦，內也。坎下者，難在內也。膏肓內痛，非膝理之藥所能達；禍亂中起，非都鄙之政所能排。當是之時，孰能濟此難而散之者，其惟巽之君子。蓋濟難者，才也；散難者，非才也。……欲天下之難永散而不復不再合，惟德足以服人心而後可。……然天下之大難，濟之易，散之難；散之易，散之而不居難。……故曰：既濟既散而不居者，存乎道。

仍以「散」訓「渙」字。故又曰：「六三之『散其躬』，散一己之難也；六三，居險之外者也。六四之『渙其羣』，散天下之難者也；六四，近君之大臣也。」[66]

以上諸說，各能言之成理。總之，說此卦之所謂渙，有「聚渙」、「濟渙（『險』）」二義，大抵近是。但是據《呂氏春秋》，「渙其羣」意指「其佐多賢」。君主左右，賢人聚集者多，稱為「渙其羣」，則「渙」字便應當訓為「合」了。這又當如何詮釋呢？近世桐城古文名家馬通伯（其昶）作《周易費氏傳》，詮解此卦「六四」一爻，分別「釋辭」與「釋

---

65 陳夢雷：《周易淺述》，卷 6，收入文淵閣《四庫全書》（上海：上海古籍出版社，1983 年），第 43 冊，頁 891、897。

66 楊萬里：《誠齋易傳》（《叢書集成初編》據《經苑》本排印），第 3 冊，卷 15，頁 219-221。

義」，以「流散」釋「渙」字，而以「渙中求聚」釋爻辭之
義，云：

> 《說文》：「渙，流散也。」水之流散，遇丘則止。五
> 互艮山而在水上，渙有丘象。當渙時，天下皆思得一尊
> 以統御之，如得山而障水。《國風・下泉》，思治也。
> 序《詩》者云：「下民不得其所，憂而思明王賢伯
> 也。」此非等夷者之所思。蓋勢均則不相下，力敵則必
> 求逞。戰國房喜謂韓王曰：「大國惡有天子，而小國利
> 之。」惡有天子，此天下之所以渙也。六四得位承五，
> 今欲渙中求聚，必下求賢才，上奉明君，渙其羣，則賢
> 才出矣。《呂覽》說此爻云「渙者，賢也」，釋義不釋
> 辭，言四乃賢者，能渙其羣，故其佐多賢也。佐賢，謂
> 六四變為九二。[67]

其大意是：人民渙散之時，若有人能下聚賢才，上奉明君，定
天下於一尊（亦即東坡所謂「小者合于大，大者合于一」），
便是「元吉」之象。如此解釋，在「義」的方面，確能犁然有
當於人心，但是「義」與「辭」各據一端，仍未能通貫。渙既
作「流散」解，而流散之「下民」，亟需聚而為一，則「渙其
羣」又如何能算作「元吉」呢？

總之，若不以散其朋黨來解釋「渙其羣」，這一爻辭終究
難以在全卦的脈絡中說明白。朱子在其《周易本義》中，即以

---

[67] 轉引自馬振彪著，張善文整理：《周易學說》（廣州：花城出版社，2002
年），卷6，頁575。

「下無應與,為能散其朋黨之象」來說此爻辭。[68]現代易學專家潘雨廷詮釋此爻說:

> 六四,三渙躬而四渙羣,渙羣者,散其朋黨也。否坤為羣,二四揮生渙為渙其羣,所以反否為泰,渙羣者四承五,陰從陽,而得坤元之正,故為元吉,光大也。丘者聚,渙有丘者,四當艮山之中為丘,散其當散,不當散者自然相聚,此匪夷所思也。[69]

渙羣意謂「散其朋黨」,散其當散,不當散者自然聚合。如此詮釋,較之前述各解,似覺最能通貫,最為允當。

然而竹汀、天牧諸人雅不願以「散其朋黨」來說「渙其羣,元吉」,根本原因就在於他們所堅持的寬容平恕思想。天牧只說盛世無朋黨,也就無所謂散不散,其最終祈嚮還是在蘇老泉所謂「混一天下」。但是在老蘇看來,私羣或朋黨不「渙」,聖人無由以混一天下。竹汀對此,則直截了當地說,為君者必須「休休有容」,「處渙散之世」(按:此處仍以「散」訓渙),當「以收拾人心為本」,若是「先散其羣」,必然會重蹈商紂王的覆轍,使「億兆夷人,離心離德」。《潛研堂文集》卷五〈答問二〉論《尚書·召誥》「王之讎民」,以為「讎民」決不是指殷商「頑民」,曰:

---

68 《周易本義》,收入《周易二種》(臺北:大安出版社,1999 年),頁 216。

69 潘雨廷:《周易表解》(上海:上海社會科學院出版社,2004 年),頁 189。

聖人以天下為一家，豈有彼此之別？周之伐殷，誅無道，非讎其君也；殷命既黜而讎其民，何以服天下？自古豈有勸工以讎民而能享國長久者乎？孔《傳》訓讎為匹，善矣，而說亦不了。予謂匹民猶言匹夫匹婦，召公所言「讎民」，即〈堯典〉之「黎民」也；「百君子」，即〈堯典〉之「百姓」也；「友民」者，友邦之民，即〈堯典〉之「萬邦」也。「頑民」之文，僅一見於〈書序〉，然〈多士〉、〈多方〉篇中，初未目殷士為頑民。迨康王作〈畢命〉之時已歷三紀，而篇中卻有「毖殷頑民」之語，吾是以知〈畢命〉之偽矣。[70]

按：〈召誥〉原文曰：「予小臣敢以王之讎民百君子越友民，保受王威命明德。」鄭康成注曰：「讎民與友民，對文。讎民百君子，殷之臣庶，〈梓材〉謂之迷民，〈多方・序〉謂之頑民。越，與也。友民，順從于周之民。」曾星笠、周秉鈞皆取康成此說，[71]高本漢的解釋亦與此相同。[72]相較之下，竹汀的詮釋，顯然違背了他本人〈臧玉琳經義雜識序〉所謂「訓詁必依漢儒」，而是「詁訓之外別有義理」了。

從上述諸例可見，竹汀、天牧等樸學之儒，所最為反感的，就是清廷箝制士人的家法。正如錢賓四先生所說，「清儒學風，其內裡精神，正在只誦先聖遺言，不管時王制度」，

---

[70] 《潛研堂集》，卷5，頁68。

[71] 《尚書正讀》，卷5，頁199；《尚書易解》，卷4，頁207-208。

[72] 《高本漢書經註釋》，下冊，頁751-752。

「故戴東原錢竹汀，雖若消極逃避人事，其真源則確近晚明諸儒，還是認真人事，還有一種倔強反抗的意味」。[73]

《潛研堂文集》卷十七另有〈正俗〉一篇，以為自明以來，儒、釋、道三教之外，「又多一教曰小說」，士大夫農工商賈乃至兒童婦女不識字者，一概為其風靡，故「其教較之儒、釋、道而更廣」，「釋、道猶勸人以善，小說專導人以惡」；因此，「有覺世牖民之責者，亟宜焚而棄之，勿使流播」。[74]顯然仍要求整個社會道一風同。稍後的焦理堂，便大聲疾呼不可闢異端，不可執一了。

四、「異端」與「執一」

《論語・為政》「攻乎異端，斯害也已矣」一節，向來多有聚訟。何晏注云：「攻，治也。善道有統，故殊途而同歸。異端不同歸也。」皇侃疏曰：

> 此章禁人雜學諸子百家之書也。攻，治也。古人謂學為治，故書史載人專經學問者，皆云「治其書」，「治其經」也。異端謂雜書也。言人若不學六籍正典而雜學於諸子百家，此則為害之深，故云「攻乎異端，斯害也已矣」。「斯害也已矣」者，為害之深也。

又曰：

---

[73] 《中國學術思想史論叢（八）》，頁 10。
[74] 《潛研堂集》，卷 17，頁 282。

> 云「善道有統故殊途而同歸」者：善道即五經正典也，
> 有統，統本也；謂皆以善道為本也。殊途謂詩書禮樂，
> 為教之途不同也。同歸謂雖所明各異，而同歸於善道
> 也。云「異端不同歸者也」者：諸子百家，竝是虛妄，
> 其理不善，無益教化，故是不同歸也。[75]

依此解釋，「異端」指諸子百家，「攻」謂治學之「治」，
「已矣」則是語助詞，用於加強語氣。

又，《公羊傳》文公十二年何休注「惟一介斷斷焉無他
技」曰：「他技，奇巧異端也。孔子曰：『攻乎異端，斯害也
已。』」[76]《禮記・大學》鄭注亦曰：「他技，異端之技
也。」[77]清儒劉念樓（寶楠）案曰：

> 〈范升傳〉：「時尚書令韓歆上疏，欲為《費氏易》、
> 《左氏春秋》立博士。升曰：『今費、左二學，無有本
> 師，而多反異。孔子曰：「攻乎異端，斯害也
> 已。」』」是以「異端」為雜書，乃漢人舊義。故鄭注
> 曰：「子夏之言小道，亦以為如今諸子書也。」[78]

近人程樹德因此說：「漢時以雜書小道為異端，前人考之詳
矣。」[79]可見漢人所謂異端，與後世的含義有所不同。

---

[75] 《論語義疏》，收入《四部要籍注疏叢刊：論語》（北京：中華書局，
1998 年影印《古經解彙函》本，卷21），上冊，頁169。

[76] 《公羊傳注疏》（《十三經注疏》本），卷14，頁4。

[77] 《禮記注疏》（《十三經注疏》本），卷60，頁11。

[78] 劉寶楠：《論語正義》（北京：中華書局，1990年），卷2，頁59。

[79] 程樹德：《論語集釋》（北京：中華書局，1990年），卷4，頁108。

宋人多以「異端」指釋、道之流。孫奕《示兒編》云：「攻如『攻人之惡』之攻。已如『末之也已』之已。已，止也。謂攻其異端，使吾道明，則異端之害人者自止。」[80]錢竹汀以孫說為「勝於古注」，並引任昉所撰〈王文憲集序〉云：「攻乎異端，歸之正義」，謂「前人已有是言矣」。[81]（足見竹汀仍持思想大一統之見。）朱子《四書集注》則仍以攻為「攻治」之義。總之，上述二說，雖同是反對異端，但是一主張不治雜書，同歸於正道；一則主張攻擊與正統宗旨有違的異說，使正道明而有害於人心者止息。

宋儒呂與叔（大臨）秉承其師張橫渠之說，[82]以攻為攻擊之「攻」，曰：「君子反經而已矣，經正斯無邪慝。今惡乎異端，而以力攻之，適足以自蔽而已。」[83]主張應專務正道，不必與所謂異端者角辯爭勝。二程門人謝上蔡（良佐）亦以為孔子不闢異端，甚至認為異端可以「姑存而無害」。[84]更是頗有寬容思想。朱子本人對此的看法，則較為複雜，說道：「聖人若說攻擊異端則有害，便也須更有說話在，不肯恁地說還休了。……不如只作攻治之『攻』，較穩。」在他看來，站穩自家腳跟，遠比攻擊異見異說為重要：「若是自家學有定止，去

---

[80] 引自《論語集釋》，頁106。

[81] 《十駕齋養新錄》，卷3，「攻乎異端」條，頁45。

[82] 朱熹《論語或問》卷二曰：「張子之言，若有是孔非孟之意，與其平日之言行，有大不相似者，蓋不可曉。然謂孔子不闢異端，則其考之不詳矣。」見《四書或問》（上海：上海古籍出版社，2001年），卷2，頁148。

[83] 《朱子語類》，第2冊，卷24，頁587。

[84] 《四書或問・論語或問》，卷2，頁148。

看他病痛，卻得。也是自家眼目高，方得。」「若是把自家底做淺底看，便沒意思了。」又說：「聖人之意，分明只是以力攻之，理會他底未得，枉費力，便將己業都荒了。」[85]因此，第一要務在「反經」。但是聖人決不「孰視異端之害，而不以一言正之」，因為「正道異端邪說，如水火之相勝，彼盛則此衰，此強則彼弱，反經固所當務，而不可以徒反，異端固不必辨，然亦有不可不辨者」。對於異端之徒，所以有時當闢，「正為其不識吾之門墙而陷於彼之邪說耳，若既識於正而從我矣，則又何闢之云乎？」可見「角其無涯之辨」，實無必要。[86]然而朱子又以為：「天下只是這一箇道理，緣人心不正，則流於邪說。習於彼，必害於此；既入於邪，必害於道。」[87]仍然認為，天下正道唯一，必須堅持。

以寬容平恕為尚的清儒，所期期以為不可者，正是此一「天下只是這一箇道理」的看法。「謹守鄭學而兼尊朱子」的定海經師黃儆居（式三）[88]論「異端」一節曰：「呂與叔解此謂異端不可攻，攻擊之而有害，說者謂其曲避時賢之佛學矣。觀朱子晚年論仁論義，欲學者分明限界，不宜儱侗言理。然則後人渾言心理，借仁義以談異端，害尤無窮也已。」[89]所強調的，正是朱子所謂「理一分殊」。朱子以為，張子「〈西銘〉大綱，是理一而分自爾殊」，同時又補充說：「然有二說：自

85　《朱子語類》，第 2 冊，卷 24，頁 586-587。

86　《四書或問‧論語或問》，卷 2，頁 148-149。

87　《朱子語類》，第 2 冊，卷 24，頁 586。

88　〈儆居學案〉上，見《清儒學案》，卷 153，頁 1。

89　引自《論語集釋》，卷 4，頁 109-110。

天地言之，其中固自有分別；自萬殊觀之，其中亦自有分別。
不可認做一理了，只滾做一看，這裏各自有等級差別。」[90]所
謂分殊之「分」，不僅是理一而為用不同，「其體已略不
同」，「如這片板，只是一箇道理。這一路子恁地去，那一路
子恁地去。如一所屋，只是一箇道理，有廳，有堂。如草木，
只是一箇道理，有桃，有李。如這衆人，只是一箇道理，有張
三，有李四；李四不可為張三，張三不可為李四。」[91]在儆居
等清儒心目中，所謂「李四不可為張三，張三不可為李四」，
正是「欲學者分明限界，不宜儱侗言理」；若是太過著重「天
下只是這一箇道理」，而不注意「分明限界」，不免會「渾言
心理，借仁義以談異端」，循致無窮之害。

近世今文經學家吳興崔觶甫（適）《論語足證記》云：

異端者，猶《書》、《禮》之「他技」，此經之「多
能」。多能乃聖人之事，常人而務多能，必至一無所
能。是故斷斷無他者，不攻異端之益也。多為少善者，
攻異端之害也。害在攻，不在異，何平叔已不得其
解，……昌黎遂以異端與佛老並言，朱《注》乃證明其
義曰：「異端非聖人之道，乃別為一端，如楊墨是
也。」案夫子之時楊墨未生，何由知之？孟子之闢楊
墨，雖廣為之目，曰邪說，曰詖行，曰淫辭，而不謂之
異端，則異端非楊墨之謂也。[92]

[90] 《朱子語類》，第7冊，卷98，頁2524。
[91] 同前注，第1冊，卷6，頁102。
[92] 引自《論語集釋》，卷4，頁104。

傲居調和漢宋，以朱子「晚年論仁論義」之說來申述自己的看法，而觶甫則直接指責朱子。然而崇尚寬容平恕，反對攻擊異端的見解，二人並無不同。觶甫對異端的看法，常來自戴東原。東原說：「端，頭也。凡事有兩頭謂之異端。言業精於勤，兼攻兩頭，則為害耳。」[93]其意是勸誡學者當專精一業，不要旁鶩。其所謂害，僅指有害於「學」。而傲居則明言，借仁義以反對異端，禍害無窮，著眼處顯然是在社會政治方面，與東原著名的「以理殺人」說途轍全同，只是語氣沒有那樣激烈而已。

明儒焦弱侯（竑）《焦氏筆乘續集》卷二〈支談上〉曰：

> 人之未知性命，強訶佛老者，以孔子有攻異端之語也。斯時佛未東來，安知同異？且令老子而異也，何孔子不自攻，而今之人乃攻孔氏之所不攻者耶？王汝止有言：「同乎百姓日用者為同德，異乎百姓日用者為異端。」學者試思：百姓日用者，誠何物耶？姑無論異端也。[94]

這段話要點有二：一是攻擊異端非孔門所尚；二是與百姓日用相違反者，方可說是異端。其基調為此心能寬容，與平民百姓同德。

焦理堂發展了明儒的這一思想，並進而提倡一種類似現代多元主義的觀點。他解釋《論語》「異端」一節說：

---

[93] 同前注。

[94] 《焦氏筆乘續集》（《叢書集成初編》據《粵雅堂叢書》本排印），第 3 冊，卷 2，頁 169。

《韓詩外傳》云:「別殊類使不相害,序異端使不相
悖。」蓋「異端」者,各為一端,彼此互異。惟執持不
能通則悖,悖則害矣。有以攻治之,即所謂序異端也。
「斯害也已」,所謂使不相悖也。「攻」之訓「治」,
見〈考工記〉「攻木之工」注。〈小雅〉「可以攻
玉」,《傳》云:「攻,錯也。」〈繫辭傳〉「愛惡相
攻」,虞翻云:「攻,摩也。」彼此切磋摩錯,使縈亂
而害於道者,悉歸於義,故為「序」。《韓詩》「序」
字足以發明「攻」字之意。已,止也。不相悖,故害止
也。楊氏為我,墨氏兼愛,端之異者也。楊氏若不執於
為我,墨子若不執於兼愛,互相切磋,自不至無父無
君。是為攻而害止也。[95]

理堂以為,「異端」不是指百家雜學,更不是指楊墨佛道之
流,而是指雙方各執一端;「攻」意謂攻治;「已」則訓為
「止」。整段話的意思是:看問題不可執著於一端,應當與對
方或反方互相切磋,於是就不會偏執,所以說「為攻而害
止」。他更補充說:

有兩端則異,執其兩端,用其中於民,則有以摩之而不
異。剛柔,兩端之異者也。剛柔相摩,則相觀而善。孟
子言「楊子為我,墨子兼愛」,又特舉一「子莫執
中」。然則凡執一者,皆為賊道,不必楊墨也。執一則
不能攻,賊道則害不可止。……顏子居陋巷,不改其

---

95 焦循:《論語補疏》,《皇清經解》,第 32 冊,卷 1164,頁 12362-
12363。

樂，而不同於楊子之為我者，不執一也。禹治水，勞身焦思，過門不入，而不同於墨子之兼愛者，不執一也。故曰：「禹、稷、顏回，易地則皆然。」惟易地皆然，所以異而同，亦所以同而異。攻之，則不執一而能易地皆然矣。何晏以「治」訓「攻」，引《易》而謂異端不同歸，其說似是。乃所謂同歸，為「善道有統」，則仍執一無權，非易地皆然之恉，而所謂治，亦不指相觀而善。[96]

世間萬物，決非一端可盡，以一隅之見，上說下教，強聒不舍，在理堂看來，就是「執一」，不能「剛柔相摩」，不能「相觀而善」，不能「易地皆然」。如此行事，便是「賊道」，因為道本是無所不包，無所不容，豈是區區一得所能窮盡？易言之，不可以一己之所獨得而不顧乃至否定異量之美。更可引申：殊途本不能同歸；強調「善道有統」，正是「執一無權」，違背了孔門之教。

理堂又有〈攻乎異端解〉二篇，對此作了歸納。上篇指出，漢時所謂異端，「第謂說之不同耳」。因此，「凡異己者，通稱為異端，至晉世猶然也。」凡事物皆有兩端：

有兩端則異。「執其兩端，用其中於民」，則有以摩之而不異。相觀而善之謂摩。人異於己，亦必己異於人。互有是非，則相觀而各歸於善。是以我之善觀彼，以摩彼之不善；亦以彼之善觀我，以摩我之不善也。故任昉

---

96 同前注，頁 12363。

> 撰〈王儉集序〉云：「攻乎異端，歸之正義。」義者，
> 宜也。歸之於宜，何異之有？[97]

總之，「攻異端」是大好事，唯有如此，纔能不執一。然而孟子闢楊墨，又當作何解釋？〈攻乎異端解下〉說，楊墨之害，實不在「為我」與「兼愛」本身，而在執著於「為我」、「兼愛」而不知通於他端。楊說好比「冬夏皆葛」，墨說則好比「冬夏皆裘」。冬裘夏葛，當其時皆有大用，不當其時皆為大害，所以說「凡執一者，皆賊道也」。「聖人一貫之道」，則是將冬裘夏葛之類「皆藏之於篋，各依時而用之」。若使「楊思兼愛之說不可廢，墨思為我之說不可廢，則恕矣，則不執一矣」。在理堂看來，聖人之道，最要者在一「恕」字。做到了「恕」，便能「善與人同，同則不異矣」。因此，

> 孟子之距楊也，距其執於為我也；其距墨也，距其執於
> 兼愛也。距其執，欲其不執也。執則為楊墨，不執則為
> 禹、稷、顏、曾。孟子學禹、稷、顏、曾者也，則亦以
> 楊、墨、子莫之道，攻而摩之，以合於權而已矣。
> 《記》曰：「夫言豈一端而已，夫各有所當也。」太史
> 公曰：「人道經緯萬端，規矩無所不備。」[98]

依此見解，闢異端本身就是執一。而孔子授曾子者，乃是「一貫」，而非「執一」。一貫與執一之辨，在於能否把握恕道。所謂「一以貫之」，乃是「以一心而容萬善」；聖人之所以為

---

97 焦循：《雕菰集》（《叢書集成初編》據《文選樓叢書》本排印），第 3
冊，卷 9，頁 135。
98 同前注，頁 136-137。

「大」，端在於此。「人惟自據其所學，不復知有人之善，故不獨邇言之不察，雖明知其善而必相持而不相下」；於是「九流二氏之說，漢魏南北經師門戶之爭，宋元明朱、陸、陽明之學，近時考據家漢學、宋學之辨」，紛紛擾擾，入主出奴，起始皆在「不恕」。不恕便「不能克己舍己，善與人同」，終至「自小其道」。孟子說：「物之不齊，物之情也。」既然萬物本是不齊，「則不得執己之性情例諸天下人之性情，即不得執己之所習所學例諸天下人之所習所學」。而《莊子》書中所謂「通于一而萬事畢」，正是「執一之謂」，「非一以貫之也」。理堂更申述說：

> 人執其所學而強己以從之。己不欲，則己執其所學而強人以從之，人豈欲哉？知己有所欲，人亦各有所欲；己有所能，人亦各有所能。盡天下之性，則範圍天地，曲成萬物。聖人因材而教育之，因能而器使之，而天下之人各得聖人之一體，共包函於化育之中，致中和，天地位焉，萬物育焉。此一貫之極功也。

因此，一貫之道，決不是「老氏抱一之道」。只講「同歸」，不論「殊途」，以為「通于一」之後，萬事皆「畢」。是為「抱一」。「善與人同，由一己之性情，推極萬物之性情，而各極其用」此則為「一貫之道」。[99]

---

[99] 見焦循：〈釋一貫忠恕〉，《論語通釋》（《木犀軒叢書》本），頁 2-4。

《易》〈同人〉卦之〈象辭〉云:「天與火,同人,君子以類族辨物。」其〈彖辭〉云:「文明以健,中正而應,君子正也。唯君子為能通天下之志。」理堂以此作譬,曰:

> 君子和而不同,何也?人各一性,不可彊人以同於己,不可彊己以同於人。有所同,必有所不同;此同也,而實異也。故君子不同也。「天與火,同人」;「君子以通天下之志」;「君子以類族辨物」。曰「辨物」,則非一物;曰「通天下之志」,則不一志。不一物,不一志,而通之,而辨之;如是而為「同人」,斯君子所以不同也。惟不同,而後能善與人同。[100]

惠定宇(棟)《周易述・易微言上》釋「一貫」條云:「忠即一也。恕以行之,即一以貫之也。韋昭注〈周語〉『帥意能忠』曰:『循己之意,恕而行之為忠。』」又,釋「一貫之道」云:「忠,一也。以忠行恕,即一以貫之也。以忠行恕,即〈中庸〉、〈大學〉所陳是也。」[101]亦略同理堂所說。然而理堂更為詳盡與徹底,完全否定了歷來「道一風同」之見,認為既然人各一性,此物此志,必是人人不同,豈可強求一律?所謂和而不同,就是不強人就己,亦不強己從人(此即定宇所謂「循己之意,恕而行之」)。人人保持自己的立場,同時又不攻擊他人;須知一己之見本有局限,而異量亦自有其美;此即所謂善與人同。

「聖之為言，通也；通之為言，貫也」。能做到此一通貫而絕不執一者，理堂以為，便能「通天下之志，類萬物之情，窮理盡性以至於命」，此即「善與人同」，亦即所謂聖。「善與人同」者，「知之為知之，不知為不知」，「有能容天下之量」。所以聖人必「執其兩端」。反之而「執其一端」者，那就是「異端」了。[102]（按：理堂《論語通釋》對「異端」仍取貶義，而在《論語補疏》中，則全用褒義。然而不論對「異端」一語的解釋如何，所表達的見解則並無二致，即聖人道大能容，絕不執著於一偏之見而全盤否定異說。用現在流行語來說，即是對他人之說須有「瞭解的同情」。）反對思想統制，主張見解的多元化，意旨顯然。錢賓四所謂，乾嘉諸儒「求平恕，求解放」者，即此而可證。

五、餘論

明清之際，儒者痛感心性之學空疏，以為成德無補於救世，於是轉重所謂實學，由陽明重返朱子，亦即由個人道德修養轉而為注重社會政治，乃有所謂明季三大儒者出。亭林主張以經學代理學，云「古之所謂理學，經學也」，[103]反對空講義理，轉向經史研究。沿流而下，到了乾嘉時期，便有所謂漢學、樸學或考證學者興起。在他們看來，宋儒高談性理，明儒玩弄良知光景，都是束書不觀，游談無根，無當於古先聖人的

---

102 〈釋聖〉，《論語通釋》，頁 11-13：〈釋異端〉，頁 5-6。

103 顧炎武：〈與施愚山書〉，《亭林文集》（《四部叢刊初編·集部》，影印《亭林遺書》本），卷 2，頁 18。

義理。但是在孜孜於訓詁考證的背後，清儒往往有自己的哲學立場，在經解中不免時有流露。而此種立場，反而是遠於凡事以最高天理為標準、必求其精微徹底的宋儒，而近於主張「親民」的明儒。陽明弟子錢緒山（德洪）論學語有云：「凡為愚夫愚婦立法者，皆聖人之言也。為聖人說道，妙發性真者，非聖人之言也。」[104]清儒的寬容平恕思想，大可視爲這段話的闡發。

泰州學派的明儒祝無功（世祿）《祝子小言》云：

> 人知縱欲之過，不知執理之過。執理是是非種子，是非是利害種子。理本虛圓，執之太堅，翻成理障。不縱欲，亦不執理，恢恢乎虛己以游世，世孰能戕之？[105]

前述焦理堂論「異端」，所針對的就是「執理之過」，所反覆取譬說明的不外是「理本虛圓，執之太堅，翻成理障」。

同屬泰州一派的楊復所（起元）有〈證學論〉，其論「恕」云：

> 恕者，如心之謂，人己之心一如也。若論善，則天下人皆有；若論不善，天下人既不無，我何得獨無？此謂人己之心一如。人惟見得在己者，有善無惡，便與那百姓不成一體，便是將身露在恕之外。君子見得在己者，未嘗有善無惡，便與那百姓渾為一體，便是將身藏在恕之內。……天下之事，皆起於自有善而自無惡。吾既有

---

104 見黃宗羲：《明儒學案・浙中王門學案一》（北京：中華書局，1985年），卷12，頁237。

105 〈泰州學案四〉，同前注，卷35，頁851。

善，天下之人亦各有其善；吾既無惡，天下之人亦各自無其惡。此天下之所以多事也。[106]

這一段話，與理堂所謂「一貫」與「執一」之分在有無恕道，論旨全同。

又呂新吾（坤）《呻吟語》云：

清議酷於律令，清議之人酷於治獄之吏。律令所冤，賴清議以明之，雖死猶生也；清議所冤，萬古無反案矣。是以君子不輕議人，懼冤之也。惟此事得罪於天甚重，報必及之。[107]

這番議論，與戴東原「以理殺人」之說，如出一轍，只是語氣不如東原激烈，而意味似更覺深長。

明末張宗子論〈中庸〉「不遠章」曰：「『道不遠人』，謂不遠於人人之人，非一人之人。辟如眾人眠食，而一人獨否，則一人病，醫者治之，使還於眾人之眠食而止矣，更何求他乎？」又引陶石梁（望齡）曰：

「道不遠人」章，語最切近。「道不遠人」，不遠於人之情也。是故不近人情之事，皆不可為道。以人所不及望人，以己所不願加人，以己所不能求人，皆所謂不近人情之事也。只就人己對立時，一加體勘，便六通四闢矣。[108]

---

[106] 〈泰州學案三〉，同前注，卷34，頁812。

[107] 〈內篇·樂集·修身〉，《呻吟語、菜根譚》合刊本（上海：上海古籍出版社，2000年），卷2，頁108。

[108] 張岱：《四書遇》（杭州：浙江古籍出版社，1985年），頁36-37。

道不遠人；凡不近人情者，皆非道。此為陽明學說風靡下多數明儒的共識。宗子、石梁二人的議論可為代表。

理堂〈格物解二〉強調，以道德高標準要求於他人，就是不近人情，絕不可稱為仁，曰：

> 飲食男女，人之大欲存焉。……孟子稱公劉好貨，太王好色，與百姓同之，使有積倉而無怨曠。此伏羲、神農、黃帝、堯、舜以來修己安天下之大道。若必屏妃妾，減服食，而於百姓之飢寒仳離，漠不關心，是克伐怨欲不行、苦心潔身之士，孔子所謂難而非仁者也。絕己之欲，不能通天下之志，物不可格矣。[109]

其《論語通釋·釋仁》申述說：

> 因己之克，知人之克；因己之伐，知人之伐；因己之怨與欲，知人之怨與欲。克伐怨欲，情之私也。因己之情而知人之情，因而通天下之情。不忍人之心由是而達，不忍人之政由是而立；所謂仁也。知克伐怨欲之私，制之而不行，無論其不可強制，即強制之，亦苦心潔身之士，有其一不可有其二。以己之制而不行例諸人，其措之天下，必不近人情，必不可以平治天下。故孔子曰：「可以為難矣。」「難」之云者，言不可通諸天下也。[110]

109　《雕菰集》，第 3 冊，卷 9，頁 131-132。
110　〈釋仁〉，《論語通釋》，頁 9。

前述竹汀諸人，堅持《尚書‧洪範》「睿」當作「容」，《周易‧渙卦》「渙其羣」之「渙」不當作「渙散」解，都是這一思想脈絡下的產物；戴東原對「以理殺人」的抨擊，亦是其題中應有之義。

明儒呂新吾云：「天地閒惟理與勢最尊，理又尊之尊者也。廟堂之上言理，則天子不得以勢相奪，即相奪而理則常申於天下萬世。」新吾此說，其實是將理壓在君之上，旨在限制君權。理堂卻指責說：「此真邪說也。」其考慮在於：以道德高標準加於天下，乃不近人情，不能通天下人之情。所表達的是以寬容平恕為尚的政治思想。除此之外，理堂之反對高懸一理，為天下獨尊之物，另有認識論上的原因。其理據是「天下之性情名物，不可以一端盡之，不可以一己盡之」。[111]其〈一以貫之解〉一文，有更為深入的論說：

> 孔子又謂子貢曰：「女以予為多學而識之者與？」曰：「然。非與？」曰：「非也。吾一以貫之。」聖人惡夫不知而作者，曰：「多聞，擇其善者而從之。多見而識之，知之次也。」次者，次乎一以貫之者也。多學而後多聞多見。多聞多見，則不至守一先生之言，執一而不博。然「多」仍在己，未嘗通於人。未通於人，僅為知之次，而不可為大知。必如舜之舍己從人，而知乃大。不多學則蔽於一曲，雖兼陳萬物而縣衡無其具。乃博學則不能皆精；吾學焉，而人精焉，舍己以從人，於是集

---

111 〈釋禮〉，同前注，頁 25-26。

> 千萬人之知，以成吾一人之知。此一以貫之，所以視多
> 學而識者為大也。[112]

其論辯邏輯是：天下之物，萬有不齊，人所能學而知者，不出
一己經驗的範圍。然而一己的經驗相對於萬物而言，只能是一
曲，究屬有限，對於他人的經驗，更是無法完全體知。因此就
人知識的層次而言，最低的是蔽於一曲，守一先生之言，以為
天下之美盡在於己，放諸四海而皆準。此即「執一而不博」。
其次是多學而後多聞多見。知天下之大，非一端所能盡，天下
之美，非一曲所能窮，所以必須多多求知。然而如此的
「多」，仍在一己的經驗知識之內，未嘗旁通於一己之外的他
人之知，所以只可算是「知之次」。須知世界之大，萬物之
眾，不能一一遍學，即使孜孜博求，亦不可能件件皆精，因此
必須知之為知之，不知為不知，「舍己以從人」，「集千萬人
之知，以成吾一人之知」。於是乃成其「大知」。如此見解，
顯然是出於經驗主義的哲學立場。

美國學者雷思徹（Nicolas Rescher）著《多元主義》一
書，以為經驗主義乃多元主義的認識論基礎，說道：「著眼於
人類經驗的多樣性，經驗主義便導致多元主義。不同情況下的
理性推究，對於各種事物的性質，注定會達致相異的結論。凡
人類社團，只要在極小規模以上，其正常狀態就是彼此看法相

---

[112] 《雕菰集》，第3冊，卷9，頁134。

左,而不是全體一致。」[113]焦理堂論「異端」與「執一」,正是出於同樣的認識論考慮。

明末遺老田間錢澄之,著《莊子內七詁》,詁〈應帝王篇〉「肩吾見狂接輿」一節曰:「以己出經義式度而治人,是非自然之德,只以愚民而已,是為欺德。」又曰:

> 聖人之治天下,使天下自治而已。……夫人各有其能,各能其事,聖人之治,使人確乎自能其事而已;若正而後行,是必教之使能,可勝教乎?彼之能事,聖人有所不知,彼自知之;聖人所不及信,彼自信之。利害之端,其見甚決;經權之變,其事適宜。確乎行之,無所疑阻,聖人任之而已。

田間意謂,普通人所知,聖人未必能知,若以一己之所知所尚作為標準去「治人」,必與實際有違,必至擾亂天下。此一見解,著眼在「治」天下,以放任自然為尚,而其背後的認識論考慮,則與理堂所說相似。田間又引明儒王龍谿釋《莊子·大宗師》「以其知之所知,以養其知之所不知」云:「見在可知者,行著習察,還其知之,不可模糊;其不可知者,滌玄去智,還其不知,不可兜攬。」[114]此數語,有甚深理趣。由此引申:若是誇大某一理論的效力或是所謂人的理性能力,對於不可知者,不是「還其不知」,而是悉數兜攬,那就是犯了哈耶

---

[113] Nicolas Rescher, *Pluralism: Against the Demand for Consensus* (Oxford: Clarendon Press, 1993), p.77.

[114] 錢澄之:《莊屈合詁》(合肥:黃山書社,1998 年),卷 3,頁 93、125。

克所謂「致命自負」的「建構論理性主義」錯誤。[115]以此用於政治，便是田間所謂「以己出經義式度而治人，是非自然之德，只以愚民而已，是為欺德」。至於得自親身體驗而歷歷不爽（「行著習察」）的「見在可知者」，則應當「還其知之」，亦即理堂所謂「不可彊己以同於人」。

凡此議論，皆可與理堂之說相互參證。而理堂之有進於明儒者，則在其認識論更為深細，更為強調「多」，強調「有所同，必有所不同」。《周易・繫辭傳》云：「子曰：『天下何思何慮？天下同歸而殊塗，一致而百慮。何思何慮？』」韓康伯注曰：「塗雖殊，其歸則同；慮雖百，其致不二。苟識其要，不在博求，一以貫之，不慮而盡矣。」理堂則堅稱，此乃「執一」而非「一貫」，曲解了孔子的原意；所謂一貫，不是以一統萬，而是通於他人之見，不固執於一偏。[116]言外之意是：天下本是殊塗，本是百慮，不能，也不可使之同歸而一致。現代多元主義者認為，殊異的社會、時代及歷史脈絡，產生了不同的經驗模式，從而導致對世界的不同認知。即便是現代一元主義者視為至高無上的「科學」，亦非不論時地，絕對不二。外太空人的科學，很可能和我們的大有差異。以為科學不同於其他種種的理，乃是一元而非多元，遍宇宙而皆準，是為「上帝法眼」（God's eye-view）之神話。[117]理堂的看法，與這現代多元主義，可說是如出一轍。而且理堂決不是相對主義

---

[115] F. A. Hayek, *The Fatal Conceit. The Errors of Socialism* (Chicago: University of Chicago Press, 1988), pp.21-23, 60-62.

[116] 〈一以貫之解〉，《雕菰集》，第 3 冊，卷 9，頁 133-134。

[117] Rescher, op.cit., pp.67-70.

者，他摒棄「同」而主張「通」，說道：「貫者，通也，所謂通神明之德，類萬物之情也。」[118]與維柯（Giambattista Vico）及伯林（Isaiah Berlin）所堅信的凡人類所造之物，不出人謀人能的範圍之外，人類都能理解的看法，[119]亦無二致，並不墮入相對主義。理堂關於一貫的見解，可名為儒家多元主義，[120]乃清儒寬容平恕思想發展的極致。茲特爲拈出，以就教於世之治思想史者。

---

[118] 〈一以貫之解〉，《雕菰集》，第 3 冊，卷 9，頁 133。按：「所謂」，《叢書集成初編》本作「所爲」，顯爲誤排，茲改正。

[119] Isaiah Berlin, "Giambattista Vico and Cultural History" 及 "The Pursuit of the Ideal"，分別載 *The Crooked Timber of Humanity: Chapters in the History of Ideas* (New York: Vintage Books, 1992), pp.59-60, pp.9-10。

[120] 請參看拙作：〈焦循「一貫忠恕」說與儒家多元主義〉，《中華文史論叢》第 75 輯（上海：上海古籍出版社，2004 年），頁 26-61。

攻乎異端
——劉寶楠父子對朱熹的愛恨情結

勞悅強[*]

　　劉寶楠（1791-1855）生於清代乾隆末年，生平跨越嘉慶和道光兩朝，卒於同治初年。從學術史的發展而言，乾、嘉乃所謂清代考據學的盛期。由於考據學的治學宗旨在於尊崇漢儒義訓，所以又稱漢學；漢學反對臆說，所以又稱樸學，[1]取其樸實，忠於經文之意。如此宗旨鮮明的漢學由吳中（蘇州）惠

* 美國密西根大學博士，曾在北美多所大學教授中國文史哲諸課，現任職於新加坡國立大學中文系。學術著作分別刊登於歐美以及新、馬、中、港、臺各地。中文著作包括〈劉寶楠《論語正義》中所見的宋學〉、〈川流不舍與川流不息——從孔子之嘆到朱熹的詮釋〉、〈從觀察論孔子思想的經驗基礎、方法與性格〉、〈《孝經》中似有還無的女性——兼論唐以前孝女罕見的現象〉、〈從《論語》〈唯女子與小人爲難養章〉論朱熹的詮釋學〉、〈「朋」字的一個思想史考察——以《論語》註釋爲例〉、〈從《菜根譚》看末世的心靈內轉〉、〈從《維摩詰經注》看中古佛教講經〉、〈唐代傳奇的佛教影子——從敘事結構說起〉以及〈從紀事本末體論章回小說的敘事結構〉。

1 按：「樸學」一詞本出自漢人，《漢書·儒林傳·歐陽生傳》曰：「〔兒〕寬有俊材。初見武帝，語經學。上曰：『吾始以《尚書》爲樸學，弗好，及聞寬說可觀，乃從寬問一篇。』」〔漢〕班固：《漢書》（北京：中華書局，2002 年），第 11 冊，卷 88，頁 3603。「樸學」與「說」對言，前者針對《尚書》本文，後者乃講經者對經文的解說和發揮。

氏發端,而以惠棟（1697-1758）為承上啓下的關鍵人物。[2]劉寶楠雖然晚生,但他的家鄉江蘇寶應乃漢學興盛之地;[3]他的父親劉履恂（1738-1795）本人服膺漢學,有《秋槎雜記》一卷,汪廷珍（江蘇山陰人,1757-1825）許為「樸學家」,又稱其書中「說經史各條皆參互群言,博稽獨斷,以求一是,契勘雅故,獻酬群心」。[4]劉寶楠自五歲喪父後追隨從父丹徒劉台拱（1751-1805）研治漢學,深受影響。江藩稱讚劉台拱「學問淹博,尤邃於經,解經專主訓詁,一本漢學,不雜以宋儒之說」。[5]由此可見,劉寶楠的學術基礎和治學風格無疑是由乾嘉考據學孕育而成的。戴望（1837-1873）在〈故三河縣知縣劉

---

[2] 張素卿:〈「經之義存乎訓」的解釋觀念——惠棟經學管窺〉,見林慶彰、張壽安主編:《乾嘉學者的義理學》（臺北:中央研究院中國文哲研究所,2003 年）,上冊,頁 281-318。按:余蕭客（1732-1778）亦乾隆時期的漢學家,早年曾治《爾雅》,「採《注疏》及《太平御覽》諸書中犍為舍人、孫炎、李巡舊注而為之釋,書未成,先成《注雅別鈔》八卷,專攻陸佃《新義》、《埤雅》及羅願《爾雅翼》之誤,兼及蔡卞《毛詩名物解》。沈宗伯德潛見其書,折節下交。年二十二,以《注雅別鈔》就正於松崖（惠棟）先生。先生曰:『陸佃、蔡卞乃安石新學,人人知其非,不足辨。羅願非有宋大儒,亦不必辨。子讀書撰著,當務其大者遠者。』先生聞之瞿然,遂執贄受業,稱弟子焉。」見〔清〕江子屏（藩）:《漢學師承記》（臺北:西南書局,1973 年）,卷 2,頁 20。顯然,蕭客好治訓故而未斥宋人學問,而松崖初見余氏書即詆毀宋人學問,意態截然不同。更重要的是,他的批評依歸不在實據而在於門戶,凡宋人所學似乎皆不可取。蕭客瞿然信服,執贄受業,其治學之轉向適足透露獨尊漢學乃由惠棟發端。

[3] 寶應在清代屬淮安府,甘泉則屬揚州府,寶應在甘泉正北,兩地有一條運河相連,相隔大約只有一百公里。高郵也同樣瀕臨運河,處於寶應與甘泉的中間。丹徒屬鎮江府,在寶應南,兩地相隔大約一百二十公里。丹徒在甘泉南,相去約二十五公里。

[4] 見汪氏:《秋槎雜記·序》,今收入《四庫未收書輯刊》第 4 輯（北京:北京出版社,2000 年）,第 9 冊,頁 523。序文成於道光十二年壬午（1822）。

[5] 見江子屏著:《漢學師承記》,頁 14。

君事狀〉中交代劉寶楠早年教育時特別聲明劉台拱「治漢儒經學，精深有條理」，目的正在於此。此外，根據《清史稿》本傳，劉寶楠著有《釋穀》四卷，於豆、麥、麻三種多補正程氏（瑤田）《九穀考》之說；《漢石例》六卷，於碑誌體例考證詳博；以及《寶應圖經》六卷、《勝朝殉揚錄》三卷、《文安堤工錄》六卷。可見劉氏的著述全都在經世實用之學和專家之學，而未嘗注意虛玄義理之說。

　　劉寶楠的傳世名著為《論語正義》，此書實際上是他和兒子恭冕兩代學業的成績，[6]成於同治初年（1862 左右）。戴望認為劉氏《論語正義》「蒐輯漢儒舊說，益以宋人之長義，及近世諸家，仿焦循（1763-1820）《孟子正義》例，先為長編，此乃薈萃而折衷之」。[7]《清史稿》劉寶楠本傳繼承戴望的說法，人云亦云，似乎並未深考。事實上，戴望這一番論斷並不完全可靠。首先，雖然《正義》在體例上也許直接效法焦循的《孟子正義》，但在方法上其實自有其家學淵源，也就是劉履恂的「參互群言，博稽獨斷，以求一是，契勘雅故，獻酬群心」的治學路徑。其次，所謂治經先作長編的做法，其實並非始於焦循的《孟子正義》。朱熹於宋孝宗乾道八年壬辰（1172）曾輯錄二程、張載及范祖禹等十二家之說，薈萃條疏，名之曰《論

6　參看陳鴻森：〈劉氏論語正義成書考〉，見《中央研究院歷史語言研究所集刊》第 65 本，第 3 分，1994 年 9 月。

7　〔清〕趙爾巽等撰：《清史稿‧劉寶楠傳》（北京：中華書局，1977 年），第 43 冊，卷 482，頁 13290-13291。劉傳又附錄於〔清〕劉寶楠著，高流水校點：《論語正義》（北京：中華書局，1998 年），第 2 冊，頁 799-800。

孟精義》，[8]這是他後來撰作《四書章句集注》的重要基礎。《論孟精義》不啻就是一個準備性質的長編。除方法的意義外，朱熹對待長編的態度也可以看出他的學術研究精神。《朱子語類》載朱熹讀書謂「一日祇看一二章，將注家說看合與不合」。[9]可見朱熹讀書猶如做研究，態度謹慎持平，主張合看眾說，不妄下定論。他又說：「凡看文字，諸家說異同處最可觀。」[10]劉寶楠對於《論孟精義》相信還不至於一無所知，不過，在今天可以考徵的文獻中卻沒有劉氏父子談論《論孟精義》的記錄。

劉氏父子是否存心掠美，今日難以稽考，但可能性不大。可以肯定的是，單從《論語集注》和《論語正義》的體例上考慮，所謂漢學與宋學的畛域其實並非截然不同的。兩書的撰寫都從長編開始就是一個很好的證明。至於疏釋經文，發明大義，漢學、宋學可謂各擅勝場，訓詁義理，殊類異端，但如果能夠切磋攻錯，未嘗不可以悉歸於義，合其雙美。可惜由於乾、嘉期間考據家往往墨守門戶之見，嚴別漢學、宋學之分，[11]因此，戴望謂《論語正義》「蒐輯漢儒舊

8　〔宋〕朱熹：《論孟精義》，收入朱傑人等主編：《朱子全書》（上海：上海古籍出版社；合肥：安徽教育出版社，2002年），第7冊，頁11-850。

9　〔宋〕黎靖德編，王星賢點校：《朱子語類》（北京：中華書局，1999年），第7冊，卷104，頁2611。按：朱子的這種讀書態度跟他的老師李侗有一定的關係。根據朱熹的說法，李侗曾經說過：「今日習《春秋》者，皆令習一傳，並習誰解，只得依其說，不得臆說。」見同書，第7冊，卷109，頁2699。

10　同前注，頁2615。

11　比如，江子屏（1761-1831）《漢學師承記》卷七〈劉台拱〉謂「學問淹博，尤邃於經，解經專主訓詁，一本漢學，不雜以宋儒之說。著有《論語

說，益以宋人之長義」，無疑就是一種含有特別意義的褒語。然而，戴望原話籠統，何謂「宋人長義」，意涵不清，於是極容易引起誤會。戴望以後的論者往往不察，空信耳食之言，以為劉寶楠真能兼綜漢學的訓詁考據和宋學的義理抉微。《清史稿》劉寶楠本傳的作者就是一例。

事實上，戴望所謂之「長義」，別有所指。《論語正義》固然成功地「蒐輯漢儒舊說」，但如果所謂「長義」指的是宋儒的義理成就，則《正義》並未能夠真正「益以宋人之長義」。劉氏父子搜集宋儒有關著作，所錄極其有限，而大多屬於字書、類書之類，實在欠缺代表性。此外，宋儒眾說中，劉氏父子採擇最多的算是朱熹。史載「〔清〕聖祖以朱子之學倡天下」；[12]康熙九年（1670）始封宋儒程顥、程頤後裔五經博士，[13]至五十一年（1712）又詔授朱子配享孔廟，位列十哲之次。[14]程、朱理學既受官方尊崇，而又是漢學家所認識的宋學代表，然而，《論語正義》中未嘗引用二程任何說法，而至於朱子，劉氏父子所引用者乃其釋詞講事，校勘異字的見解，此足以證明他們眼中朱熹的可取之處絕非在於他的義理闡釋。如果

駢枝》一卷。」見江子屏著：《漢學師承記》，卷7，頁14-15。所謂「不雜以宋儒之說」，其實指的正是宋儒義理之說，與其訓詁之學無涉。又王闓運（道光十二年生，1832-1916）著《論語訓》，漢魏六朝注家之說備列無遺，獨於朱熹《論語集注》一字不及，漢、宋門戶之見森嚴，不可跨越。王氏與劉恭冕同時，由是觀之，戴望推舉《論語正義》能採摘「宋人之長義」，洵為褒語。

12 趙爾巽等撰：《清史稿》，第34冊，卷290〈後論〉，頁10282。

13 同前注，第2冊，卷6，頁179。

14 同前注，卷8，頁281。

釋詞講事，校勘異字尚可屬於訓詁之事，則對劉氏父子而言，朱熹的學術價值乃在其「漢學」成績。[15]如此說來，戴望所謂「益以宋人之長義」，意義本來模糊，甚至可謂不盡不實。「宋人之長義」實際上指的是宋儒訓詁中可取之說，而並非他們對經書的義理發揮。

《論語正義》實際引用朱熹本人的說法只有五十次（包括《四書或問》兩次）。[16]表面看來，區區五十次的引文在這二十四卷的巨著中可謂滄海一粟，微不足道。然而，如果我們對讀朱熹的《論語集注》和劉氏的《論語正義》，仔細深入分析，我們將會發現朱熹的影子在《論語正義》中其實無處不在，朱熹對劉寶楠父子在漢學研究方面的影響不啻如影隨形，劉氏父子在自己的判斷和定案中無時無刻不針對朱熹為假想敵，亟求立異，但又常常暗中引用朱說，不予表明。這種情況除見於直稱朱熹其名的五十條簡略引文外，還遍佈於全書的每一篇，幾乎每一章節都有跡可尋，斑斑可考。劉氏父子在《論語正義》中對朱熹可謂有一種愛恨情結。本文的工作即在於鈎索《論語正義》中如何暗用朱《注》，共相頡頏的實情，進而分析朱熹對劉氏父子的影響。具體而言，我們首先梳理《論語正義》中劉氏父子在並無指名道姓的情況下採用和抨擊朱熹的文字，然

---

[15] 參看拙作：〈劉寶楠《論語正義》中所見的宋學〉，收入彭林主編：《清代經學與文化》（北京：北京大學出版社，2005 年），頁 193-212。

[16] 按：五十次引用朱熹的情況中，其中有一次也兼引楊氏的說法。見〈子張〉篇〈喪致乎哀而止〉章，劉寶楠著，高流水點校：《論語正義》，第 2 冊，頁 745。有關劉寶楠具體引用朱熹的情況，參看拙作：〈劉寶楠《論語正義》中所見的宋學〉，收入彭林主編：《清代經學與文化》，頁 205-210。

後在此基礎上分析劉氏父子到底如何認識和接受朱熹的學術意見。

漢學與宋學是儒學的兩端，宗主不同，各有偏重，但並非截然對立，不可互通。作為分析概念範疇，所謂漢學、宋學，只是一種大致的概括。作為一種概括，漢學、宋學可以幫助我們認識和了解思想史和學術史上比較廣泛的宏觀現象和問題。然而，我們應該避免從本質主義的立場，把這兩個概念範疇本體化，從而變成一種固定的實有，再以此「固定實有」來探求思想史和學術史的真相，因為這是一種先驗論，思想史和學術史上個別學者的真象在先驗論的觀照下，往往很容易會受到歪曲。個別漢學家如何對待宋學必須通過具體研究和分析，然後方可論定。劉寶楠雖然深受漢學熏陶，但他未必一定會盲目地墨守門戶之見，排斥宋學。這一點必須以事實證明，方可定案。本文的分析完全根據《論語正義》所提供的證據，指出劉氏父子與朱熹雷同和相左的地方，然後在此基礎上，加以推敲，最後嘗試概括朱熹對劉氏父子的影響。

一、採其說而沒其名

朱熹在《論語正義》的存在有隱顯兩面。明顯者指的是書中直接指名朱熹而引述的地方，而隱晦者指的則是書中並無直接指名而暗中借用或反駁朱熹的地方。有關明顯者，我以前曾經做過分析，發現《論語正義》中總共引用了五十次朱熹本人

的言論，其中肯定者四十二次，否定者八次。[17]必須指出，劉氏父子肯定朱說基本上只是借朱熹證成自己已有的說法，換言之，引用朱熹與否並不會改變《論語正義》所作的結論。故此，在四十二個例證中，其中九個更只屬於「兼採」性質，正如劉氏父子所說，「亦備一義」或者「亦通」而已。《論語正義》多處引用朱熹的言論時往往沒有註明出處，以今天的學術要求來看，這種行為屬於剽竊，我們也許不能夠這樣指責劉氏父子，不過，書中這種不標出處的借用，實在值得研究。有關劉、朱相同之處，姑舉兩例如下。

1. 〈里仁・能以禮讓為國章〉朱《注》：「讓者，禮之實也。」《正義》曰：「讓者，禮之實。」[18]

2. 〈里仁・參乎〉朱《注》：「貫，通也。」「而已矣者，竭盡而無餘辭也。」《正義》曰：「貫者，通也。」[19]（按：此乃劉氏轉述焦循說，他本人卻似乎不肯公開承認朱說可信，詳下文。）又曰：「而已矣者，無餘之辭。」[20]

上述兩例，《正義》不啻直接抄襲朱《注》，一字不改(第二例中刪去「竭盡而」三字)，但劉氏父子並未如此公開承認。

學術界一般相信漢、宋壁壘分明，勢不兩立，然而，《論語正義》和《論語集注》相似之處甚多，朱熹對劉氏父子的影

---

17 參看拙作：〈劉寶楠《論語正義》中所見的宋學〉，收入彭林主編：《清代經學與文化》，頁 205-206。

18 劉寶楠著，高流水點校：《論語正義》，第 1 冊，頁 149。

19 同前注，頁 151。

20 同前注，頁 154。

響，昭然可考。茲舉下列七例說明。

1. 〈顏淵・齊景公問政章〉，朱《注》釋「君君，臣臣，父父，子子」，謂「此人道之大經，政事之根本也。是時景公失政，而大夫陳氏厚施於國。景公又多內嬖，而不立太子。其君臣父子之間，皆失其道，故夫子告之以此」。[21]《正義》則曰：「君君，臣臣，父父，子子，言君當思所以為君，臣當思所以為臣，父當思所以為父，子當思所以為子，乃深察名號之大者。」[22]此外，《正義》引《左傳》載晏子所言，謂「正與夫子答齊侯意同」。朱《注》雖然並未引用《左傳》，但《朱子語類》清楚記錄朱子在回答弟子問及此章時同樣談到《左傳》所載晏子的說法。[23]可見朱熹對此章的基本理解於《正義》並無二致，《正義》與朱《注》同樣從考史的角度來解釋此章而且引證相同。

2. 〈顏淵・季康子問政於孔子章〉：「季康子問政於孔子。孔子對曰：『政者，正也。子帥以正，孰敢不正？』」朱《注》引范氏曰：「未有己不正而能正人者。」又附引胡氏說以作發明，曰：「魯自中葉，政由大夫，家臣傚尤，據邑背叛，不正甚矣。故孔子以是告之，欲康子以正自克，而改三家之故。惜乎康子之溺於利欲而不能也。」《正義》釋此章除引《說文》考究「帥」字的不同字義外，又釋鄭《注》「康子，魯上卿，諸臣之帥也」曰：「言此者，明帥

---

21 朱熹：《四書章句集注》（北京：中華書局，2001 年），頁 136。
22 劉寶楠著，高流水點校：《論語正義》，第 2 冊，頁 499-500。
23 黎靖德編，王星賢點校：《朱子語類》，第 3 冊，卷 42，頁 1087。

諸臣同歸於正，百姓孰敢不正也。」總而言之，劉氏父子同樣從歷史背景立論，文字固然不同，但實質並無新義。

3. 〈顏淵・季康子問政章〉：「季康子問政於孔子曰：『如殺無道，以就有道，何如？』孔子對曰：『子為政，焉用殺？子欲善，而民善矣。君子之德風，小人之德草。草上之風，必偃。』」朱《注》：「為政者，民所視效，何以殺為？欲善則民善矣。」又附引尹氏曰：「殺之為言，豈為人上之語哉？以身教者從，以言教者訟，而況於殺乎？」[24]《正義》則曰：「言子為政，當以德化民，不當先用殺也。」[25]除了另外引述古書中「為民上不貴用殺」的幾個例子外，《正義》對此章的解釋亦未見新穎發明。又此章孔《注》曰：「欲多殺以止姦。」又曰：「亦欲令康子先自正。」[26]對讀之下，可知《正義》的說法並非來自孔《注》。如果朱《注》不是劉氏父子的唯一根據，至少也應該是根據之一。由於《正義》並未引用其他可能的根據，那麼，如果我們說《正義》的說法來自朱《注》，相信亦不為過。

4. 依《集注》本，《論語・憲問》首兩章為〈憲問恥章〉和〈克伐怨欲章〉，《正義》則依從何晏《論語集解》，把這兩章合二為一。《正義》引馬融曰：「克，好勝人；伐，自伐其功；怨，忌，小怨；欲，貪欲也。」[27]朱《注》則曰：

---

[24] 朱熹：《四書章句集注》，頁138。

[25] 劉寶楠著，高流水點校：《論語正義》，第2冊，頁506-507。

[26] 同前注，頁506。

[27] 同前注，頁553。

「此亦原憲以其所能而問也。克，好勝；伐，自矜；怨，忿恨；欲，貪欲。」[28]對讀可知馬、朱所言，除了對「怨」的解釋少異，其餘完全相同。但《正義》釋馬《注》曰：「『怨』有恚怒之意，『忌』則祇心有所諱惡。」[29]《正義》區分馬《注》所講的「怨」和「忌」，而有「恚怒之意」的「怨」其實就是朱《注》的「忿恨」之意。由於《正義》並沒有提出區分的文獻根據，可知其根據正來自朱《注》。

5. 〈里仁・惟仁者能好人章〉朱《注》云：「蓋無私心，然後好惡當於理。程子所謂『得甚公正』是也。」《正義》曰：「若夫仁者，情得其正，於人之善者好之，人之不善者惡之，好惡咸當於理，惟仁者能之……。」[30]

6. 〈里仁・我未見好仁者章〉朱子曰：「蓋爲仁在己，欲之則是，而志之所至，氣必至焉。」《正義》曰：「人即體質素弱而自存其心志之所至，氣亦至焉。豈患力之不足？故曰『我欲仁，斯仁至矣』……。」[31]

7. 〈里仁・士志於道章〉朱《注》：「心欲望求道而以口體之奉不若人爲恥，其識趣之卑陋甚矣，何足以議於道哉？」《正

---

28 朱熹：《四書章句集注》，頁149。

29 劉寶楠著，高流水點校：《論語正義》，第2冊，頁554。

30 同前注，第1冊，頁141。按：《正義》在此謂「好惡咸當於理，惟仁者能之」，其中所用「理」字，看似平常，其實極爲罕見，因爲劉氏父子極力避免談心說理。然而，劉氏父子此處不期然留下說理的痕跡，可見朱熹對他們的影響之深微。詳下文。

31 同前注，頁144。

義》曰：「士既志於道而以口體之養不若人爲恥，忮害貪求之心必不能免，故言『未足與議』，以絕之也。」[32]

上述七個例子，《正義》並無聲明借取朱熹說，但雷同之處，無可否認。[33]

朱《注》對《正義》的影響又可以從劉氏父子千方百計盡力迴避朱《注》表現出來，而迴避的原因則似乎在於朱說穩當，劉氏父子覺得無懈可擊。比如，〈里仁·君子之於天下章〉朱《注》：「適，專主也。《春秋傳》曰：『吾誰適從。』是也。」《論語集注》引經據典，標示出處的地方不多，此章是一例。[34]《正義》解釋此章則按照一貫手法，詳引經傳，但卻偏偏不及朱子所引。以劉氏父子的博學贍富，這不可能是學識未到，也不可能是大意遺漏。唯一的解釋就是劉氏父子存心迴避朱《注》所舉的證據。至於此章的解釋，《正義》又與朱《注》相異。

〈憲問·有德者必有言章〉：「子曰：『有德者必有言，有言者不必有德。仁者必有勇，勇者不必有仁。』」朱《注》

---

[32] 同前注，頁 146。

[33] 〈為政·為政以德章〉《正義》謂北辰是無星處，正如《正義》所言（第 1 冊，頁 38），朱熹早已言之。見黎靖德編、王星賢點校：《朱子語類》，第 2 冊，卷 23，頁 534。

[34] 有趣的是，朱熹並不同意程頤對此章「適」的解釋。程子以「無所往，無所不往，且要『義之與比』處重」，但朱熹反駁說：「此且做得一箇麄麄底基址在，尚可加工。但古人訓釋字義，無用『適』字為『往』字者。此『適』字當為『吾誰適從』之『適』，音『的』，是端的之意。言無所定，亦無不定耳。」見黎靖德編、王星賢點校：《朱子語類》，第 7 冊，卷 113，頁 2749，同一辨析又見同書第 2 冊，卷 26，頁 663-664。

曰：「有德者，和順積中，英華發外。能言者或便佞口給而已。仁者心無私累，見義必為。勇者或血氣之強而已。」[35]《正義》曰：「德不以言見，仁不以勇見，而此云『必有』者，就人才性所發見推之也。」又曰：「若夫有言者或但口給以禦人，勇者或但逞血氣之彊，故知有言者不必有德，勇者不必有仁也。」[36]比對朱《注》和《正義》，後者承襲前者，昭然若揭。再者，本章何晏《注》曰：「德不可以億中，故必有言。」《正義》案：「《注》義甚晦，邢《疏》解之，亦不憭。」[37]何《注》的確含糊，劉氏父子顯然參考過皇侃《疏》和邢昺《疏》，並且指出邢《疏》「亦不憭」。他們卻偏偏不肯承認自己採納朱熹的說法，這無疑也是一種蓄意的迴避。

在朱《注》確然無誤而不可迴避時，除了隱其名而一字不改抄錄朱《注》原文外，劉氏父子尚有一法，就是指名引述其他與朱《注》相同的說法，目的在於說明《正義》的解釋並非來自朱《注》。比如，〈顏淵・司馬牛憂章〉：子夏曰：「商聞之矣：死生有命，富貴在天。」朱《注》曰：「蓋聞之夫子。命稟於有生之初，非今所能移；天莫之為而為，非我所能必，但當順受而已。既安於命，又當修其在己者。故又言苟能持己以敬而不間斷，接人以恭而有節文，則天下之人皆愛敬之，如兄弟矣。蓋子夏欲以寬牛之憂，故為是不得已之辭，讀者不以辭害意可也。」《正義》則曰：「謂聞諸夫子也。」接著又引戴望

35　朱熹：《四書章句集注》，頁149。
36　劉寶楠著，高流水點校：《論語正義》，第2冊，頁555。
37　同前注，頁556。按：邢《疏》云：「德不可以無言億中，故必有言也。」

《論語注》:「……故稱天言命,以寬牛之憂。明有命當順受,其正在天,非人所能為。」比對之下,朱《注》與《正義》基本意旨並無分別,但劉氏父子只肯承認戴望的說法。

〈為政・道之以政章〉《正義》曰:「道如道國之道,謂教之也。《禮・緇衣》云:『教之以德,教之以政。』文與此同。漢《祝睦碑》:『導濟以禮。』皇本兩『道』字並作『導』。《釋文》:『道,音導,下同。』《說文》:『導,導引也。』此義亦通。」朱《注》則曰:「道,音導,下同。道猶引導也,謂先之也。」劉氏父子引《禮記・緇衣》為證,再說或本作「導」,引《說文》為證,云「此義亦通」。[38]《正義》解釋字義通常都以《說文》為準,[39]但在此章卻寧取〈緇衣〉,顯然,他們是有意貶低朱《注》為或義。此外,《正義》據《孟子》釋「格」字,謂有正、至二義,似乎也存心與朱熹立異。朱《注》引《尚書》為證,亦謂「格」有至、正二義。[40]劉、朱說法相同,但《正義》卻故意不引用朱《注》提出的有效證據。

劉氏父子為何不肯公開承認自己接受朱熹的說法呢?由於朱《注》在清代乃士人考取功名必讀之書,劉氏父子採用朱熹說而又不作說明,料非存心剽竊,不敢示人。另一方面,劉氏父子大概也並非因為士子皆讀朱熹《論語集注》,所以,他們毋煩註明有關朱《注》的出處。事實上,正如上文所言,《正

---

38 劉寶楠著,高流水點校:《論語正義》,第 1 冊,頁 41。

39 參看班吉慶:〈劉寶楠《論語正義》徵引《說文解字》略論〉,《揚州大學學報(人文社會科學版)》,2001 年第 6 期,頁 67-71。

40 劉寶楠著,高流水點校:《論語正義》,第 1 冊,頁 41-42。

義》中明言朱熹說的地方有五十次。我們認爲，一個比較合理的解釋是，劉氏父子不願意承認自己受到朱熹的啓發或者直接繼承他的說法，而不願意的原因則有主觀和客觀兩方面的考慮。客觀方面，嘉慶、道光年間漢學盛勢雖然稍已減殺，但考據學風依然主宰當時學人的治學方法，方東樹（1772-1851）《漢學商兌》爲宋學所作的負隅頑抗，可見個中消息。劉氏父子自詡爲漢學家，注經而採用朱熹學說，實在有違當時的學術主流，因此不得不設法避嫌。主觀方面，劉氏父子存心與朱熹立異，「薈萃」漢宋以及「近世諸家」，以求「折衷」，別開生面，因此在採用朱說的時候便不得不故作隱諱。

二、斥其說而隱其名

《論語正義》中反駁《論語集注》的地方，大多是微觀層面上的分歧，宏觀上的差異則在於兩書的體例。清代漢學家注經，搜隱索微，引經據典，這是惠棟「經之義存乎訓」的主張，也是戴震（1724-1777）「訓詁明則義理明」的原則。由於考核遍賅，所以一字之解，動輒千言，而《論語正義》正是落實這些主張和原則的一個典範。當然，漢學家的所謂經典和訓詁，主要是指唐以前的文獻，特別是漢儒的古訓。漢學家這種鈎深探賾，參伍錯綜的考據著作往往便成巨製鴻篇，而經文與注文幾乎毫無例外，互不連綴，難得相續。如此的解經方法恰與宋儒如朱熹的主張大相逕庭。朱熹在〈記解經〉中說：

> 凡解釋文字，不可令注腳成文，成文則《注》與《經》

> 各為一事，人唯看《注》而忘《經》，不然，即須各作
> 一番理會，添卻一項功夫。竊謂須只似漢儒毛、孔之
> 流，略釋訓詁名物，及文義理致，尤難明者，而其易明
> 處，更不須貼句相續，乃為得體。蓋如此，則讀者看
> 《注》即知其非《經》外之文，卻須將《注》再就
> 《經》上體會，自然思慮歸一，功力不分，而其玩索之
> 味亦益深長矣。[41]

清代漢學家釋經往往正是「令注腳成文，成文則《注》與
《經》各為一事」，使「人唯看《注》而忘《經》」。朱熹則主
張「其易明處，更不須貼句相續，乃為得體」。《論語正義》的
撰作顯然與朱熹的解經主張枘鑿不合。這是兩者在宏觀體例上
的分歧。朱熹的主張背後的用意和精神在於讓「讀者看《注》
即知其非《經》外之文，卻須將《注》再就《經》上體會，自
然思慮歸一，功力不分，而其玩索之味亦益深長」。故此，他
聲明：「某所以做箇《集注》，便要人只恁地思量文義。曉得
了，只管玩味，便見聖人意思出來。」[42]朱熹要讀者在文義之
外，見得「聖人意思出來」。有關這一要點，《論語正義》似乎
亦並未特別講究，詳見下文。

從體例上而言，《論語集注》全書注音的地方甚夥，不計
其數。反觀《論語正義》並無注音的體例。[43]另一方面，《正

---

[41] 朱熹：《晦庵先生朱文公文集》，卷 74，收入朱傑人等主編：《朱子全
書》，第 24 冊，頁 3581。

[42] 黎靖德編、王星賢點校：《朱子語類》，第 2 冊，卷 21，頁 484。

[43] 焦循《孟子正義》亦然。《論語正義》中除個別情況順便引述有關音注，
通常都不注音。比如，上文所討論的〈為政·道之以政章〉，《正義》在解

義》對於字義，可謂一字不漏，艱僻字、常見字盡得訓注，不厭其煩。例如，〈顏淵‧季康子問政章〉《正義》引《說文》云：「殺，戮也。」又引《釋名‧喪制》云：「罪人曰殺。殺，竄也。埋竄之，使不復見也。」[44]《正義》重義不重音，體例自見偏頗，而《正義》全不注音，與朱《注》相比，又頓成一個鮮明的對照。這個情況恐怕並非偶然。雖然重義不重音的注經方法並非始於劉氏父子，但他們承用這種漢學治經體例，一方面固然表現出他們以漢學家自負的身份認同，另一方面恐怕也由於他們故意要與朱《注》立異，企圖別樹一幟。如此說來，對於直接承襲朱說的地方，《正義》不便直言，就不難理解了。

上文指出，在微觀層面上，《論語正義》直接點名駁斥朱熹說法的地方有八處，但這僅是冰山一角。事實上，細心對讀《論語正義》與《論語集注》的讀者會發現，不管《正義》的解釋是否合理正確，劉氏父子的說法與朱熹相同或類似者不多。相反，他們存心與朱熹立異的地方可謂俯拾即是，而決不止於明顯點名指責的八處而已。在否定朱熹的時候，劉氏父子錙銖必較，是非劃然，決不少作回護。

《論語正義》錙銖必較的最好例子莫如一般字義的解釋。劉氏父子偏重解釋字義，乃至虛詞、助字亦不例外，可謂隻字不遺。這是典型的漢學家本色。他們常常引用《說文解字》、

釋「道」的意義時，引用《經典釋文》的音注，但這並非《正義》釋經的重點所在。

[44] 劉寶楠、高流水點校：《論語正義》，第 2 冊，頁 506。

《爾雅》、《廣雅》，乃至漢儒訓注如鄭玄對諸經傳的註解、高誘的《呂氏春秋注》、韋昭《國語解》之類。他們又或考證字體之正俗，對校版本之異同，但卻鮮少抉發文字寓涵之義理。凡此種種，均見於《論語》各篇的「正義」，不煩屢舉實例。然而，劉氏父子解釋字義卻有一個值得注意的地方，就是他們所謂的「常訓」。顧名思義，「常訓」即是人人皆知的字義，但劉氏父子仍然務必解釋，決不放過。比如：

1. 《論語‧學而》

　　〈學而章〉釋「之」字，引《詩‧蓼莪》鄭《箋》云：「之猶是也。」此常訓。[45]又釋「自」、「遠」、「方」、「來」四字，總結曰：「並常訓。」[46]

2. 《論語‧為政》

　　〈道之以政章〉釋「齊」字，《正義》曰：「《廣雅‧釋言》：『齊，整也。』此常訓。」[47]

　　〈子游問孝章〉釋「別」字，《正義》曰：「別者，分也。見《廣雅‧釋詁》，此常訓。」[48]

　　〈子張學干祿章〉釋「悔」字，《正義》曰：「皇《疏》云：『悔，恨也。』此常訓。」[49]

---

[45] 同前注，第1冊，頁3。
[46] 同前注，頁4。
[47] 同前注，頁42。
[48] 同前注，頁49。
[49] 同前注，頁62。

3. 《論語・里仁》

〈見賢思齊章〉引鄭《注》云:「省，察也。察己得無然也。」然後劉氏作案語曰:「『省、察』常訓。」[50]

〈人之過也章〉釋「黨」字，《正義》曰:「《禮記・仲尼燕居》《注》:『黨，類也。』亦常訓。」[51]

〈父母在章〉《正義》曰:「《詩・板》《傳》:『遊，行也。』此常訓。」[52]

〈古者言之不出章〉《正義》曰:「《爾雅・釋詁》:『躬，身也。逮，及與也。』〈釋言〉:『逮，及也。』並常訓。」[53]

讀者不禁會問，既然劉氏父子所釋諸字都屬「常訓」，那麼，為什麼他們卻又不甘闕之而斤斤以求?通過仔細分析，所謂「常訓」，往往與朱注不同，因此，劉氏父子故意標明「常訓」，目的似乎在於提醒讀者，朱熹《注》有違「常訓」。換言之，朱《注》的有關解釋並不正確，或者至少值得商榷。

《正義》駁斥朱《注》一般都是以迂迴委曲的手法轉達，直接針鋒相對的地方似乎不多見。[54]比如，〈學而・父在觀其志章〉《正義》引朱熹《四書或問》所錄范祖禹說而又舉錢大昕

<hr>

[50] 同前注，頁 115。
[51] 同前注，頁 146。
[52] 同前注，頁 157。
[53] 同前注，頁 158。
[54] 比如，〈里仁・我未見好仁者章〉朱子曰:「蓋，疑辭。」《正義》則直接反駁曰:「蓋是語辭，不是疑辭。」見劉寶楠著，高流水點校:《論語正義》，第 1 冊，頁 145。

說以證成之。[55]按：范說雖然不誤，而《正義》也認為「范說亦通」，但朱《注》不採，而《正義》又不用朱《注》。《論語正義》汲取宋人說法而同時又舉清儒論據以為確證的做法，其實甚多，然而，書中公開聲明承襲宋人說法的情況卻只有極少數的例子。[56]至於隱其名而暗用的宋人說法則大多來自朱熹。易言之，劉氏父子其實對朱子的學問頗為尊重，但又顯然不便公開承認，故取其說而沒其名。無論如何，此章范說未為朱《注》所取，以其迂曲也。《正義》故意取范說，不啻暗中貶棄朱《注》。由此可見，劉氏父子既屢用朱說，但同時又處處求異於朱子。

〈顏淵·聽訟章〉：「子曰：『聽訟，吾猶人也，必也使無訟乎！』」朱《注》引范氏曰：「聽訟者，治其末，塞其流也。正其本，清其源，則無訟矣。」又附引楊氏曰：「子路片言可以折獄，而不知以禮遜為國，則未能使民無訟者也。故又記孔子之言，以見聖人不以聽訟為難，而以使民無訟為貴。」[57]

---

[55] 《正義》轉引范說曰：「以人子於父在之時，觀父之志而承順之，父沒，則觀父之行而繼述之。」劉寶楠著，高流水點校：《論語正義》，第 1 冊，頁 28。按：《正義》所引僅錄其意，引文不見於《四書或問》。《或問》（朱熹）曰：「觀志觀行，范氏以為子觀父之志行者，善矣。然以文勢觀之，恐不得如其說也。蓋觀志而能承之，觀行而能述之，乃可為孝。此特曰觀而已，恐未應遽以孝許之也。且以下文三年無改者推之，則父之志行，亦容或有未盡善者，正使實能承述，亦豈遽得以孝稱也哉？……范、楊、周氏之說，則所不改者，乃子道也，非父道也。」見朱熹：《四書或問》，收入朱傑人等主編：《朱子全書》，第 4 冊，頁 626-627。

[56] 〈里仁·以約失之者章〉《正義》引趙佑說，其實只是證成朱《注》所引謝氏及尹氏二家說，然而劉氏父子故意不提朱《注》。見劉寶楠著，高流水點校：《論語正義》，第 1 冊，頁 158。

[57] 朱熹：《四書章句集注》，頁 137。

《正義》認為「無訟由於德教」，而夫子與人同，「但能聽訟，不能使無訟也」。孔子以「必也」云者，只是孔子對自己的期許。[58]《正義》強調「不能使無訟」其實正要反駁朱子附錄楊氏「使民無訟為貴」之說。不過，劉氏父子手法迂迴。《正義》又引了兩段顏師古的《漢書注》，然後批評注文「並以『無訟』為夫子自許，失聖意矣」。儘管手法迂迴，但針鋒相對之意十分明顯。其實，此章朱《注》即是范氏說，楊氏說僅附列其後而二者之間有圓圈為間，以資識別。按：朱《注》體例，圓圈之後所引，只供啓發參考，而朱熹本人未必贊許為確解。[59]由是言之，劉氏父子似乎更加咄咄逼人。

最後，〈學而・父在觀其志章〉《正義》曰：「可者，深許之辭。《說文》：『可，肎也。』」[60]然而，同篇〈貧而無諂章〉孔《注》曰：「未足多。」而《正義》竟然不置一詞，[61]也就是默許了。對於純屬「常訓」的字詞也不厭其煩地逐一註釋的劉氏父子，這可謂鮮見的例外。表面上，劉氏父子不置可否，實際上乃同意孔說。問題是〈貧而無諂章〉朱《注》曰：「凡曰可者，僅可而有所未盡之辭也。」[62]易言之，《正義》其實採用了朱《注》的解釋，觀《正義》上下文則可知矣。值得注意的

---

[58] 劉寶楠著，高流水點校：《論語正義》，第 2 冊，頁 503。

[59] 朱子曾經跟兒子朱在講述過他的《論語集注》的體例，見錄於馬端臨《文獻通考》卷一八四所載朱在《過庭所聞》。今收入朱傑人等主編：《朱子全書》，第 26 冊，頁 511。

[60] 劉寶楠著，高流水點校：《論語正義》，第 1 冊，頁 28。

[61] 同前注，頁 32。

[62] 朱熹：《四書章句集注》，頁 52。

是，《正義》對同一用法的「可」字說法前後不一，唯一的解釋是劉氏父子存心與朱熹為敵，故作異說而又一時不察，於是造成一篇之內前後矛盾，進退失據。

三、忌諱心理

漢學家往往指責宋學輕視訓詁，忽略經義，憑空立論，臆說義理。雖然宋儒的臆說未必無理，但有理無據，未能實事求是，則難以憑信。清代漢學奠基的關鍵人物惠棟曾經說過：「子曰：『蓋有不知而作者。』不知，謂不從見聞中所得而鑿空妄造者。朱子謂『不知其理』，郢書燕說，何嘗無『理』？」[63]惠棟依仗孔子本人在儒學真理上的最終權威，引用《論語‧述而》〈蓋有不知而作者章〉，強調聞見之知，反對「郢書燕說」，「鑿空妄造」而得的「理」。他的這段話最能道出漢學家心中的宋學特色。[64]話中特別針對朱熹自然絕非巧合，因為對漢學家而言，朱熹正是宋學的最佳代表，這也是劉寶楠父子在《論語正義》中處處與朱熹為敵的原因。

然而，必須強調，朱熹並非不重視訓詁，他在〈《論孟精

---

[63] 〔清〕惠棟：《九曜齋筆記》，卷 2，收入《叢書集成續編》（上海：書店，1994 年），第 92 冊，頁 513b。惠棟這個比喻其實來自他的父親惠士奇。同書載惠棟抄錄《韓非‧外儲》的「郢書燕說」的故事，然後議論曰：「今世學者多似此類。家君曰：『宋人不好古而好臆說，故其解經皆燕相之說書也。』」見卷 1，頁 504b。

[64] 朱熹曾問陳淳：「《論語》如何看？」淳曰：「見得聖人言行，極天理之實而無一毫之妄。學者之用工，尤當極其實而不容有一毫之妄。」朱熹曰：「大綱也是如此。」見黎靖德編、王星賢點校：《朱子語類》，第 2 冊，卷 19，頁 435。

義》自序〉中說:「漢魏諸儒,正音讀、通訓詁、考制度、辯名物,其功博矣。學者苟不先涉其流,則亦何以用力於此?」[65]可見他認為義理的闡發必須要有訓詁名物等的客觀理據。朱熹本人也嘗用力於考證功夫。他在〈答孫季和〉一書中說:「讀書玩理外,考證又是一種工夫,所得無幾而費力不少,向來偶自好之,固是一病,然亦不可謂無助也。」[66]又朱熹在〈答楊元範大法〉一信中討論讀《易》之法,說:「字畫音韻,是經中淺事,故先儒得其大者,多不留意。然不知此等處不理會,卻枉費了無限辭說,牽補而卒不得其本意,亦甚害事也。非但《易》學,凡經之說,無不如此。」[67]可見他認為「字畫音韻」雖然是「經中淺事」,但若不留意,終不得經書本意。儘管如此,朱熹堅持「讀書,須要將聖賢語言體之於身」。[68]他說:「儒者緣要切己,故在外者,多拽入來做內說;在身上者,又拽來就心上說。」[69]因此,朱熹說經必然主張循訓詁所得的文義進而「拽來就心上說」,以體會「經書本意」。他對弟子說:「《論語》難讀。日日可看一二段,不可只道理會文義得了便了。須是子細玩味,以身體之,見前後晦明生熟不同,方是切實。」[70]《論語》必須要從義理上講,而義理又必

---

[65] 見朱傑人等主編:《朱子全書》,第 7 冊,頁 12。

[66] 見朱熹:《晦庵先生朱文公文集》,卷 54,收入朱傑人等主編:《朱子全書》,第 23 冊,頁 2538。

[67] 見朱熹:《晦庵先生朱文公文集》,卷 50,收入朱傑人等主編:《朱子全書》,第 22 冊,頁 2289。

[68] 黎靖德編、王星賢點校:《朱子語類》,第 3 冊,卷 42,頁 1073。

[69] 同前注,頁 1072。

[70] 同前注,第 2 冊,卷 19,頁 433。

須與身心攸關。朱熹說:「孔門雖不曾說心,然答弟子問仁處,非理會心而何?仁即心也。但當時不說箇心字耳。」[71]故此,他勸諭弟子讀《論語》時特別強調「學者千章萬句,只是理會一箇心」,[72]所謂「理會一箇心」就是「須以此心比孔孟之心,將孔孟心作自己心。要須自家說時,孔孟點頭道是,方得」。[73]因此,朱熹的《論語集注》的特色在於義理的抉發,而不在於訓詁的疏釋。

反觀,《論語正義》的一項重要釋經原則就是釋字則字字窮究,說理則處處諱避。所謂「理」主要指的是文字背後寓藏的哲理推究,這些哲理往往與人心中的感情經驗和其他心理活動有關。至於形而上的天理,《正義》更是絕口不談。上文討論《正義》中採納和駁斥朱熹的例證基本上都是關乎字詞解釋,而與義理無涉。這是朱熹在《論語正義》全書中所產生或正或反的影響的實際面貌。在說經的闡釋立場上,《論語正義》中所呈現的朱熹不啻只是一個訓詁學上的假想敵,而朱熹以義理說經的精神和本色在書中完全銷聲匿跡。如果朱熹的說

---

[71] 同前注,頁 430。

[72] 同前注,第 3 冊,卷 42,頁 1081。朱熹在沒有「心」字的地方看見「心」字,可以下一段話為例。朱熹說:「孔孟教人,句句是樸實頭。『人能充無受爾汝之實』,『實』字將作『心』字看。須是我心中有不受爾汝之實處,如仁義是也。」見黎靖德編、王星賢點校:《朱子語類》,第 2 冊,卷 19,頁 431。按:語出《孟子‧盡心下》。原文作:「人能充無欲害人之心而仁不可勝用也。人能充無穿窬之心而義不可勝用也。人能充無受爾汝之實,無所往而不為義也。」純粹從訓詁來考慮,「實」字當然不能訓作「心」。但從義理上看,朱熹認為孟子此處所講的「實」指的是人心。

[73] 黎靖德編、王星賢點校:《朱子語類》,第 2 冊,卷 19,頁 432-433。

經可算是宋學的特色，那麼，儘管朱熹在《論語正義》中無處不在，但宋學在此書中實際上則似有實無。

劉氏父子在《論語正義》中處處與朱熹計較，相爭者基本上是訓詁方面的餖飣叢脞，無關宏旨，推究其原因，其實是他們忌諱宋學所究心的有關天理、人欲、心、性等課題，因此，儘管《論語》本文講論人情，涉及心性，劉氏父子依然想方設法，迴避說理言心。我們在此姑舉兩例，以作說明。

〈為政・子張學干祿章〉朱《注》引程子曰：「尤，罪自外至者也。悔，理自內出者也。」[74]程子並非從訓詁立場來考慮「尤」與「悔」二字，「尤」與「悔」的區別在於由人與由己的內外之分，而內外在此是以人事和情理作分界的。事實上，從字義上考量，這兩字的確正如劉氏父子所說，乃「常訓」，[75]所以，程子和朱熹都覺得毋庸費辭。《朱子語類》記門人弟子與朱子討論此章，共錄十四條，無一問及「尤」「悔」二字的文義，[76]而其中一條則問及程子對「尤」與「悔」的區別。朱熹回答曰：「出言或至傷人，故多尤；行有不至，己必先覺，故多悔。然此亦以其多少言之耳。言而多尤，豈不自悔！行而多悔，亦必至於傷人矣。」[77]可見朱熹贊成程子說，

---

[74] 朱熹：《四書章句集注》，頁58。

[75] 關於「尤」字，《論語正義》引包氏《注》曰：「尤，過也。」劉氏本人並無特別進一步的解釋。劉寶楠著，高流水點校：《論語正義》，第1冊，頁62。可見「尤」字是常見字，不必訓注。由此可知，劉氏特別解釋「悔」字，又聲明作「恨」解為「常訓」，必定別有用心。

[76] 黎靖德編、王星賢點校：《朱子語類》，第1冊，卷24，頁588-592。

[77] 同前注，頁590。

而又更有深入的辨析。姑勿論朱說是否比《正義》細緻入微，劉氏父子特別標明「悔」之「常訓」，無疑正在反駁程、朱以人事和情理解釋「尤」與「悔」的區別，而反駁的動機則由於他們絕口不願說程子所講「自內出」的「理」。

對於不知「悔」為何解的讀者，以「恨」釋「悔」未必有幫助。程、朱著眼於人心，指出「悔」乃人情，生於內心。至於人情何以生悔，朱熹認為「行有不至，己必先覺，故多悔」。這是從個人的自覺反省而言。孟子說「是非之心，人皆有之」，朱熹的說法不能說毫無經典根據。程子則逕言「理自內出者」，換言之，是非出於「理」。不管是心是理，「悔」是相對於外在言行上的過失而言的。如此說「悔」，對讀者了解《論語》本文應該有所啟發。劉氏父子在此章墨守漢儒義訓，反對程、朱從情理立說，關鍵大概在於他們站在漢學立場，設法避免談「理」。[78]

劉氏父子解釋字義而不闡發義理又可以從另外一種形式透露端倪。〈學而〉第一章《論語正義》釋「說」字引《爾雅·釋詁》云：「說，樂也。」下文釋「樂」字引《蒼頡篇》云：「樂，喜也。」又謂「與說義同」。換言之，「樂」「說」都是「喜」之意。如此，《正義》根本就沒有解釋「說」與「樂」到底是怎樣一種心情，而且依文尋義，「說」與「樂」更是同義詞了。既然如此，孔子又何必分言「說」「樂」？劉氏父子顯然志不在此，因此只說：「此文『時習』是『成己』，『朋來』是『成物』。但『成物』亦由『成己』，既以驗己之功修，

---

[78] 劉氏父子有時也無法避免說「理」，參看本文注 30。

又以得教學相長之益，人才造就之多，所以樂也。孟子以『得天下英才而教育之』為樂，亦此意。」[79]「成己」「成物」云云在此都是針對個人外在的行為所作的籠統概括而未能從個人的內心著眼。總而言之，《正義》對於人之情理基本上毫不在意，甚至設法迴避這類問題的討論。

反觀，朱《注》此章對於「說」與「樂」可謂大書特書。朱熹說：「說，喜意也。既學而又時時習之，則所學者熟，而中心喜說，其進自不能已矣。」又三引程子，一曰：「習，重習也。時復思繹，浹洽於中則說也。」二曰：「以善及人而信從者眾，故可樂。」三曰：「說在心，樂主發散在外。」[80]程、朱通過個人的心理經驗以及人我之間的人情通感說明「說」是「喜意」，生自心中；由於學而能「時復思繹，浹洽於中」，所以能「說」。「樂」則「主發散在外」，因為「以善及人而信從者眾，故可樂」。有關「說」與「樂」的性質和兩者之間的內外問題，朱熹與弟子和時人討論甚多，朱《注》所言，只是一個精要的總括。[81]

必須注意，朱熹說「說」與「樂」以及這裡並未討論的「慍」，全都是由於「學」與「習」而來，而有關「學」，朱

---

[79] 劉寶楠著，高流水點校：《論語正義》，第 1 冊，頁 4。

[80] 朱熹：《四書章句集注》，頁 47。

[81] 比如，朱熹說：「說是感於外而發於中；樂則充於中而溢於外。」見黎靖德編、王星賢點校：《朱子語類》，第 1 冊，卷 20，頁 453。他又解釋程子的內外說，云：「程子非以樂為在外也，以為積滿於中而發越乎外耳。悅則方得於內而未能達於外也。」見朱熹：《論語或問》，卷 1，收入朱傑人等主編：《朱子全書》，第 6 冊，頁 610。

《注》在《論語集注》劈頭第一句即說：「學之為言效也。人性皆善，而覺有先後，後覺者必效先覺之所為，乃可以明善而復其初也。」[82]朱熹將人通過模仿而學習的能力，歸結到人性本身，而人性皆善，學正是覺悟復性之初的經驗。由於覺有先後，而後覺必效先覺，因此，在學習的過程中便有人我經驗交感的問題。朱熹以先後言「覺」，正因為他強調「說」與「樂」必須要從人我、內外來作區別。如此，他解釋「說」為「喜意」，其義自明。這與《正義》單據《蒼頡篇》作訓詁，釋「樂」為「喜」，僅求字義有本，宗旨和立場都迥異不侔。朱熹又說：「善，不是自家獨有，人皆有之。我習而自得，未能及人，雖悅未樂。」[83]對他而言，「善」是性，無此善，亦無所謂「說」與「樂」。由於劉氏父子避談「性」，因此，《正義》解釋「說」與「樂」不得不只停留在字義訓詁的層面。

惠棟指責朱熹「郢書燕說」，也許就是朱熹分析「說」與「樂」一類的闡釋，不過，在上文所舉惠棟的一段話中，他的批評大概是針對朱熹對〈述而·蓋有不知而作之者章〉的注釋而發的。我們不妨參考此章，以分析《論語正義》與朱《注》的異同。

此章朱《注》曰：「不知而作，不知其理而妄作也。孔子自言未嘗妄作，蓋亦謙辭，然亦可見其無所不知也。識，記也。所從不可不擇，記則善惡皆當存之，以備參考。如此者雖

---

82 朱熹：《四書章句集注》，頁47。

83 黎靖德編、王星賢點校：《朱子語類》，第1冊，卷20，頁454。

未能實知其理，亦可以次於知之者也。」[84]

　　《正義》則先引包曰：「時人有穿鑿妄作篇籍者，故云然。」再引孔曰：「如此者，次於天生之知。」然後作斷語曰：「『不知』者，不知其義也。無所聞見，必不能作。惟聞見未廣，又不能擇善而從之識之，斯於義違失，即為不知而作矣。『擇善』貫下『多見』，故邢《疏》云『見，擇善而識之』是也。」接著，《正義》又引《公羊傳》及《春秋繁露‧楚莊王》作證，最後總結曰：「此夫子修《春秋》，證之於所聞所見者也。又夫子言夏、殷之禮，皆能言之，但以文獻不足，不敢徵之，此可見聖人審慎之意。《漢書‧朱雲傳》〈贊〉：『世傳朱雲言過其實，蓋有不知而作之者，我無是也。』謂世人傳述雲事多失實，則為不知而作。『作』是作述解者，或為作事，誤也。」又疏孔《注》曰：「下篇子曰：『生而知之者，上也；學而知之者，次也。』夫子自居學知，故言『我非生而知之者，好古，敏以求之者也』。是次於生知也。」[85]

　　有關此章的解釋，劉氏父子顯然處處要與朱熹針鋒相對。首先，他們似乎最反對朱熹說理。孔子說「不知而作」，但並未明言「不知」者為何事。包咸謂「時人有穿鑿妄作篇籍者，故云然」，意指夫子乃針對具體實事而言，但包說並未否定「妄作」乃由於「不知」其所以然。朱熹說「不知其理」乃針對其所以然，而非僅其然而已。此處「理」字並非宋代道學家所講的「理」。劉氏父子謂「不知其義」，實則所謂「義」者，

84　朱熹：《四書章句集注》，頁 99-100。

85　劉寶楠著，高流水點校：《論語正義》，第 2 冊，頁 276-277。

亦即朱熹此處所講的「理」，意思並無不同。劉氏父子只不過盡量避免使用道學家慣用的術語而已。由此可見，劉氏父子存心要與朱熹立異。

其次，朱熹謂「作」乃「妄作」，這是繼承包咸「穿鑿妄作篇籍」的說法。劉氏父子故意求異，乃以「作」為「述解」。蓋「作」由於見聞，所以名為「述解」。聞多見廣是謂「知」。聞見不廣是謂「不知」。劉氏父子又強調「作」不可解作「作事」，這是針對朱熹而發的。所謂「作事」實即包咸所講的「穿鑿妄作篇籍」。劉氏父子為了反對朱熹甚至不惜放棄他們原則上信從的漢儒成說。按：孔子自言「述而不作」，「作」顯然不是「述解」，而是「作事」。《正義》的說法是明顯的錯誤而不是詮釋的差異而已。這個錯誤劉氏父子應該也會承認，證據在於《正義》對〈述而・述而不作章〉的解釋。《正義》曰：「述是循舊，作是創始。」[86] 為什麼劉氏竟然會前後矛盾，犯此錯誤？答案應該在於劉氏父子一意孤行，存心與朱熹對敵，刻意迴避朱《注》中「不知其理而妄作」所言的「理」。劉氏父子的前後矛盾還有一個他們意料不及的尷尬窘境。〈述而・述而不作章〉朱《注》曰：「述，傳舊而已。作，則創始也。」[87]《正義》同章的解釋原來直接承襲朱《注》，當然劉氏父子並未作出應有的聲明，但他們在此採納朱說，在彼又故作曲解，強求反對朱說，前後矛盾如此。

對於多聞多見，朱熹認為兩者意義不同，聞曰從，見曰

---

[86] 劉寶楠著，高流水點校：《論語正義》，第 1 冊，頁 251。
[87] 朱熹：《四書章句集注》，頁 93。

識,「所從不可不擇,記則善惡皆當存之,以備參考。如此者雖未能實知其理,亦可以次於知之者也。」所謂「知之次」乃針對「實知其理」者而言。朱說未嘗不通。劉氏父子在此又故標新說,以駁朱子。他們特別引述邢昺《疏》謂「擇善」貫下「多見」,目的不外乎反對朱熹以多聞多見各有不同的意義。事實上,《論語》本文明言「多見而識之」,而並未如邢《疏》所釋「擇善而識之」。

孔安國《注》引下篇子曰:「生而知之者,上也;學而知之者,次也。」《正義》發揮其說,曰:「夫子自居學知,故言『我非生而知之者,好古,敏以求之者也』。是次於生知也。」其實,孔《注》大概並非如此說;孔安國也許只想指出孔子曾經在另一個場合說過「學而知之者,次也」。兩種「知之次」所針對的比較並不相同。孔《注》旨在啟發讀者,而並非要強調「夫子自居學知」。由於劉氏父子存心求異,忌諱說「理」,於是一再強調多聞多見,以之等同學知,務求反對朱熹。此外,《正義》「夫子自居學知」的說法同樣是針對朱熹對此章的總體了解而發的。朱《注》曰:「孔子自言未嘗妄作,蓋亦謙辭,然亦可見其無所不知也。」夫子既然學而知之,自然不可能如朱熹所講的「無所不知」了。然而,對於朱熹的說法,劉氏父子卻並未提出任何有力的反駁證據,而專意於高唱反調。朱熹解「識」作「記」,目的在於區別由多聞而來的「擇善而從」。在他的解說中,這是一個非常有見解的疏辨。劉氏父子似乎無可辯駁,對「識」完全默然,不置一詞。

四、結語

北宋晁說之（1059-1129）嘗言：「或問：『孟子可欲、充實之差，以善不及美，不顧孔子嘆《武》之盡美而未盡善，乾元為善而利以美稱邪？』夫不明乎用字之意，而謹乎訓字之名，學者之大患也。」[88]說之並非道學中人，他更曾作書攻擊《孟子》，然而，他指出讀書「不明乎用字之意，而謹乎訓字之名」，乃「學者之大患」。與他同時的程頤（1033-1107）針對《論語》、《孟子》的讀法也說過：「《論》、《孟》只剩讀著，便意自足。學者須是玩味。若以語言解著，意便不是。」[89]程子似乎更從「用字之意」進而強調個人必須「玩味」「字意」背後的義理。朱熹在編定《孟子要旨》的時候曾經跟弟子說：「看文字，不可恁地看過便道了。須是時復玩味，庶幾忽然感悟，得到義理與踐履處融會，方是自得。這個意思，與尋常思索而得，意思不同。」[90]所謂「玩味」，朱熹說是務求「義理與踐履」能夠「融會」。這與「尋常思索」所得，「意思不同」。

上述三個說法，一以貫之，可算是清代漢學家所認識的宋學的一種基本治經方法。漢學家並不認同這種方法，或迴避、或隱諱、或批評，不過，他們的一個共同立場則是「經之義存

---

[88] 〔宋〕晁說之：《儒言》，文淵閣《四庫全書》（臺北：臺灣商務印書館，1983-1986 年景印），第 698 冊，頁 551b。按：《儒言》作於宋徽宗政和二年（1112）。

[89] 朱熹：《四書章句集注》，〈讀論語孟子法〉，頁 44。

[90] 黎靖德編、王星賢點校：《朱子語類》，第 7 冊，卷 105，頁 2631。朱熹說過：「漢魏諸儒，只是訓詁。《論語》須是玩味。」見同書，第 2 冊，卷 19，頁 434。

乎訓」，因此，他們有「訓詁明則義理明」的方法論。陳立
（1809-1869）〈《論語正義》敘〉批評「皇、邢二《疏》，未能
發明。末學膚淺，於微言大義，既無窺竊，於典章訓詁，名物
象數，復多蓋闕」，同時又推許《論語正義》能夠「實事求
是」，而指出書中「最有功經訓者」數事，並謂「凡此等皆先
聖賢之旨，沉霾二千餘載，一旦始發蘊」。[91]陳立所指的「末
學」無疑就是程、朱而下代表宋學的儒者。他們既未得先聖賢
之「微言大義」，又不明典章名物，義理訓詁並失。姑勿論
《論語正義》的功過如何，陳立貶抑宋學的立場正是典型的漢
學家立場，而這個漢學家的立場恰恰就是晁說之所批評的「謹
乎訓字之名」的治學方法。

　　從晁、程、朱的立場看，上述漢學家的治經立場和方法顯
然只管「尋常思索」而缺少「玩味」的功夫。至於「義理與踐
履」之「融會」，必須先取決於經之義訓。可惜許多漢學家認
為經義中並無宋儒所講的義理，而「踐履」又與說經本身無
關，因此，他們對待宋學往往負氣求勝，攻訐太甚。上述陳立
的批評語氣雖若平和，態度實在苛刻。然而，我們如果只著眼
於漢、宋表面劍拔弩張的對立而忽視在不同時期，不同漢學家
對宋學認受和接納的態度的複雜情況，我們對漢學將難以得到
比較全面的認識。

　　根據本文的分析，劉寶楠父子對朱熹似乎有一種令人難以

91　見《續修四庫全書》（上海：上海古籍出版社，1995 年），第 156 冊，頁
　　1-2。《清儒學案小傳》卷 69〈儒林下二〉繼承這個看法。見周駿富編：
　　《清代傳記叢刊》（臺北：明文出版社，1986 年），第 104 冊，頁 632-
　　633。

理解的情意結，既愛又恨，相當矛盾。最少，我們可以肯定漢學家並非都全盤反對宋學或者程、朱經說，如劉氏父子在治學上就有取法朱熹的地方，儘管他們似乎並不太願意公開承認這個事實。個中原因可能是由於乾、嘉以來流行的漢學風氣，漢學家治學在宗旨和方法上有其共識，正因為這套共識的日趨成熟，所以，乾、嘉後期的學者如王念孫（1744-1832）、王引之（1766-1834）父子更開始以治經的方法來研究先秦諸子。對乾、嘉以來的個別學者而言，遵從這一套共識治學在漢學家之間就可以建立一種身份認同。

　　道光八年戊子（1828），四十歲的劉寶楠應省試，當時他與劉文淇、陳立以及其他幾個朋友相約以探策方式來決定各治一經。這段有名的掌故其實可以看出當時漢學家的身份認同。諸人不問自己本來專業，而逕以探策決定各治何經，可見他們關心的只是各人作為漢學家所公認的治學宗旨和方法；只要大家有此共識，其他可以不管。從這個角度看，採納朱熹的說法與否在當時漢學家之間應該不是一個純粹知識上的是非問題，而無疑是一個具有相當的心理壓力的社交挑戰。乾隆時汪中（1744-1794）「治經宗漢學」，[92] 其子喜孫（1786-1848）「能讀父書，長於考據，傳其學」。[93] 對於乾隆中葉逝世的王懋竑（字白田，1668-1741）窮一生之力，從考證立場研究朱子，儘管成績斐然，汪喜孫竟然譏諷謂其「根據漢、宋，比諸春秋調人，惡莠亂苗，似是而非」。[94] 由是觀之，劉寶楠父子擷採朱熹

---

[92] 江藩語，見所著：《漢學師承記》，卷7，〈汪中〉，頁11。

[93] 同前注，頁9。

[94] 江子屏：《漢學師承記》，汪喜孫〈跋〉（署嘉慶十有七年，1812），頁2。

《論語》之學，徘徊依傍，乃至進退失據，其所以困窘如此，實在與其時黨同伐異的門戶風氣關係至大。眾所周知，「六經宗服、鄭，百行法程、朱」乃惠棟父士奇（1671-1741）手書楹帖，聯語分立，學、行對舉，但其中象徵意義，意義深遠，信非巧合。儘管「百行法程、朱」是當時許多漢學家行事待人的生活準則，然而，對漢學家來說，「六經宗服、鄭」，治學釋經雖然不至於與生活無關，但畢竟並非生活本身的問題。換言之，學術研究強調本身一套規範要求，獨立於道德標準之外。惠氏此楹帖也許寫來漫不經意，但在潛意識中卻最能道出乾隆時期學術的專業化，學術研究與人生修養各自獨立，可以貫通而不宜相混。[95]

由於《論語正義》成於父子兩代，書中對待朱熹的矛盾態度，也許我們可以歸咎於劉氏父子之間各自認受朱熹的不同，但這個解答似乎過於簡單。即使劉氏父子對待朱熹的態度確實有所不同，他們的治學宗旨仍然是一致的漢學立場，而兩人也同樣在書中容納朱熹的存在。這跟劉寶楠的父親劉履恂和從父劉台拱的治學態度迥然不同，因為這兩位更上一代的漢學家的著作中並未見到朱熹的影子。如此看來，從劉氏一家三代的學風發展而言，成學於嘉、道以下的劉寶楠以及道、咸以後的劉恭冕的治經態度無疑象徵著清代學術史上一種風氣的轉變。[96]

---

[95] 按：清代學術的專業化跟晚明以來印刷業的發達以及科舉競爭日益劇烈等社會因素關係密切，而並非純粹是學術史上的內部問題，不過，這些學術史以外的考慮均逸出本文範圍，在此不予討論。

[96] 與劉履恂同時的戴震其實已經在漢、宋之間掙扎一生，由三十歲以前尊朱到晚年的反朱，反映了清儒治學由「尊德性」轉入「道問學」的路徑，這是余英時所講的「主智主義」。見余英時：《論戴震與章學誠》（北京：生

這個象徵的文獻證據則在於《論語正義》所反映劉氏父子對朱熹的愛恨情結。道光二十四年（1845）劉寶楠五十五歲那一年，廣東番禺三十五歲的陳澧（1810-1882）在其畢生中第五次會試中落第，但此時他的思想卻起了極為關鍵的轉變。這年開始陳澧主張「袪漢、宋門戶之見」，稍後，他撰就《漢儒通義》（創始於咸豐四年〔1854〕，刻成於咸豐八年〔1858〕），公開承認宋儒所講的心性、天理等課題的正當性，從而嘗試會通漢學和宋學。[97]在這個學術史的意義上，《論語正義》雖然僅僅在訓詁範圍內正視朱熹，與其周旋角力，但戴望讚揚此書能夠「益以宋人之長義」，大致上仍然可算是中肯的評價。

活·讀書·新知三聯書店，2000 年）。戴震心路歷程上的困惑和掙扎在一定程度上應該就是後來劉寶楠父子的切身經驗，當然，跟戴震不同，劉氏父子在學術思想上似乎並無自成一家之言的雄心。

[97] 咸豐六年（1856），劉寶楠卒後一年，陳澧在《漢儒通義》〈序〉曰：「漢儒說經，釋訓詁，明義理，無所偏尚。宋儒譏漢儒講訓詁而不及義理，非也，近儒尊崇漢儒，發明訓詁，可謂盛矣。」見《續修四庫全書》，第952 冊，頁 383b。陳澧的弟子胡錫燕在此書的跋文中說：「先生早年讀漢儒書，中年讀宋儒書，實事求是，不取門戶爭勝之說，以為漢儒之書同有宋儒之理。」見同書頁 446b。按：跋文作於咸豐八年戊午（1858）。跟寶楠父子一樣，陳澧同樣站在漢儒的立場來會通宋儒之學。不同的是，陳澧直入宋學門戶，談心說性，毫無迴避。劉、陳之不同和兩者之間的漸變亦足徵宋學在清代漢學家學問中的地位和意義的轉移。陳澧草撰《漢儒通義》的同年〔咸豐甲寅（1854）〕，南海伍崇曜跋江子屏《宋學淵源記》云：「蓋漢儒專言訓詁，宋儒專言義理，原不可偏廢！學者各尊所聞，各行所知，隨其性情之所近，詣力之所專，殊途同歸，與道大適，無庸悅甘而忌辛，是丹而非素也。」見江子屏：《漢學師承記》，伍崇曜〈跋〉，頁2。比對四十二年前汪喜孫跋《漢學師承記》時批評王白田「惡莠亂苗，似是而非」，一代之間，風氣之轉變如是其亟也。

評楊大堉、胡肇昕補《儀禮正義》

彭　林[*]

　　胡培翬（字竹邨）著《儀禮正義》（以下簡稱《正義》），
是清代禮學研究最重要的成果之一，梁任公先生譽之為《儀
禮》研究之「集大成者」，「為極佳新疏之一」。[1]章太炎先生亦
讚揚竹邨「新疏自比舊疏更精」。[2]但是，此書胡氏未能完竣。
胡氏之姪胡肇智稱：道光己酉（1849）七月，胡氏因背疽復發
而去世，《儀禮正義》「尚有五篇未卒業，江甯楊明經大堉，曾
從先叔父學禮，因為補綴成篇。書中有『堉案』及『肇昕云』
者，即二君之說，餘皆先叔父原稿。」[3]此處所云未卒業之
篇，乃是指〈士昏禮〉及〈鄉飲酒禮〉、〈鄉射禮〉、〈燕禮〉、
〈大射儀〉五篇十二卷。[4]因此，對《儀禮正義》的評價，應

[*] 北京師範大學歷史系博士，現為清華大學思想文化研究所教授。主
要從事先秦史和古代學術思想研究，著有《周禮主體思想與成書年
代研究》、《文物精品與文化中國》、《中國古代禮儀文明》、《古代朝
鮮禮學叢稿》等。點校文獻包括《觀堂集林》、《禮經釋例》、《儀禮
注疏》等。

[1] 梁啟超：《中國近三百年學術史》（天津：天津古籍出版社，2003 年），頁
213。

[2] 章太炎：《經學略說》（下），章氏國學講習會講演記錄第 4 期（蘇州：章氏
國學講習會出版，民國 24 年〔1935〕），頁 39。

[3] 〔清〕胡培翬著，段熙仲點校：《儀禮正義》（南京：江蘇古籍出版社，
1993 年），附錄三〈續溪胡氏四世儀禮學者集傳〉，頁 2468。本文所引
《儀禮正義》，除特別說明者外，均出此書。

[4] 說見〔清〕陸建瀛：〈校刊儀禮正義序〉，同前注，卷首。

區為兩塊：即胡氏手作的十二篇與楊大堉、胡肇昕增補的五篇。

楊·胡二氏所補諸篇，既與《正義》一體，又與竹邨所撰有別，猶如高鶚所續之《紅樓夢》，理應區分對待。筆者仔細披閱楊、胡之所補，殊覺失望，今撮舉印象如下，以就教於海內外方家達雅。

一、違背竹邨所定體例

鄭玄《儀禮注》，因其簡明可信，盛行於漢魏隋唐之間，學者奉為圭臬。唐人疏《儀禮》，不敢或離鄭《注》，疏解開端，必標記鄭《注》從某字至某字。宋人雖不喜漢人之學，然於《三禮》，則不敢輕詆鄭《注》。至元儒敖繼公出，指責鄭《注》「疵多而醇少」，肆意加毀，學者為之披靡。故清初《儀禮》學者，除張爾岐之外，幾無全引鄭《注》者。

自吳廷華始，學界佞敖之風稍息，辨敖之聲漸起。漸知往昔所駁鄭《注》，泰半由於未能讀懂，或是隨聲吠影，未假思索。鄭《注》乃解讀經文之樞紐，鄭《注》明則經義明，如此之類，遂成學界共識。[5]胡竹邨著《儀禮正義》，自述其書之體例為四：

> 曰補注，補鄭君注所未備也。曰申注，申鄭君注義也。
> 曰附注，近儒所說，雖異鄭恉，義可旁通，附而存之，

---

[5] 說詳拙作：〈清人對敖繼公之臧否與鄭玄經師地位之恢復〉，《文史》2005年第 1 輯，頁 223-255。

廣異聞，佐專己也。曰訂注，鄭君注義偶有違失，詳為
辨正，別是非，明折中也。[6]

無論補注、申注、附注、訂注，均圍繞鄭《注》而發，鄭
《注》為《正義》一書之靈魂。故竹邨一循漢唐舊疏體例，經
文之下，全引鄭《注》；疏文則區隔為二：前半疏通經文，後
半逐字詮釋鄭《注》。鄭《注》簡奧，名物度數繁雜，旁徵博
引，始得其旨。故《正義》解鄭《注》，不僅篇幅遠大甚於解
經，而且傾力最多。讀者翻閱竹邨之文，即可領會其體例。
楊、胡二氏，踵武竹邨，自當嚴格遵循既定之體例，此為題中
應有之義，無需贅言者。二氏不然，疏解鄭《注》，甚為簡
略，甚至有不引不論者。以下略舉數例。

（一）〈士昏禮〉「親迎」節

> 主人爵弁纁裳緇袘，從者畢玄端，乘墨車，從車二乘，
> 執燭前馬。[7]

鄭《注》：

> 主人，壻也，壻為婦主。爵弁而纁裳，玄冕之次。大夫
> 以上親迎冕服。冕服迎者，鬼神之。鬼神之者，所以重
> 之親之。纁裳者，衣緇衣。不言衣與帶而言袘者，空其
> 文，明其與袘俱用緇。袘，謂緣。袘之言施，以緇緣
> 裳，象陽氣下施。從者，有司也。乘貳車，從行者也。

---

6 〔清〕羅椒生：〈儀禮正義序〉，胡培翬著，段熙仲點校：《儀禮正義》，卷
   首。

7 胡培翬著，段熙仲點校：《儀禮正義》，第 1 冊，頁 170。

畢，猶皆也。墨車，漆車，士而乘墨車，攝盛也。[8]

《正義》云：

> 自此至「俟於門外」，論親迎之節。《集釋》曰：注曰冕，服迎者鬼神之者，言敬此夫婦之道，如事鬼神也。凡昏，各用其上服，五冕色俱玄，故謂之玄冕。爵弁，即士之上服也。〈雜記〉曰：「士弁而親迎。」盛氏世佐云：士昏用上服以爵弁，則天子以下皆用上服。以五冕色俱玄，故總稱玄冕也。賈《疏》云：五等諸侯亦不過玄冕。殆誤。敖氏云：此禮據壻家而言，故以壻為主人。爵弁者，以親迎，當用上服也。此言緇袘，不言衣帶韠，與前篇互見也。從者，謂在車及執燭者也。張氏爾岐云：一命大夫，冕而無旒。士變冕為爵弁，故云冕之次。大夫乘墨車，士乘棧車，今親迎乘大夫車，故注云攝盛。「巾車」注云：「棧車不革鞔而漆之。」則士之棧車亦漆，但無革鞔為異。吳氏廷華云：〈士冠禮〉爵弁服，纁裳，純衣，緇帶，韎韐。玄端、玄裳、黃裳、雜裳、緇帶、爵韠。此但言緇袘者，蓋彼此見義也。注以空其文、明與衣帶同色，鑿矣。又據〈士喪禮〉言「貳車白狗攝服」，是士明有貳車也。賈《疏》謂「士無貳車」，誤。案下經「女從者畢袗玄」，注謂「從者為姪娣」，則此從者亦主人之娣若姪也。賈《疏》謂為僕隸之屬，非是。又墨車有革，或取其膠固，亦用雁之義，注攝盛之說存參。[9]

---

8 同前注。

9 同前注，頁 170，171。

可見，〈士昏禮〉正義並未遵循胡竹邨所定體例，對鄭《注》或解或不解，率爾為之，例如鄭《注》中關於「袘」字之解釋，《正義》違避不談，不置一詞。

（二）〈鄉飲酒禮〉「主人獻賓」節

> 主人坐奠爵于階前，辭。[10]

鄭《注》：

> 重以己事煩賓也，事同曰讓，事異曰辭。[11]

《正義》云：

> 敖氏云：賓從降而主人辭，亦尚辭讓也。奠爵乃辭者，事異則不宜相雜，且為經也，西面坐奠爵，興，辭。蔡氏德晉云：主人臨階，跪而奠爵，起而辭賓之降。[12]

《正義》此段，幾乎沒有理會鄭《注》所說「事同曰讓，事異曰辭」之原則，未用《儀禮》文例印證鄭說之是非，僅僅引用敖繼公、蔡德晉二氏之語敷衍了事。

（三）〈鄉射禮〉「立司正」節：

> 主人升就席，司正洗觶，升自西階，由楹內適阼階上，北面受命于主人。[13]

鄭《注》：

> 洗觶者,當酌以表其位,顯其事也。楹內,楹北。[14]

《正義》云:

> 賈《疏》云:受命于主人者,謂受主人請安賓之命。
> 《注》云「楹內,楹北」者,敖氏繼公云:「楹謂兩
> 楹。」盛氏世佐云:「楹謂前楹。由楹內,言其入堂之
> 節也。」蔡氏德晉云:「由楹內適阼階者,以樂正坐階
> 際故也。」[15]

鄭《注》楹內為「楹北」之理由何在?鄭《注》是否可以信
從?均為《儀禮》研究者所關注之問題,亦是作為「正義」所
要著墨之處,而《正義》僅用敖繼公、盛世佐、蔡德晉幾句無
關痛癢之話輕輕帶過,給人以「王顧左右而言它」之印象。

竹邨原書體例與楊、胡所補,差別至為明顯,讀者前後對
照,即可明瞭。限於篇幅,不再羅列。

二、排棄賈《疏》

《儀禮》一經,鄭《注》而後,有賈公彥疏行於世。竹邨
作《儀禮正義》之直接原因,乃是由於不滿賈《疏》,竹邨侄
胡肇智云:「先叔父病《儀禮》賈《疏》多疏舛,乃博徵眾
說,參以己見,撰為《儀禮正義》。」[16]「賈《疏》或解經而違
經旨,或申注而失注意,因參稽眾說,覃精研思,積四十餘

---

[14] 同前注。

[15] 同前注。

[16] 〔清〕胡肇智:〈儀禮正義書後〉,同前注,頁2434。

年，成《正義》若干卷。」[17]胡氏對賈《疏》之態度，灼然可見，其影響深深浸潤於〈士昏禮〉等五篇。

毋庸諱言，歷代學者對《儀禮》賈《疏》評價不高，主要原因有二：一是賈氏《周禮疏》相當成功，朱子評價為唐人所作《九經疏》之最佳者，[18]《儀禮疏》因而相形見拙；其二，《儀禮疏》之〈喪服〉采擇袁准、孔倫等十餘家之說，內容尤其豐富；而其餘諸篇所采，僅黃慶、李孟悊兩家而已。

鄙見，唐人疏並非憑空而作，乃總結六朝舊疏而成。〈喪服〉制度為六朝顯學，論之者尤多，故采擇者自然就多，其他各篇論之者絕少，賈氏只得順其自然。《儀禮疏》各篇詳略懸殊，並非賈氏無識見，而是實出無奈。雖然，黃慶為南齊人，李孟悊生於隋，二氏之說，殊為寶貴，斷然不可因其孤立而輕視之。

敖繼公力詆鄭《注》，遑論賈《疏》。流風所至，清儒也多忽略賈《疏》，胡培翬、楊大堉也莫能外。尤其不公者，是每每明斥賈氏，而暗引賈《疏》；或者明明賈《疏》在前，後儒沿襲其說，《正義》往往不引賈《疏》，而逕引後儒之說。以下數例，足以為證。

（一）〈鄉射禮〉「迎賓拜至」節云：

> 及門，主人一相出迎於門外，再拜。賓答再拜。揖眾賓。[19]

---

17 羅椒生：〈儀禮正義序〉，同前注，卷首。

18 〔宋〕黎靖德編，王星賢點校：《朱子語類・禮三・《周禮》・總論》（北京：中華書局，1994年），卷86，頁2206。

19 胡培翬著，段熙仲點校：《儀禮正義》，第1冊，頁465。

「揖眾賓」，鄭《注》：「差卑，禮宜異。」《正義》引張爾岐
云：

> 同是鄉人無爵者，而云差卑者，唯據力為賓者尊，故於
> 眾賓云差卑。[20]

張氏之說，實為賈氏之言：

> 此賓與眾賓同是鄉人無爵者，而云差卑者，唯據立為賓
> 者尊，眾賓即不為卑，不論有爵無也。[21]

《正義》似乎未讀賈《疏》，否則不應不知兩者有因襲關係。

（二）〈鄉射禮〉「迎賓拜至」節：

> 主人以賓揖，先入。賓厭眾賓，眾賓皆入門左，東面北
> 上，賓少進。[22]

「主人以賓揖」，鄭《注》：「以猶與也。」《正義》引高愈云：
「能左右之曰以。此云以者，賓之進退似主人也。」胡肇昕
云：「以、與，聲之轉。主、賓相接，為平等之稱，故曰與
也。」[23]其實，高氏、胡氏之說盡在賈《疏》之中，並無新
義。賈《疏》云：

> 云以猶與者，案《左氏傳》云「蔡人以吳子與楚人戰于
> 伯舉」，彼以者，能東西之曰以。以謂驅使前人之稱，

---

[20] 同前注。

[21] 〔漢〕鄭玄注，〔唐〕賈公彥疏：《儀禮注疏·鄉射禮》，卷 11，見〔清〕
阮元校刻：《十三經注疏》（杭州：浙江古籍出版社，1998 年），頁 994。

[22] 胡培翬著，段熙仲點校：《儀禮正義》，第 1 冊，頁 465-466。

[23] 同前注。

此言嫌有驅使之稱，故以為與，謂主人與賓，是以為平
敵之義，故須訓之。[24]

兩相比較，賈《疏》詳當，顯然勝於高氏、胡氏之說。

（三）〈鄉射禮〉「遵入獻酢之禮」節：

大夫若有尊者，則入門左。主人降，賓及眾賓皆降，復
初位。[25]

「大夫若有尊者」，《正義》引張爾岐云：

言若有者，或有或無，不定也。[26]

今檢賈《疏》：

云大夫若有尊者，言若者，或無不定，故云若也。[27]

張說顯然襲自賈《疏》。賈《疏》在前，張說在後，《正義》不
引賈說而引張說，是蓄意隱人之善，最無道理。

（四）〈大射〉開首云「大射之儀」[28]

《正義》引郝敬曰：

不曰禮曰儀，射主儀也。射主爭之器，行之以禮讓，故
曰儀。子曰：「射者何以聽、何以射？循聲而發，發而
不失正，惟賢者乎？」射有儀所以難也。[29]

---

24 鄭玄注，賈公彥疏：《儀禮注疏·鄉射禮》，卷 11，頁 994。

25 胡培翬著，段熙仲點校：《儀禮正義》，第 1 冊，頁 475，476。

26 同前注，頁 475。

27 鄭玄注，賈公彥疏：《儀禮注疏·鄉射禮》，卷 11，頁 995。

28 〈大射〉一篇之名，唐石經作「大射儀」，宋刊單疏本無「儀」字，此從
單疏本。

29 胡培翬著，段熙仲點校：《儀禮正義》，第 2 冊，頁 789。

今檢查《儀禮疏》，賈云：「不言禮言儀者，以射禮盛，威儀多，故以儀言之。是以〈射義〉云：『孔子曰：射者何以射、何以聽？循聲而發，發而不失正鵠者，其惟賢者乎？若夫不肖之人，則彼將安能以中？』是其射容難，故稱儀也。」[30]一望可知，敖說全襲賈說，毫無創見。《正義》何以厚郝薄賈，令人莫名其妙。

（五）〈大射〉「前射三日戒」節：

> 前射三日，宰夫戒宰及司馬。射人宿視滌。[31]

此處「宿視滌」之「宿」作何解釋，鄭《注》無說。賈《疏》云：

> 此宰夫戒是再戒之宿，不云宿者，辟下宿視滌。何者？宰夫戒是申戒，下宿是夕宿，是以〈宗伯〉云：「凡祀大神、享大鬼、祭大示，帥執事而卜日，宿視滌濯。」注云：「宿，申戒也。」此前有射人戒，是七日前期。此宰夫戒是申戒。又知宿是夕宿者，以戒宿同文。明不同日，以其上云前射三日戒，明此非三日，是前一日矣。[32]

賈《疏》解釋文中之「宿」為射禮的前一日，而非三日，言之甚明。而《正義》云：

> 敖氏曰：「宰夫戒此三官，以當宿視滌也。宿謂前射一

---

30 鄭玄注，賈公彥疏：《儀禮注疏・大射》，卷16，頁1027。

31 胡培翬著，段熙仲點校：《儀禮正義》，第2冊，頁791。

32 鄭玄注，賈公彥疏：《儀禮注疏・大射》，卷16，頁1028。

日為之。」張氏爾岐曰:「前者,宰已戒百官。至此,宰夫又以射期將至,來告於宰,上下交飭也。又及司馬者,此日量道張侯,司馬職也。射人宿視滌,埽除濯溉,又在前射三日之前一夕,故云宿。」盛氏曰:「復戒此三官者,以宰是百官之長,司馬、射人,皆於射有職守故也。六卿分職,故司馬言及;射人不言及者,以其即司馬之屬也。量道張侯,皆射前一日事。張云即此一日,非。」韋氏協夢云:「前射三日,亦空一日也。宿則射前一日,與樂人設縣同日也。張氏以宿為前射三日之前一夕,非是。」[33]

讀《正義》,未免誤導讀者,以為宿謂射前一日之說,乃是敖繼公所創。盛氏、韋氏駁張氏誤解,均不出賈《疏》範圍,何必徵引?

（六）〈大射〉「前射三日戒」節:

> 司馬命量人量侯道與所設乏以狸步,大侯九十,參七十,干五十,設乏,各去其侯西十北十。[34]

文中出現之量人、侯、乏等,鄭《注》解釋道:

> 量人,司馬之屬,掌量道巷塗數者。侯,謂所射布也。尊者射之以威不寧侯,卑者射之以求為侯。量侯道,謂去堂遠近也。容謂之乏,所以為獲者之禦矢。狸之伺物,每舉足者,正視遠近,為發必中也,是以量侯道取

---

33 胡培翬著,段熙仲點校:《儀禮正義》,第 2 冊,頁 791。

34 同前注,頁 792。

象焉。〈鄉射記〉曰:「侯道五十弓。」〈考工記〉曰:「弓之下制六尺。」則此貍步六尺明矣。大侯,熊侯,謂之大者,與天子熊侯同。參讀為糝。糝,襍也,襍侯者,豹鵠而麋飾,下天子大夫也。[35]

賈《疏》對「侯」、「乏」,以及鄭《注》中出現的「不寧侯」、「貍步」等均有申述:

云侯謂所射布也者,以其三侯皆以布,以皮為鵠,旁又飾以皮也。云尊者射之以威不寧侯者,〈射義〉云:「故天子之大射,謂之射侯。射侯者,射為諸侯也。射中則得為諸侯,射不中則不得為諸侯。」是也。容謂之乏,所以為獲者之禦矢者,此云乏,《周禮·射人》云:「容」,所以為獲者之禦矢,解容乏之義。以其容身,故曰禦矢。言乏,矢於此乏匱不去也。云「則此貍步六尺明矣」,鄭云此者,陰破先鄭,故先鄭《注》〈射人〉貍步謂一舉足為步,於今為半步。故鄭《注》彼亦引弓之下制六尺以非之也。[36]

鄭《注》、賈《疏》,經文已無剩義,而《正義》云:

云侯謂所射布也者,以三侯皆以布為之,而以皮謂鵠,旁又飾以皮也。云尊者射之以威不寧侯卑者射之以求為侯者,《周禮·梓人》云:「毋或若汝不寧侯,不屬于王所,故抗而射汝。」《禮記·射義》云:「射侯者,射為諸侯也,射中則得為諸侯,射不中則不得為諸侯。」是

35　同前注,頁792-793。

36　鄭玄注,賈公彥疏:《儀禮注疏·大射》,卷16,頁1028。

注所本也。云容謂之乏所以為獲者之禦矢者，以《周禮·射人》作容，此云乏，知容、乏同物也。云貍之伺物每舉足者止視遠近為發必中也是以量侯道取象焉者，〈射人〉注云：「貍，善搏者也，行則止而儗焉，其發必獲者。」此注所以明量侯道取象之意。云〈鄉射記〉曰：「侯道五十弓。」〈考工記〉：「弓之下制六尺」，則此貍步六尺明矣者，先鄭《注》〈射人〉云：「貍步謂一舉足為步，於今為半步。」鄭不從，故引〈考工記〉以非之，明貍步為六尺也。[37]

兩相比較，可知《正義》所云，幾乎全襲賈《疏》，但祕而不宣，以為自創之說，掩耳盜鈴，令人忍俊不禁。

不僅賈《疏》遭此不公，連鄭《注》也間有受此對待者。以下兩例，可為佐證。

1.〈鄉射禮〉「司射誘射」節：

將乘矢，執弓不挾，右執弦。[38]

鄭《注》：

將，行也，行四矢，象有事于四方。不挾，矢盡。[39]

《正義》引敖氏云：「言此者，必四矢盡發也。」[40]鄭《注》已經說到四矢行盡，敖說暗襲鄭說，《正義》居然不察。

---

[37] 胡培翬著，段熙仲點校：《儀禮正義》，第 2 冊，頁 793。

[38] 同前注，第 1 冊，頁 515。

[39] 同前注。

[40] 同前注。

2.〈鄉射禮〉「司射作射請釋獲」節：

> 釋獲者執鹿中，一人執算以從之。[41]

《正義》引張氏云：「算，射籌也。」[42]然而此意後文之〈記〉有明文可按。〈鄉射禮・記〉云：「箭籌八十，長尺，有握，握素。」[43]鄭《注》：「籌，算也。籌八十者，略以十耦為正，貴全數。」[44]玄早已言之，郝說並無新義，故當引鄭氏之說。

　　諸如此類，均有悖學術道德，有失學術公允，為識者所恥。

三、引用不當

　　疏解經籍而名「正義」者，乃是以考求經義之正解為標榜。清代學術以文字考訂為基礎，自顧炎武倡導「讀《九經》自考文始」，[45]學者靡然從之，如惠棟云「經之義存乎訓詁」，[46]「說經主于明義理，然不得其文字之訓詁，則義理何自而推？」[47]戴震云：「由字以通其詞，由詞以通其道。」[48]錢大昕

---

41 同前注，頁 559。

42 同前注。

43 同前注，頁 656。

44 同前注。

45 〔清〕顧炎武：〈答李子德書〉，《亭林詩文集》（上海：商務印書館，1937年），頁 244。

46 〔清〕惠棟：〈九經古義述首〉，收入《清經解》（南京：鳳凰出版社，2005 年），第 3 冊，頁 2803。

47 〔清〕永瑢等撰：《四庫全書總目・凡例》（北京：中華書局，1995 年），卷首，頁 18。

云：「《六經》者聖人之言，因其言以求其義，則必自訓詁始」
等，[49]均是人所共知之學術信條。《說文》、《爾雅》最為近古，
故清人訓詁多始於此。若某一字句之解釋，諸家前後承襲，則
理應首先提及首倡此說者，此在常識範圍之內，無需贅言。然
而楊、胡補《正義》屢屢不循此規，引用諸說較為隨意，識見
甚為低下。

（一）〈鄉射禮〉「陳設」節：

> 乏，參侯道，居侯黨之一，西五步。[50]

鄭《注》：「容謂之乏，所以為獲者禦矢也。」[51]《正義》引敖
氏云：

> 《爾雅》曰：「乏謂之防。」說者云：「如今牀頭小曲屏
> 風也。」[52]

又引郝敬之說云：

> 乏，以皮為之，形如曲屏，唱獲者所隱蔽。一名容，容
> 身於內以避矢。矢力至此乏竭，故名乏。[53]

敖氏、郝氏之言，完全是襲用他人成說，現一一揭之如下。

48　〔清〕戴震：〈與是仲明論學書〉，《戴震集》（上海：上海古籍出版社，
　　1980年），頁183。

49　〔清〕錢大昕：〈臧玉林經義雜記序〉，《潛研堂集》（上海：上海古籍出版
　　社，1989年），頁391。

50　胡培翬著，段熙仲點校：《儀禮正義》，第1冊，頁462。

51　同前注。

52　同前注。

53　同前注。

　　敖氏引《爾雅》「乏謂之防」之後有「說者云」云云，不言說者為誰，容易使讀者誤認為是敖氏同時之人所言。今查《爾雅》而知，此語乃是郭璞的注「形如今牀頭小曲屏風，唱射者所以自防隱。」[54]不知何故，敖氏要隱去郭璞之名。與郭璞類似的解釋，也見於聶崇義《三禮圖》卷八：「舊圖云：乏，一名容，似今之屏風。其制縱廣七尺，以牛革鞔漆之。」[55]

　　郝氏解釋容又名為「乏」的理由，是「矢力至此乏竭」，此意賈《疏》早就揭明：「容者，以革為之，可以容身，故云容也。云『乏』者，謂矢於此匱乏不去，故云乏也。」[56]《爾雅》「容謂之防」下邢昺《疏》云：「謂之乏者，言矢至此力乏也。」[57]賈氏、邢氏之說均早於郝氏，不知《正義》何以如此偏愛郝氏？

　　此外，關於「乏」字本義，另有一說。《左傳》宣公十五年，伯宗云：「文反正為乏。」[58]陳祥道《禮書》云：「正面北，乏面南，故文反正為乏。謂之容，以獲者所厞也。」[59]《說文》正部段《注》云：「禮受矢者曰正，拒矢者曰乏。以

54　〔晉〕郭璞注，〔宋〕邢昺疏：《爾雅注疏·釋宮》，卷5，頁2597。

55　〔宋〕聶崇義：《新定三禮圖》，收入《通志堂經解》（揚州：江蘇廣陵刻印社，1993年），第11冊，頁503。

56　鄭玄注，賈公彥疏：《儀禮注疏·鄉禮》，卷11，頁993。

57　郭璞注，邢昺疏：《爾雅注疏·釋宮》，卷5，頁2597。

58　同前注，頁1888。

59　〔宋〕陳祥道：《禮書》，卷110，收入《北京圖書館古籍珍本叢刊3經部》（北京：書目文獻出版社，1988年），頁414。

其禽矢謂之乏，以獲者所容身謂之容。」[60]在文字學上，「正」字反寫即是「乏」，兩字相背。容有兩面，朝北受矢一面稱為「正」面；容身避矢一面為反面，故稱為「乏」。對陳氏解釋，《正義》僅僅在引用褚寅亮語時順便引及，而未展開討論，其說是耶？非耶？《正義》避而不談。

（二）〈鄉射禮〉「司射作射請釋獲」節：

> 釋獲者坐設中，南當福，西當西序，東面，興受算，坐實八算於中，橫委其餘于中西，南末。[61]

此節述及算、中等名目，及釋獲、實算等動作，均無礙難之處，然《正義》引凌廷堪《禮經釋例》云：

> 凡設中，南當福，西當西序，東面。〈鄉射禮〉再射，司射（西面，立於所設中之東，北面命釋獲者設中，遂視之。釋獲者執鹿中，一人執算以從之。釋獲者坐設中，南當福，西當西序，東面，興受算，坐實八算於中，橫委其餘於中西，興，共而俟。）〈大射儀〉再射，司射命釋獲者設中，「以弓為畢，北面。大史釋獲。小臣師執中，先首，坐設之，東面，退。大史實八算於中，橫委其餘於中西，興，共而俟」，注：「〈鄉射禮〉云：（設中，南當福，西當西序。）」是〈大射〉設中之處與〈鄉射〉同也。又〈鄉射〉、〈大射〉司射命射

60　〔清〕段玉裁：《說文解字注》（杭州：浙江古籍出版社，2002 年），正部，頁 69。

61　胡培翬著，段熙仲點校：《儀禮正義》，第 1 冊，頁 559。

記，(「釋獲者坐取中之八算，改實八算於中，興，執而
俟。乃射。若中，則釋獲者坐而釋獲，每一個釋一算。
上射於右，下射于左，若有餘算，則反委之。又取中之
八算，改實八算於中，興，執而俟」，)此釋獲也。卒
射，取矢加楅記，司射（立於中南，北面視算。釋獲者
東面於中西坐，先數右獲。二算為純。一純以取，實於
左手，十純則縮而委之。每委異之。有餘純，則橫於
下。一算為奇，奇則又縮諸純下。興，自前適左，東
面。坐，兼斂算，實於左手，一純以委，十則異之。其
餘如右獲。司射復位，釋獲者遂進取賢獲，執以升，自
西階，盡階，不升堂，告於賓。若右勝，則曰「右賢于
左」。若左勝，則曰「左賢於右」。以純數告。若有奇
者，亦曰奇。若左右鈞，則左右皆執一算以告，曰：
「左右鈞。」)此數獲也。蓋中者，實算之器，設之當
西序，以為行禮之節也。[62]

上引《禮經釋例》文字，括弧內之文字為〈鄉射禮〉經文。凌
氏之意可分兩節，前一節證明「〈大射〉設中之處與〈鄉射〉
同」，意在說明「中」之位置無論是在〈大射〉，還是在〈鄉
射〉中，都有例可循，凌氏書名為「釋例」，故以求例為宗
旨，《正義》引凌氏之說，尚能諒解；但後一節說釋獲與數獲
之過程，乃是後一節經文，可以屆時再說明，此處經文尚未涉
及，故無必要引用。

---

[62] 同前注，頁 559-560。

（三）〈士昏禮〉納采節：

> 揖入，至於廟門，揖入，三揖，至於階，三讓。[63]

賈《疏》云：

> 凡入門三揖，以其入門，賓主將欲相背，故須揖。賓主各至當塗，北面相見，故亦須揖。至碑，碑在堂下，三分庭之一，在北，是庭中之節，故亦須揖。[64]

敖氏云：

> 與賓揖，先入也。揖入之後，亦每曲揖，不著之者，此與上篇皆士禮，其同可知。[65]

吳氏廷華云：

> 碑在中庭，當云二分庭一在北。賈《疏》本下記言之，不知彼原非中庭，此注明言當碑，不當取以為證。[66]

按：碑在堂下，三分庭之一在北，賈《疏》不誤，凌廷堪早已辨之。[67]吳氏說誤。敖氏「與賓揖，先入也」之說也誤，賓主匹敵，不當有先入者。

（四）〈鄉射禮〉「司射作射請釋獲」節：

> 司射作射如初，一耦揖升如初。司馬命去侯，獲者許

63　同前注，頁 153。

64　同前注。

65　同前注。

66　同前注。

67　〔清〕凌廷堪著，彭林點校：《禮經釋例》（台北：中央研究院中國文哲研究所，2002 年），通例上〈凡入門將右曲揖北面曲揖當碑揖謂之三揖〉，卷 1，頁 80。

> 諾。司馬降,釋弓反位。司射猶挾一個,去撲,與司馬
> 交於階前,升,請釋獲于賓;賓許。[68]

所謂「釋獲」,經文下文即云:「司射遂進,由堂下北面命
曰:不貫不釋。」[69]鄭《注》:「貫猶中也。不中正不釋算
也。」[70]兩處經文連貫,文意十分清楚。而《正義》引郝敬
云:「釋籌于地,計射者所中。獲,射中也。」

(五)〈鄉射禮〉「司射作射請釋獲」節:

> 釋獲者執鹿中,一人執算以從之。[71]

《正義》引張氏爾岐云:

> 中,形如伏獸,鑿其背以受八算。[72]

張氏之說當是據〈鄉射禮·記〉而云,〈鄉射禮·記〉云:

> 鹿中,髤,前足跪。鑿背容八算。」[73]

鄭《注》:「前足跪者,象教擾之獸受負也。」[74]經注之義已
足,故此處當引〈記〉證經,不當引張說。

(六)〈士昏禮〉「婦見舅姑」節:

> 婦執笲棗栗,自門入,升自西階,進拜,奠于席。[75]

---

68 胡培翬著,段熙仲點校:《儀禮正義》,第 1 冊,頁 557-558。
69 同前注,頁 561。
70 同前注。
71 同前注,頁 559。
72 同前注。
73 同前注,頁 647。
74 同前注。
75 同前注,頁 189。

鄭《注》：

> 筭，竹器而衣者，其形蓋如今之筥筤簏矣。[76]

《正義》引郝氏云：「筭，竹盤，盛棗栗為摯也。」[77]筭字之義，鄭《注》甚明，沈彤引《詩傳》「方曰筐，圓曰筥」、《說文》「筥，籍飯器」、「簏，飯器，以柳為之」，[78]《正義》也已引之，筭字已無餘義。沈彤、郝敬說並無新意，實無引用之必要。

　　由上文可知，楊、胡二氏凡所稱引，似對郝敬有特別偏愛。郝敬著有《九經解》，而學界評價甚低。[79]其《儀禮節解》，四庫館臣譏其「好為議論，輕詆先儒」，「所解亦粗率自用，好為臆斷」，「敬之所辨，亦時有千慮之一得，然所見亦罕矣。」[80]楊、胡二氏屢屢稱引郝氏之說，適足見其學識之低下，豈有他哉！

四、失於裁斷

　　凡以《正義》為名者，都有集大成之意，唐人《五經正義》是如此，清人群經正義更是如此。所謂集大成者，必須彙集眾說，折中裁斷。彙集眾說是基礎，折中裁斷是指歸。如果

---

[76] 同前注。

[77] 同前注。

[78] 段玉裁：《說文解字注》，頁 192。

[79] 拙作：〈論姚際恒《儀禮通論》〉第三節，對郝氏學術有評述，讀者可以參閱，此不贅述；文載《湖南大學學報》2006 年 1 期，頁 5-15。

[80] 永瑢等撰：《四庫全書總目》，卷 23，經部，禮類存目一。

僅有前者，便是羅列資料，而非學術研究。楊補《正義》羅列
諸說每每不足，而折中裁斷也往往欠缺，以下試舉兩例。

（一）〈鄉射禮〉「迎賓拜至」節：

> 主人以賓三揖，皆行。及階，三讓。主人升一等，賓
> 升。[81]

此處「皆行」一詞之主語，究竟是指誰？賈《疏》云：

> 言皆行者，賓主既行，眾賓亦行，故云皆行。〈鄉飲
> 酒〉亦皆行，不言者，文略也。[82]

認為是指主、賓與眾賓皆行。《正義》引敖氏云：「皆，云言無
先後也。」[83]又引郝氏云：「皆行，主人與正賓同行也。」[84]依
敖氏、郝氏之說，乃是主人與正賓皆行。《正義》又引方苞
云：

> 主人接賓，前後儀法，皆與〈鄉飲酒〉同，惟此言皆
> 行。〈鄉飲酒〉主人與賓揖讓而升，介至眾賓，徐進至
> 階下，事不相連。〈鄉射〉則眾賓皆隨賓而行也。興賢
> 能，則全用賓主之禮，故聽其自行。教射則兼用有司之
> 法，故使之隨行。〈黨正〉之正齒位，賓入而眾賓從
> 之，亦此義也。〈鄉飲酒〉之眾賓，主人不酬；而〈鄉
> 射〉則眾賓長亦受酬。以大夫不與，則長正當介位也。

---

81 胡培翬著，段熙仲點校：《儀禮正義》，第 1 冊，頁 466。
82 鄭玄注，賈公彥疏：《儀禮注疏・鄉射禮》，卷 11，頁 994。
83 胡培翬著，段熙仲點校：《儀禮正義》，第 1 冊，頁 466。
84 同前注。

> 敖氏似謂賓與主人同行，果爾則宜稱「並」，不宜曰
> 「皆」。[85]

認為皆行者，乃指主、賓與眾賓。

上述兩種對立意見，敖氏、郝氏只提出觀點而不說明理由；方氏則詳細列出證據。僅有結論而無證據與推斷之過程，則近乎臆說，讀者難以認同。因此，《正義》在此應該對上述二說作出分析與評判，而胡肇昕云：「案方氏從賈《疏》說，然此節究以敖氏、郝氏說為當。」[86]胡氏既沒有舉出反對方氏之緣由，也未能說出贊同敖氏、郝氏之說根據。胡氏結論究竟緣何而出？令人如墜五里雲霧。

（二）〈鄉射禮〉「遵入獻酢之禮」節：

> （大夫）升，不拜洗。主人實爵，席前獻于大夫，大夫
> 西階上拜，進受爵，反位。主人大夫之右拜送。大夫辭
> 加席，主人對，不去加席。乃薦脯醢，大夫升席，設折
> 俎，祭如賓禮，不嚌肺，不啐酒，不告旨，西階上卒
> 爵，拜，主人答拜。[87]

鄭《注》：「凡所不者，殺於賓也。」[88]賈《疏》：

> 云升不拜洗者，大夫尊，故不拜洗。[89]

---

85 同前注，頁 466，467。

86 同前注，頁 467。

87 同前注，477，478。

88 同前注，頁 478。

89 鄭玄注，賈公彥疏：《儀禮注疏·鄉射禮》，卷 11，頁 994。

> 凡所謂經中三事，以其殺於賓，若然，上云不拜洗，亦
> 是殺於賓之類也。[90]

胡肇昕云．

> 注云凡所不者，統上不拜洗為言。據此則不拜洗非以優
> 尊者，其義益明。賈氏之說，前後自異，當以此疏為正
> 也。[91]

筆者案：此段經文所言，內容並不簡單。此處的大夫既是尊
者，但又不能在鄉射禮中喧賓奪主，處處優禮，蓋過正賓。故
採取了折中之法，在升席之前，不拜洗，也不去加席。大夫的
坐席為再重，大夫「辭加席」，請求徹去一重，而主人「不去
加席」，以示尊優。這與前面的「不拜洗」，用意是相同的。但
在大夫入席之後，則不嚌肺、不啐酒、不告旨，賈《疏》說，
這是為了表示「殺於賓」，禮數有所減殺，以示對主賓的尊
敬。胡氏認為賈《疏》「前後自異」，恐怕未達疏意。理由很簡
單，經文「不拜洗」與「不嚌肺、不啐酒、不告旨」上下密
接，賈氏不至於如此前言不搭後語。鄙見，鄭玄的注分作前後
兩處，「凡所不殺者殺於賓也」置於經文大夫升席之前與升席
之後之間，因此，從道理上推，「凡所不殺者殺於賓也」異語
是統「不嚌肺、不啐酒、不告旨」而言，不得探前。賈《疏》
的處理自有道理。況且，賈氏又明言「不拜洗」亦是「殺於
賓」之類，證明賈氏已經意識到其中的問題。胡氏似乎未能覺
察到這一點。

---

90 胡培翬著，段熙仲點校：《儀禮正義》，第 1 冊，頁 479。
91 同前注。

五、前後失照

《儀禮》十七篇,內容繁複,但內部有「例」貫穿,有條而不紊。《正義》為詮釋《儀禮》之作,所解所論,尤其要前後一貫。《儀禮正義》雜出三人之手,成書之後,未能細心檢照,故間有前後失照之處。

(一)〈士昏禮〉「納采」節

> 主人如賓服,迎於門外,再拜,賓不答拜。揖入,至於廟門,揖入,三揖,至于階,三讓。[92]

鄭《注》解釋何謂「三揖」:

> 入三揖者,至內霤,將曲,揖;既曲,北面,揖;當碑,揖。[93]

賈《疏》進一步解釋碑在庭中的位置:

> 至碑,碑在堂下,三分庭一在北,是庭之中節,故亦須揖。[94]

意思是將庭的南北長度劃為三等分,碑在北邊的那一等分上。

《正義》似乎反對賈《疏》之說,而引吳廷華云:

> 碑在中庭,當云二分庭一在北。賈《疏》本下記言之,不知彼原非中庭,此注明言當碑,不當去以為證。[95]

---

[92] 同前注,頁 152,153。

[93] 同前注,頁 153。

[94] 鄭玄注,賈公彥疏:《儀禮注疏・士昏禮》,卷 4,頁 961。「是」原作「曲」。從庫本作「是」。

[95] 胡培翬著,段熙仲點校:《儀禮正義》,第 1 冊,頁 153。

吳氏認為碑在「中庭」，即庭的正中，說賈《疏》誤解了〈士昏禮·記〉「隨入，西上，三分庭一在南」的話。其實賈《疏》說的三分庭一在北，是說碑的位置；記所云「三分庭一在南」，是說納征時執皮者所站立的位置；兩者本不相關，賈《疏》並未混為一談，吳氏之說誤。令人費解的是，關於碑位於「三分庭一在南」的說法，已在前面出現過，〈士冠禮〉「迎賓及贊冠者入」節：「至於廟門，揖入，三揖，至於階，三讓。」[96]鄭《注》：「入門將右曲，揖；將北曲，揖；當碑，揖。」[97]《正義》引凌廷堪《禮經釋例》云：

> 〈士冠禮〉「至於廟門，揖入。三揖」，注：「入門，將右曲，揖；將北曲，揖；當碑，揖。」〈士昏禮〉「納采，使者至於廟門，揖入。三揖」，注：「入三揖者，至內溜將曲，揖；既曲北面，揖：當碑，揖。」〈鄉飲酒禮〉「主人與賓三揖」，注：「三揖者，將進，揖；即入門將右曲，揖。當陳，揖；即將北曲，揖。陳，堂塗也，陳及闑不相直，故入門必再曲然後當陳。當碑，揖。」〈士冠禮〉疏云：「主人將右，欲背客，宜揖。將北曲與客相見，又揖。碑是庭中大節，碑在堂下，三分庭，一在北。又宜揖。」是知三揖據此而言也。[98]

凌氏明確提及「碑是庭中大節，碑在堂下，三分庭一在北」。《正義》在此引凌氏之文，顯然是同意其說，但為何又在〈士

---

[96] 同前注，頁 62。

[97] 同前注。

[98] 鄭玄注，賈公彥疏：《儀禮注疏·士冠禮》，卷 2，頁 951。

昏禮〉採用吳氏之說？凌、吳二說不同如此，未知《正義》作何考慮？

（二）「疑立」一詞的解釋

　　類似之例，又如《正義》對於「疑立」一詞的解釋。「疑立」一詞，為《儀禮》恆語，屢見於各篇，鄭玄均有解釋，如：

1. 〈士昏禮〉「贊者醴婦」節：「婦疑立于席西。」鄭《注》：「疑，正立自定之貌。」[99]

2. 〈鄉飲酒禮〉「主人酬賓」節：「賓西階上疑立。」鄭《注》：「疑讀為仡然從于趙盾之仡。疑，正立自定之貌。」[100]

3. 〈鄉飲酒禮〉「主人獻賓」節：「主人阼階東疑立。」[101]

4. 〈公食大夫禮〉「為賓設正饌」節：「賓立於西階，疑立。」鄭《注》：「疑，正立也，自定之貌。」[102]

可見，鄭玄關於「疑立」之解釋前後一貫，置於上引各條之中，均通達無礙。《集韻・迄韻》：「疑，正立自定兒。」[103]《集韻・職韻》：「疑，正立兒。」[104]與鄭《注》正同。《正義》對「疑立」之解釋似乎並不與鄭《注》相合。

---

[99] 胡培翬著，段熙仲點校：《儀禮正義》，第 1 冊，頁 192。

[100] 同前注，頁 306。

[101] 同前注，頁 313。

[102] 同前注，第 2 冊，頁 1208。

[103] 〔宋〕丁度等：《宋刻集韻》（北京：中華書局，2005 年），卷 9〈入聲上〉迄第九，頁 194。

[104] 同前注，頁 218。

〈士昏禮〉「醴使者」節:「主人受醴,面枋,筵前西北面,賓拜受醴,復位,主人阼階上拜送。」[105]經文雖然沒有「疑立」二字,但鄭《注》認為當是疑立之義:「主人西北面疑立,待賓即筵也。」[106]《正義》對此沒有異議,但引吳廷華云:「疑立者,無事而立。此經主人方在受醴獻賓之時,何暇疑立?又〈鄉飲酒禮〉言賓西階上拜,主人少退,賓進受爵,此賓拜主人,亦當少退,又烏能疑立?」[107]〈鄉飲酒禮〉「主人獻介」節:「介西階上立」,[108]鄭《注》:「不言疑者,省文。」[109]《正義》云:「李氏如圭云:『凡事未至者皆疑立。』案疑立者,致敬也。賓疑立,介下賓,不得不疑立,故知不言疑者省文。」[110]〈公食大夫禮〉「為賓設正饌」節:「賓立於階西,疑立」。[111]《正義》云:「疑立,蔡氏德晉云:不敢正對君也。」[112]

由《正義》在〈鄉飲酒禮〉「賓西階上疑立」下對「疑」字所作考論可知,作者對鄭《注》之理解不誤,但由上引諸文可知,其他幾處所解「疑立」並不一致。

(三)〈燕禮〉「告戒設具」節

設洗篚于阼階東南,當東霤,罍水在東,篚在洗西,南

105 胡培翬著,段熙仲點校:《儀禮正義》,第 1 冊,頁 161。
106 同前注。
107 同前注。
108 同前注,頁 338。
109 同前注。
110 同前注。
111 同前注,第 2 冊,頁 1208。
112 同前注。

肆，設膳籩在其北，西面。[113]

鄭《注》：「設此不言其官，賤也。」[114]《正義》先引褚氏寅亮云：

> 若果司宮設之，則此經宜云司宮設洗籩。下經宜蒙此經，而直云尊於東楹之西矣。何以不言司宮，而下始言司宮？故注云：不言其官，賤也。《集說》據〈大射儀〉以決司宮設洗，但彼亦無明文也。[115]

緊接著又引盛世佐等關於洗的質地的討論，然後云：

> 注云「設此不言其官賤也」者，賈《疏》云：「〈少牢〉司宮設罍水，大夫兼官，此國君禮，或可別人為之，但無文，故鄭不細辨。」敖氏云：「設四器亦司宮也，見〈大射〉與〈少牢禮〉，此經省文耳。」[116]

褚寅亮所駁，即敖氏之說，故當先引敖氏之說。而《正義》於此省去敖氏之說，令讀者不知敖氏如何立說。而下文引賈《疏》之後方引敖說，又似乎意在反對賈說。

（四）〈士昏禮〉「將親迎豫陳饌」節：

> 饌于房中，醯醬二豆，菹醢四豆，兼巾之。黍稷四敦，皆蓋。大羹湆在爨。[117]

---

[113] 同前注，第 1 冊，頁 670。

[114] 同前注。

[115] 同前注，頁 671。

[116] 同前注。

[117] 同前注，頁 167，168。

經文之「大羹湆」為何物？鄭《注》：

> 大羹湆，煮肉汁也。大古之羹無鹽菜。爨，竈也。《周
> 禮》曰：羹齊視夏時。今文湆皆作汁。[118]

《正義》云：

> 注云「大古之羹無鹽菜」者，《左傳》桓二年傳：「大羹
> 不致。」〈郊特牲〉云：「大羹不和。」謂不致五味，故
> 知不和鹽菜。唐虞以上曰大古。三王以來，更有鉶羹，
> 則致以五味。雖有鉶羹，猶存大羹，不忘古也。今文湆
> 皆作汁者，《五經文字》云：「湆從泣下肉，大羹也。湆
> 從泣下曰，幽陰也。」今《禮經》相承，多作下字。段
> 氏玉裁云：《儀禮音義》引《字林》云：「湆，羹汁
> 也。」《玉篇》、《廣韻》同，然則本無異字。肉之津
> 液，如幽濕生水也。羅氏有高云：湆之為肉汁者，古文
> 段借字，音入聲，讀若液。《說文》：「液，汁也。」古
> 文借為液，故湆可訓汁。今案：此二說是也。其汁字古
> 人多叚和叶字，如《周禮》「大史協事」注：杜子春
> 云：「《書》亦或為協，或為汁。」又〈大行人〉：「協辭
> 命」注：「故《書》協為汁。」〈鄉士〉「汁日刑殺。」
> 司農注：「汁，合也、和也。故鄭於此仍依古文作湆
> 耳。」[119]

今檢閱段玉裁《說文解字注》可知，《正義》「《五經文字》云」
至「幽濕生水也」一節，乃是剪裁段注而成。段氏原文如下：

《五經文字》云:「湝,從汜下月,大羹也。湝,從汜
下日,幽深也。今《禮經》大羹相承多作下字,或傳寫
久訛,不敢改正。」按湝字不見於《說文》,則未知張
說何本。《儀禮音義》引《字林》云:湝,「羹汁也。」
《玉篇》、《廣韻》同,然則本無異字,肉之精液如幽濕
生水也。《廣雅》:「羹謂之胐。」皆字之或體耳。[120]

《正義》在段說之後,又綴以羅有高之說。羅氏之說,以湝為
從水、音聲之字。然《經典釋文‧儀禮音義》湝字下云:「劉
云:范去急反,他皆音汜。《字林》云:羹汁也,口恰、口劫
二反。」[121]可見《儀禮》汜字,諸家均不從音聲。朱駿聲認為
本當有湝、湝二字:「按《儀禮》、《禮記》之湝訓羹汁,讀如
汜,字或借湝為斟、為汁,聲亦相近。然據《廣雅》作胐,恐
古有從肉、汜聲之湝,《說文》奪佚耳。」[122]朱氏認為「《說
文》湝訓幽濕,無羹汁義」,[123]故依據張參《五經文字》於臨
部補湝字:「湝,羹汁也,從肉,汜聲,字亦作胐。《廣雅‧釋
器》:『膦謂之胐。』」朱說至確。朱氏之書成於道光二十三
年,胡氏、楊氏理應見之,而《正義》甚至未能提及朱氏之
說,不可不謂疏漏之甚。

120　段玉裁:《說文解字注》,水部,頁560。

121　〔唐〕陸德明:《經典釋文‧儀禮音義》(北京:中華書局,1983年),卷
　　10,頁144。

122　〔清〕朱駿聲:《說文通訓定聲‧臨部第三》(北京:中華書局,1984
　　年),卷17,頁92-93。

123　同前注,頁117。

補記：

2005 年 11 月初清華大學與新加坡國立大學聯合舉辦首屆中國經學國際學術研討會，筆者在大會的禮學組發表本文，武漢大學歷史系楊華教授擔任本文之評論人。楊教授除贊同本文觀點之外，並告知《黃侃日記》1932 年 12 月 24 日條涉及黃季剛先生對楊、胡補《正義》之評價：

> 自晨至子夜，點〈大射儀疏〉三卷，胡、楊《儀禮》新疏於是點訖。[124]

黃侃認為胡、楊《儀禮》新疏不足為重：

> 新疏所取，實不盡愜，言斯學者，仍守漢注唐疏，無輕議禮可也。

此後，予之弟子張濤，亦從楊樹達《積微翁回憶錄》1949 年 9 月 29 日條得楊先生對楊、胡二氏補《正義》之評語：

> 閱胡培翬《儀禮正義》。〈士昏禮〉為楊大堉補撰，條理不明，遠遜胡著。法則在前，不肯遵循，乃自作聰明，甚矣，人之智力不可強同也！

又檢蒙文通〈對《辭海》徵求意見稿經學條目所提意見〉，蒙氏認為《儀禮正義》：

> 有系統的《儀禮》注解書。對宋儒、清儒如盛士佐等學說雖不合鄭義，亦並加採入，與其他墨守漢學的著作不同。書內部分是作者死後他的弟子楊大堉將作者稿本加

---

[124] 黃侃：《黃侃日記·寄勤閒日記·壬申十一月》（南京：江蘇教育出版社，2001 年），頁 839。

以整理補成此書，這部分就差一些。[125]

以上三條，可證季剛、積微、文通三位鴻儒已先獲我心，頗不以楊、胡補《正義》為然。吾說不孤，讀之甚覺釋然。楊教授、張生匡予所不逮，熱情指示，殊為感激。今附記於此，並致三申謝忱之意。

---

125 蒙文通：《經學抉原》（上海：上海人民出版社，2006 年），頁 277。

古金文學與《詩經》文本研究

陳 致[*]

　　關於金文學史的研究，學者如王國維、容庚、趙誠、裘錫圭等先生皆有專門論著，見本文中所引。關於《詩經》學史的研究，近年來也出了不少專門著作。而二者結合起來的研究，尚可謂「史之闕文」。本文認為金文、小學、《詩》學這三方面的研究，在歷史上曾經經歷了由平行發展而相互接合的過程。自宋代金文學興起，到晚清古金文學全盛時期，金文的考釋對於《詩經》文本研究的影響可謂深遠，特別是自嘉慶初到清末這段時期，清代學者，無論是金文學家、小學家，還是《詩》學家，很多人都曾肆力於此，且枘獲甚豐。這些成果，在大部分被繼承的同時，古代學者在這方面的貢獻也有一部份或被後人忽視，或被人遺忘。由於迄今尚無一部研究古金文學與《詩經》文本研究的專門文章著作，忽視和遺忘似乎在所不免。本文試圖描述古金文學的興起、發展以及晚近文字學興起以前古金文學研究對《詩經》經文考釋的貢獻，及其發展過程。

* 美國威斯康辛大學麥迪遜校區博士，現任職於香港浸會大學中文系，《諸子學刊》副主編。主要從事《詩經》古史與學術史方面的研究，有十餘篇學術論文在《中國史研究》、《國學研究》、英國《劍橋皇家亞洲學會學報》、德國《華裔學志》、荷蘭《通報》、臺灣《中國文哲研究集刊》、《臺大歷史學報》、香港《人文中國》等雜誌上發表。專著有《從禮儀化到世俗化：《詩經》的形成》（德國）。曾編著《周策縱舊詩存》（香港），主編《中國古代詩詞典故辭典》。

一、清以前的金文釋文及《詩經》文本的利用

商周時代，所謂「貢金九牧，鑄鼎象物」（《左傳‧宣公三年》），銅器乃為禮器重器，非簪珥者不能擁有和使用。阮元（1764-1849）臚列三代彝器之用為八事，曰：「立國以鼎彝分器，諸侯大夫朝享而賜以重器，以小事大而賂以重器，以小伐大而取為重器，述德徽身之銘以為重器，自矜之銘以為重器，鑄政令於鼎彝以為重器，或曰王綱廢墜，以天子之社稷，而與鼎器共存亡輕重者。」[1]終周之世如此，商代更是如此。龔自珍（1792-1841）〈說宗彝〉復列彝器之用為十九事，更為詳盡：「曰祭器、養器、享器、藏器、陳器、好器、征器、旌器、約劑器、分器、賂器、獻器、媵器、服器、抱器、殉器、樂器、徽器、瑞命。」[2]所舉無非君公大夫之事。自士大夫以上，凡鹽藏餐享，罔不取用。三代彝器之用，可謂廣泛矣。然三代彝器銘文之研究，晚至趙宋一朝，始臻於盛。王國維云：「古器之出，蓋無代而蔑有。隋唐以前，其出於郡國山川者，雖頗見於史，然以識之者寡，而記之者復不詳，故其文之略存於今者，惟美陽、仲山父二鼎與秦權、莽量而已。」[3]除王國維說的美陽、仲山父二鼎以外，載籍中所見有銘文之銅器，尚有如《左傳‧昭公七年》所記〈正考父鼎銘〉：「一命而僂，再

---

[1] 〔清〕阮元：〈商周銅器說〉下篇，《積古齋鐘鼎彝器款識》（北京：中國書店，1996 年景印上海中國圖書館影本），頁 4。又見朱劍心：《金石學》（上海：商務印書館，1955 年），頁 65-66。

[2] 〔清〕龔自珍：《龔自珍全集》（上海：上海人民出版社，1975 年），頁 261-262。

[3] 王國維：〈宋代金文著錄表序〉，《觀堂集林》（北京：中華書局，1959 年），第 1 冊，卷 6，頁 17。

命而傴，三命而俯，循牆而走，亦莫余敢侮。饘於是，粥於是，以餬余口。」《禮記·祭統》中之衛國孔悝鼎，其銘文曰：

> 六月丁亥，公假於太廟。公曰：「叔舅！乃祖莊叔，左右成公。成公乃命莊叔，隨難於漢陽，即宮於宗周。奔走無射，啟右獻公。獻公乃命成叔，簒乃祖服。乃考文叔，興舊耆欲，作率慶士，躬恤衛國。其勤公家，夙夜不解。」民咸曰：「休哉！」公曰：「叔舅，予汝銘，若簒乃考服。」悝拜稽首曰：「對揚以辟之，勤大命，施于烝彝鼎。」[4]

將銘文內容與後來發現的銅器銘文比對，大體不差。其後，漢代宣帝時，扶風美陽出古鼎，張敞識古文，釋〈美陽鼎銘〉云：

> 王命尸臣，官此栒邑。賜爾旂鸞、黼黻、琱戈。尸臣拜手稽首曰：「敢對揚天子丕顯休命。」[5]

其事見《漢書·郊祀志》，從所載銘文來看，可能不是銘文的全部。此後，東漢永元元年，竇憲上仲山父鼎，事見《後漢書·竇憲傳》，云：

> 和帝永元元年秋七月，車騎將軍竇憲伐單于，大敗之稽落山。憲登燕然山勒石紀功。南單于於漠北遺憲古鼎，

---

4 〔漢〕鄭玄注〔唐〕孔穎達正義：《禮記正義》卷 49，頁 379，見阮元校刻：《重刊宋本十三經注疏》（北京：中華書局，1980 影世界書局縮印本），頁 1607。

5 〔漢〕班固撰〔唐〕顏師古注：《漢書》（北京：中華書局，1962 年），頁 1251。

容五斗，其傍銘曰：「仲山甫鼎，其萬年子子孫孫永保用。」憲乃上之。[6]

《後漢書》中所記〈仲山父鼎銘〉文，不知是否全部內容。據史傳所記，其後有銘銅器，代有所見。如南朝宋元嘉廿二年新陽獲古鼎，有篆書42字。（《宋書‧符瑞志》）

阮元〈商周銅器說〉謂：

唐貞觀廿二年，遂州涪水中獲古鼎，傍有銘刻。

（開元）十三年，萬年人獲寶鼎五，獻之四，鼎皆有銘（銘曰：「垂作尊鼎，萬福無疆，子孫寶用。」按：此銘文亦不全。）

（開元）廿一年，眉州獻寶鼎，有篆書。天寶元年，平涼獲古饞鼎，獻之。[7]

王鳴盛引閻若璩的話，以為宋以前的金石文研究，僅王肅據子尾尊、劉杏據齊景公尊、孟康據玉瑠、張晏據伏生碑、晉灼據黎陽碑、傅宏仁據齊胡公銅棺題字、顏之推據秦權銘七事而已，他無所見。[8]其說並不準確。故王又舉十一事。以上所列，僅是史傳中所見者，已不止閻若璩所說的七事。史籍中記錄下來的幾段金文釋文，以文例來看，與後來發現的金文辭例相類，張敞等古人的釋讀應該大部分無訛。

6　〔南朝宋〕范曄撰〔唐〕李賢等注：《後漢書》（北京：中華書局，1965年），頁817。

7　阮元：〈商周銅器說〉下篇，《積古齋鐘鼎彝器款識》，頁5。

8　〔清〕王鳴盛：〈《潛研堂金石文字跋尾》序〉，收入陳文和主編：《嘉定錢大昕全集》（南京：江蘇古籍出版社，1997年），第6冊，卷1《潛研堂金石文字跋尾》，頁1。

　　清代以前的金文研究，主要是在宋代。咸平三年（1000），乾州獻古銅器曰史信夫甗。《金石錄》卷 11 載：「案《真宗皇帝實錄》：『咸平三年，乾州獻古銅鼎，狀方而四足，上有古文二十一字，詔儒臣考正。而句中正、杜鎬驗其款識以為史信父甗』。」其銘文曰：

> 維六月初吉，史信父作鬻甗。期萬年，子子孫孫永寶用。[9]

其後，銅器不斷發現，祕閣與太常所藏商周銅器日豐。自北宋初始，青銅器銘文的著錄不斷纂編成書。據宋翟耆年《籀史》所記，參之以《金石錄》諸書，按其編纂的時代，今粗列如下：

1. 徐鉉《古鉦銘碑》1 卷（佚）。敘云：「建陽有越王餘城，城臨建溪。村人於谿中獲一器，狀如鐘，長八寸，徑六寸，柄一尺。柄端有雙角相向箝。重十斤，銘四十八字。獻之刺史王延政。有摹其字以示余者，惟『連鉦』二字可識。」（《籀史》）

2. 真宗天禧元年（1017）僧湛洤纂《周秦古器銘碑》1 卷（佚）。（《籀史》）

3. 仁宗皇祐三年（1051）編《皇祐三館古器圖》（佚）。「皇祐三年，詔出祕閣及太常所藏三代鐘鼎器，付修太樂所參較齊量，又詔墨器欵，以賜宰執丞相平陽公，命承奉郎知國子監書學楊元明南仲釋其文。」（《籀史》）

9　〔宋〕王應麟：〈咸平古銅鼎・甗〉，《玉海》（臺北：華聯出版社，1964 年據元至元刊本景印），第 3 冊，卷 88，頁 1674-1675。

4. 皇祐初，胡俛纂《古器圖》1 卷（佚）。「皇祐初，仁宗皇帝召宰執觀書太清樓，因閱羣國所上三代舊器，命摸篆以賜近臣。有翰林待詔李唐卿者以隸字釋之，十得二三。翰林學士王原叔又釋之，始通八九。熙寧戊申歲，司封員外郎知和州胡俛公謹取所賜器篆五銘，鑱石傳世。但俛以辟宮敦為鼎，以太公簠為斗，以仲信父旅甗為煮甗，徒刻其文而不載原叔所釋之字，為未盡善。」（《籀史》）

5. 嘉祐八年（1063），劉敞（原父）作《先秦古器圖》1 卷（佚），共收 11 器。（《籀史》、《金石錄》）

6. 嘉祐中歐陽修撰《集古錄》10 卷。

　　神宗朝及其後，銅器銘文的著錄、編纂、考釋浸夥，元祐間祕書省正字呂大臨（1046-1092）撰《考古圖》10 卷《釋文》1 卷（趙九成撰）、南宋紹興間人補撰《續考古圖》5 卷，神宗時李公麟（1049-1106）撰《考古圖》5 卷（佚）、《古器圖》（或即《考古圖》）（佚）、《周鑒圖》1 卷（佚），北平田概撰《京兆金石錄》6 卷（佚），[10]更影響當時士大夫。此後又有黃伯思《博古圖說》12 卷（佚），[11]晏溥《辨古圖》（佚）、《鼎彝譜》1 卷（佚），王俅《嘯堂集古錄》2 卷，趙明誠（1081-1129）《金石錄》30 卷、《古器物銘碑》15 卷（佚），大觀中王黼《重修宣和博古圖》，王厚之（複齋）《鐘鼎款識》（佚），政

---

[10] 〔宋〕陳振孫云：「元豐五年王欽臣為序，自為後序，皆記京兆府縣古碑所在，覽之使人慨然。」見氏撰，徐小蠻、顧美華點校：《直齋書錄解題》（上海：上海古籍出版社，1987 年），卷 8，頁 231。

[11] 《直齋書錄解題》作 11 卷，見是書卷 8，頁 234。

和年間王楚撰《鐘鼎篆韻》,紹興年間張掄《紹興內府古器評》2 卷,薛尚功《廣鐘鼎篆韻》7 卷(佚),《歷代鐘鼎彝器款識》20 卷等等。王國維曾分宋代金文著作為三類:「與叔(呂大臨)之圖,宣和之錄,既圖其形,復摹其款,此一類也;《嘯堂集古》,薛氏《法帖》,但以錄文為主,不圖原器之形,此二類也;歐陽金石之錄,才甫(張掄)《古器》之評,長睿(黃伯思)《東觀》之論,彥遠(董逌)《廣川》之跋,雖無關圖譜,而頗為名目,此三類也。」[12]呂大臨《考古圖》與王黼《重修宣和博古圖》,有器物形像,有銘文摹搨,有釋文,有器物說明,此王國維所說的第一類;王俅《嘯堂集古錄》與薛尚功《歷代鐘鼎彝器款識法帖》則無器物圖像,但有銘文摹搨和釋文、說明,是為王國維所說的第二類;第三類實際上應該分開來看,歐陽修《集古錄》,張掄《紹興內府古器評》摹寫銘文古籀字形,並附釋文,而黃伯思《東觀餘論》、董逌《廣川書跋》於所錄商周銅器多數只有形制說明、釋文而無摹寫字形,或只錄個別古籀字形,而無銘刻字形全文,是當別為第四類。這些著作,皆啟金文研究之先河。[13]

宋代金文著作,《宋史‧藝文志》所載計有十餘種,翟耆

---

[12] 王國維:〈宋代金文著錄表序〉,《觀堂集林》,第 1 冊,卷 6,頁 17。

[13] 關於宋代的金文圖錄考釋研究,參見(1)王國維撰,羅福頤校補:〈宋代金文著錄表〉,《三代秦漢兩宋(隋唐元附)金文著錄表》(北京:北京圖書館出版社,2003 年),頁 627-704;(2)容庚:〈宋代吉金書籍述評〉,曾憲通編:《容庚選集》(天津:天津人民出版社,1994 年),頁 3-73;(3)趙誠:《二十世紀金文研究述要》(太原:書海出版社,2003 年),頁 1-29;(4)李海榮、朱露萍:〈中國古代青銅器研究的萌芽期與形成期〉,《文物季刊》1999 年第 1 期,頁 79-83。

年《籀史》則列三十餘種。除前舉各種外，多散佚無存。諸書著錄者還有李訓《節金錄》1 卷，蔡京《崇寧鼎書》1 卷，張有《復古編》2 卷，《政和甲午祭禮器款識》1 卷，《慶元嘉定古器圖》6 卷等等。

以《詩》文證讀金文，其初亦始於宋人。趙九成《考古圖釋文》中就指出文獻所傳古文，尚能訓讀，而「以今所圖古器銘識，考其文義，不獨與小篆有異，而有同是一器，同是一字而筆畫多寡偏旁位置左右上下不一者，如……其異器者，如彝、尊、壽、萬等字，器器筆畫，皆有小異，乃知古字未必同文。至秦既有省改以就一律，故古文筆畫非小篆所能該也。然則古文有傳于今者，既可考其三四，其餘或以形象得之。」[14] 故宋人考釋金文之法，可說一從形象得之；一則偶亦從文獻中相似的句式來推證。以形象得之，不必細論。後一種方法，比較有代表性的例證是對於「𩏂」字的考釋，以及對於「釁」字認定。呂大臨《考古圖》中提出「𩏂」字為祈，「釁」為眉。呂云「」，「疑旂字，讀為祈聲。音偃，石鼓文皆作。古之旌旂，悉載於車，故疑即旂字，而以車借讀為旂，近嘗有得敦藍田者，二銘皆用萬壽之文，故知其然也。」[15] 趙九成從金文中所見的「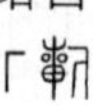」（虢姜敦）「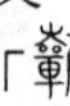」（伯戔盤）「」（晉姜鼎）「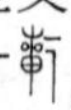」「」（伯父敦）諸字形，更進一步論證此字即祈求之祈字。趙云：「《說文》作艸也，从艸，从聲。徐鉉云：『《說文》

---

[14] 〔宋〕趙九成：《考古圖釋文》，呂大臨《考古圖》附（臺北：商務印書館，1985 年景印文淵閣《四庫全書》），第 840 冊，頁 351-352。

[15] 〔宋〕呂大臨：《考古圖》，卷 1，《四庫全書》，第 840 冊，頁 100。

無字，他書亦無。渠支反。』今据古文，當从㫃，从單。未知何義。《爾雅》:『薛，山蘄；茭，牛蘄，音芹。』《莊子》云:『死者不悔，其始之蘄生乎。』音祈，求也。諸器多云蘄万壽，則義與祈同。《說文》無從㫃者，蓋从艸者當云芹，从㫃者當音祈。㫃，旗，所以招物，亦有祈求之意也。」[16]趙九成據《莊子》與金文對文，而得出此從㫃，從單之「靳」字，為祈求之祈，其推論過程尚有闕失，但結論卻是正確的。金文「𡕥」字的認定，也由宋人以意揣知。歐陽修《集古錄》引當時善識商周文字的太常博士楊南仲云:「𡕥，今幡為許刃，而𡕥芑之𡕥（音門），用之為聲。《詩》『鳧鷖（音醫）在𡕥』，又省為𡕥。《易·繫辭》又讀如尾，𡕥（門）、尾、眉，聲相近。又古者字音多與今異。豈𡕥、眉古亦同音歟？秦鐘銘亦有𡕥字。故𡕥疑為眉。」[17]像這種由《詩》文釋讀金文之例，還有如薛尚功《歷代鐘鼎彝器款識》中以《詩經》「三壽作朋」釋〈晉姜鼎銘〉文中之「保爾子孫，三壽是利」。[18]卷七釋讀〈遲父鐘銘〉「用昭乃穆穆，不顯龍光」，引《詩·小雅·蓼蕭》「為龍為光」，云:「穆穆以言其欽和，不顯以言其甚顯，而龍光又言其承天子之寵光也。」[19]又嘉祐中劉敞（原父）在長安

---

16 趙九成:《考古圖釋文》，呂大臨《考古圖》附，《四庫全書》，第 840 冊，頁 354。

17 〔宋〕歐陽修:《集古錄》，卷 1，《四庫全書》，第 681 冊，頁 9。

18 〔宋〕薛尚功:《歷代鐘鼎彝器款識法帖》，卷 10，《四庫全書》，第 225 冊，頁 584-585。

19 同前注，卷 7，《四庫全書》，第 225 冊，頁 555。此處龍字通寵，自《毛傳》以下無異議。考其所本，當是《左傳·昭公十二年》，宋華定聘於魯，魯叔孫昭子為賦〈蓼蕭〉，華定不答賦，昭子譏其宴語之不懷，寵光之不

得二器，其一張仲器銘，歐陽修云：「《詩‧六月》之卒章曰：『侯誰在矣，張仲孝友。』」[20]歐陽修乃據《毛傳》定其為宣王時器。王黼釋讀周穆公鼎銘「不顯走穆公」[21]云：「曰不顯走者，《詩》言『有周不顯』，王安石釋之云：『不顯者，乃所以甚言其顯也』」。[22]王黼又以《詩‧大雅‧江漢》「對揚王休」釋讀金文中「對揚天子之休命」，[23]是皆為宋人釋讀成功之例。

　　宋人的考釋，其中也有通過字形、音讀、義類等比較綜合的方法來判斷的，惟其例甚鮮。《集古錄》著錄〈韓城鼎銘〉（即晉姜鼎銘）中卌字，歐陽修據《詩‧大雅》「串夷載路」，而云：「毌，音冠。象穿寶貨形。貫字从之，或即毌字。今《毛詩》有串夷字。俗用為串穿之串。而《說文》不載，豈非字之省也，故疑讀為貫。」[24]歐氏此說對清代學者應該有相當大的啟發，其後的考釋如惠棟、孫詒讓與王國維諸說，恐怕皆由歐陽修啟其端倪（說詳後）。

　　宋人以《詩》釋讀金文，其間亦錯訛時出。如〈保作父己卣〉，薛氏稱其為子父己卣。其中的「保」字，薛氏誤以為是

宣云云。見〔晉〕杜預：《春秋左傳集解》（上海人民出版社，1978年），頁 1347。

[20] 歐陽修：《集古錄》，卷 1，《四庫全書》，第 681 冊，頁 13。

[21] 此器《博古錄》著錄，與 1942 年陝西扶風所出禹鼎同銘，所謂「走」當為「趠趠」二字。

[22] 〔宋〕王黼：《重修宣和博古圖》，卷 2，《四庫全書》，第 840 冊，頁 415。

[23] 同前注，卷 16，收入《四庫全書》，第 840 冊，頁 736-737。

[24] 歐陽修：《集古錄》，卷 1，《四庫全書》，第 681 冊，頁 9。

子執刃之形，乃引《詩》「執其鸞刀，以啟其毛」，[25]解為孝子執刀，殺牲以祀之義，則謬以千里矣。

　　宋人著錄整理青銅器之盛，遠軼往代。蔡絛《鐵圍山叢談》云大觀初《宣和殿博古圖》所收已有五百多件，政和間尚方所貯有六千餘器，宣和間三代秦漢之銅器累至萬餘。[26]此說王國維已辨其妄，但北宋末年，朝廷所蒐集，至少當在近千之數。[27]宋代學者開創了金石之學，宋人於金文考釋，除據銘文本身釋讀外，頗思以《詩》《書》等文獻來佐證金文的釋讀。翟耆年《籀史》讚李伯時（公麟）云：

> 彝器款識，真蝌蚪古文，實籀學之本源，字義之宗祖。商周之時，器有常工，日以鼓鑄為事，字有妙意。時方書畫未分，羊、足字，畫形以著名，壺、卣字，象形以製字，庚則檠然象物，秋而垂實；癸包結象草，萌而未達。明罍所以承尊彝，謂觚為用同主笏。發明聖人奧義微旨，於數千百載之後，非寡見謏聞之所識。知其博學精鑒，用意至到。聞一器捐千金不少靳。既得，則刮磨探考，稽證《詩》《書》百氏，審諦若符契乃已。[28]

25 薛尚功：《歷代鐘鼎彝器款識法帖》，卷 3，《四庫全書》，第 225 冊，頁 532。
26 〔宋〕蔡絛：《鐵圍山叢談》（北京：中華書局，1983 年），卷 4，頁 80。
27 王國維：〈書《宣和博古圖》後〉，《觀堂集林》，第 3 冊，卷 18，頁 917。
28 〔宋〕翟耆年：〈李伯時考古圖五卷〉，《籀史》，《四庫全書》，第 681 冊，頁 436-437。

　　然宋人的金文學，如王國維所云，尚處於篳路藍縷的階段。宋以後直至清代乾隆以前，金文學都沒有太大的發展。金元以降，金文著錄工作沒有進步，金文考釋更是未出宋人牢籠。宋人的金文考釋工作，並沒有使金文學與傳世經典及其他文獻有機地結合，《四庫提要》〈盤洲文集提要〉稱洪适於「金石之學，最所留意」，然适所作《隸釋》、《隸續》二書，注重於碑刻，於金文未見考釋之功。宋楊南仲、歐陽修、呂大臨、王黼、薛尚功等雖有所貢獻，如上所述，但在以文獻考釋金文方面，很多都是牽強比附。

　　元明兩代，在金文學上對於宋代可說毫無發展，元代可數的幾種著錄金文的著作，如楊鉤《增廣鐘鼎篆韻》，應是鈔撮宋代王楚《鐘鼎篆韻》與薛尚功《重廣鐘鼎篆韻》而成書，由於宋人二書皆不傳，其所抄錄的數量、次第，有無補撰，皆無從稽考。天啓年間纂修的《平湖縣志》著錄的元陸堯封著《歷代鐘鼎文考》（據曾筠《浙江通志》卷 242），內容不詳。其他如羅泌《路史》、[29] 梁益《詩傳旁通》[30] 都曾經借〈周鼎銘〉（即漢宣帝時所出〈美陽鼎〉銘）「王命尸（臣）官此栒邑」以證豳（邠）地，為僅見的借助金文資料徵《詩》地理的例子。

　　明代與金文有關的著作，見於載籍的有十餘種，大都抄錄宋人《考古圖》、《博古圖》、《鐘鼎款識》諸書，或者「割裂汨亂，謬誤百出」，或者「竟以意杜撰，體例既陋，考證尤疏」，

29　〔宋〕羅泌：《路史》，卷 29，《四庫全書》，第 383 冊，頁 388。

30　〔元〕梁益：《詩傳旁通》，卷 5，《四庫全書》，第 76 冊，頁 843。

可說每況愈下。[31]時著作大都承宋代金石著作之緒餘，無多貢獻。明代中葉楊慎的《金石文字》一書，所錄〈周齊侯鐘銘〉、〈周齊侯鎛鐘銘〉、〈姜鼎銘〉、〈毛伯敦銘〉、〈韓城鼎銘〉、〈周岐鼎銘〉、〈衛靈公沙邱石椰銘〉諸器皆宋人所著錄。[32]僅鈔撮宋人釋文而無考釋說明等項。這一狀況，一直持續到清代嘉慶年間。嘉道間以金文學名家的如阮元（1764-1849）、吳榮光（1773-1843）等，在考釋文字方面，也沒有超出宋人的範圍。如王國維所云：「至於考釋文字，宋人亦有鑿空之功，國朝阮吳諸家不能出其範圍，若其穿鑿紕繆，誠若有可譏者，然亦國朝諸老之所不能免也。」[33]

　　清代金文學與《詩》文的研究，我以為可以分幾個時期來談。從清初到雍正統治（1723-1735）時期，雖然金石之學復興，但是金文學嚴格地說沒有什麼發展，對《詩經》文本研究無從發生太大的影響。從乾隆統治（1736-1795）時期開始到道光統治（1821-1850）時期，金文學勃興，並且伴隨著詩經學的深入發展，二者之間由平行發展而逐漸結合，開始超越宋人的水平。從咸豐統治（1851-1861）時期到清末，金文學與《詩》學交織發展，金文考釋的成績被廣泛運用到《詩經》文本的研究。

---

[31] 朱劍心：《金石學》，頁 3033。

[32] 〔明〕楊慎：《金石古文》，卷 2，《叢書集成初編》，第 1516 冊，頁 17-22。

[33] 王國維：〈宋代金文著錄表序〉，《觀堂集林》，第 1 冊，卷 6，頁 295。

二、平台期（1644-1735）：
清代考據之學的復興與《詩經》文本研究

真正將金文與文獻相結合，是由清代學者所辦之業。究其原因，一則清儒學問綜博，於經籍注疏小學文字，無不該覽；再則，自清初顧炎武倡為本原之學後，學者求古求真於經典異文聲訓。金文之學實由文字音韻之學帶動下，始為學者所重。然而，清初金石之學雖然勃興，金石之學中的金文這一方面，卻沒有什麼變化和發展。清初順康雍三朝，由於清初顧炎武、朱彝尊等人的推揚，石鼓文、石經、歷代碑刻之學都有很大發展，海內作者浸多，此學一時稱盛。然而金文之學，沒有太大進展。其中一個很重要的原因是沒有很多新發現的有銘銅器。清初葉奕苞補趙氏而撰《金石錄補》一書，所著錄有〈夏商周銘〉、〈商父乙鼎銘〉、〈商爵銘〉、〈周南仲鼎銘〉、〈周師旦鼎銘〉諸器，除〈商父乙鼎〉為其同郡李氏家藏器外，餘皆鈔錄其他宋人著錄。[34]顧炎武《金石文字記・序》，自稱抉剔史傳，發揮經典，頗有歐陽、趙氏二錄之所未具者。[35]但其所增補考詳者，並不包括鐘鼎銘文。全書於銅器銘文只收〈比干銅盤銘〉與〈焦山鼎銘〉二件，只錄釋文與形制說明，無貢獻發

---

[34] 〔明〕葉奕苞：《金石錄補》，卷 1，《叢書集成初編》，第 1519 冊，頁 1-4。

[35] 〔清〕顧炎武：《金石文字記・原序》，《四庫全書》，第 683 冊，頁 703。

明。朱彝尊《曝書亭集》卷 46 有〈商祖丁爵銘跋〉、[36]〈商父巳敦銘跋〉、[37]〈周鼎銘跋〉、[38]〈周司成頌寶尊壺銘跋〉、[39]〈周延陵季子劍銘跋〉數器銘文，對器物來源、形制等略加說明，抄錄宋人釋文，銘文有多處不能識讀。朱彝尊在諸跋中推重當時有張弨、程穆倩善識鐘鼎文字，從所著錄的釋文來看，其水平尚在宋人楊南仲、薛尚功等人之下。[40]

　　清初注重考據訓詁小學的經學諸儒，雖然已多藉石經獵碣舊刻，以定經文。顧亭林以明監本、坊刻本諸經字多譌脫文字，乃作《九經誤字》，以補舊文之不足。《九經誤字》據石經、監本及唐張參《五經文字》考訂今本《詩》文之異者，共 12 條。曰：「何彼禯矣」、「羊牛下括」、「不能辰夜」、「求爾新特」、「成不以富」、「家伯維宰」、「如彼泉流」、「秖自疧兮」、「不皇朝矣」、「以篤于周祐」、「既右饗之」、「降予卿士」。[41]然顧氏所據石經，為裁剪本而非完本，所考亦多闕失，不及後人之嚴密。治經方法上卻有前驅作用。其所刱獲，賴石經尤多。與顧同時的其他《詩經》考據學名家，如陳啟源、朱鶴齡、嚴

36　即〈且丁爵〉，殷器，現藏美國薩克勒氏（Sackler Museum of Art and Archaeology）博物館，見中國社會科學院考古研究所編：《殷周金文集成》（北京：中華書局，1988 年）7853。文中簡稱《集成》。

37　疑為〈父己簋〉，殷器，見《集成》3058。

38　即〈無惠鼎〉，西周晚期器，見《集成》2814。

39　即〈頌壺〉，西周晚期器，見《集成》9731, 9732。惟《曝書亭集》所著錄銘文與傳世華搨，略有出入，疑為朱彝尊謄寫致訛。

40　〔清〕朱彝尊：《曝書亭集》，卷 46，《四庫全書》，第 1318 冊，頁 170-174。

41　顧炎武：《九經誤字》，《四庫全書》，第 191 冊，頁 3。

虞惇等偶留意於石經碑刻，而以金文考訂《詩經》文本者，尚無其人。清代前期，偏向於訓詁考據的《詩經》學者，都非常留意詩經的異文問題，主要是想從經傳子史，碑刻字書中的異文考徵《詩經》本文。清初的顧炎武、王夫之、嚴虞惇、朱鶴齡、陳啟源諸家，考訂異文的主要依據，首先是傳世的《毛詩》不同版本，其次是從唐代陸德明《經典釋文》、宋代王應麟《詩考》中所存三家《詩》的異文，其三是其他經傳子史、字書類書中所存的《詩經》異文，最後是漢唐石經、漢代碑刻中所存的《詩經》異文，基本上沒有涉及金文。其中，只有惠棟一人似乎是個異數。

惠棟（1697-1758），字定宇，號松崖，士奇次子。江蘇元和人。自惠周惕以下，元和惠氏三世以經學聞世。惠棟撰《九經古義》22 卷，喜以古字易俗字。治《易》，以為王弼、韓康伯等以下，多以俗字易古字，故訂正所謂古字七十餘。書中《毛詩古義》二卷亦如此。[42]倫明云：

> 是書如「采采卷耳」條，引《荀子》說，證大毛公之師承。「江之永矣」條，據《韓詩》永作羕。補《爾雅》郭《註》及《說文》所未及。「于以湘之」條，據《韓詩》作「于以鬺之」。顏師古《漢書注》：「鬺，烹煮而祀也。」[43]

倫明所舉諸例中之永作羕字，惠氏所據為《說文》中對永羕二

---

[42] 惠棟：《九經古義》卷 5-6 為《毛詩古義》，《四庫全書》，第 191 冊，頁 401-424。

[43] 倫明：〈毛詩古義二卷〉提要，《續修四庫全書總目提要·經部》（北京：中華書局，1993 年），上冊，頁 338。

字的解釋，《說文》云：「永，長也，象水巠理之長。《詩》曰：『江之永矣』，凡永之屬皆從永。羕，水長也。從永，羊聲。《詩》曰：『江之羕矣』。」[44]故惠棟所本一為《說文》中所存《詩》之異文，再有就是，很可能惠棟從讀金文中得出這一結論。金文〈陳逆簠銘〉，永命作羕令。是其證也。《毛詩古義》上承陳、朱二氏，多用金石文字，如〈召南・采蘩〉：「夙夜在公。」《毛傳》曰：「夙，早也。」惠棟引〈尉氏令鄭君碑〉：「夜在公」。《說文・夕部》：「，早敬也。」徐鉉謂作夙訛，惠棟引〈義雲章〉及古鐘鼎文皆作「」字，以此漢碑彝銘異文，考訂補正《毛傳》之闕。[45]其對《詩・大雅・皇矣》「串夷載路」之攷訂，尤見功力。惠棟承宋歐陽修之說，以〈晉姜鼎銘〉文中的字，[46]參覈《說文》、《禮記・明堂位》中之「崇鼎、貫鼎、大璜、封父龜」等文，乃云：「貫之與昆，同物同音，故〈綿〉詩謂之混，〈皇矣〉謂之串。」[47]又云：「〈皇矣〉伐崇之詩，時混夷已平，故云『載路』。崇鼎、貫鼎，皆伐二國時所得之寶，故與封父同稱，則串夷之為貫無疑矣。」[48]繼惠氏之後，孫詒讓復詳加論定串之與毌及貫本為一字。[49]其後王國維指出，鬼方、昆夷、混夷、緄夷、犬夷、畎

44 〔漢〕許慎：《說文解字》（北京：中華書局，1963年），頁240。

45 李開：《惠棟傳》（南京：南京大學出版社，1993年），頁74。

46 晉姜鼎見《集成》2826。惠氏說見氏撰：《九經古義》，卷6，《四庫全書》，第191冊，頁418。

47 惠棟：《九經古義》，卷6，《四庫全書》，第191冊，頁418。

48 同前注。

49 孫詒讓：《契文舉例》卷下，《名原》卷上，《古籀餘論》卷三，見李圃主編：《古文字詁林》（上海：上海教育出版社，2004年），第6冊，頁537-539。

夷、葷粥、薰育、獫鬻、獫狁、胡、匈奴諸稱皆其族稱本名，係「匈奴」本稱之不同音譯，乃一語之變。[50]而鬼方之方與混夷之夷則為中國所附加。又說「畏之為鬼，混之為昆，為緄，為昈，為犬，古喉牙同音也。」而其稱加一犬字或犬旁亦由中國所加以賤之。[51]王國維此一說法，實獲益於歐陽修、惠棟、孫詒讓之考證。

　　以現在看到的資料來看，惠棟很可能是清代第一個參照金文以訂《詩經》本字的學者。

三、興盛期（1736-1850）：
金文學勃興，並且伴隨著《詩經》學的深入發展，二者之間由平行發展而逐漸結合，開始超越宋人的水平

　　導致金文學與《詩經》文本研究結合又有兩個直接原因：

　　其一是乾隆朝金文著錄著作的纂修。王國維〈國朝金文著錄表序〉談到：「乾隆初始命儒臣錄內府藏器為《西清古鑑》，海內士夫，聞風承流，相與購求古器，蒐集拓本。其集諸家器

---

50 王國維：《觀堂集林》，第 2 冊，卷 13，頁 583-606。自王之後，很多學者都對獫狁、混夷、鬼方的族屬和地域問題進一步考察，與王氏之說互有異同。見彭裕商：〈周伐獫狁及相關問題〉，《歷史研究》2004 年第 3 期，頁 3-16。

51 王國維：〈鬼方昆夷玁狁考〉，《觀堂集林》，第 2 冊，卷 13，頁 592。

為專書者，則始於阮文達之《積古齋鐘鼎彝器款識》」[52]趙誠先生也指出乾隆四鑑：《西清古鑑》、《寧壽鑑古》、《西清續鑑甲編》、《西清續鑑乙編》的纂修帶動了私人著錄銅器銘文，一時成為風尚。其中欽定《西清古鑑》影響尤大，其他三種則刊印較晚。著錄內府所藏銅器 1529 件，其中有銘文的商周銅器計有 556 件。體例則仿王黼《重修宣和博古圖》，先摹畫器形，再附銘文摹搨及釋文，然後說明形制及銘文考釋。其後，嘉慶元年（1796），錢坫自刻《十六長樂堂古器款識考》4 卷，收商周銅器 22 件；嘉慶九年（1804），阮元編成刊刻《積古齋鐘鼎彝器款識》10 卷，收商周銅器 446 件；[53]嘉慶 11 年，王昶完成刻印其《金石萃編》160 卷，這些都對嘉道時期金文之學的興起影響至鉅。[54]

另外一個直接原因是《詩經》研究，恰恰方興未艾，《詩經》由訓詁之學而重視文本異文之蒐集考釋；文本之研究由東京，而又上溯西京，西京之不足，更欲鉤求古史舊聞。乾嘉年間重視輯佚考異的今文學的興起，正是因為很多今文學者，以為毛不為古，鄭不足據，而認為今文多本字，毛詩多借字。[55]

---

52 王國維：《清代金文著錄表·序》，王國維、羅福頤編撰：《清代金文著錄表》（北京：北京圖書館出版社，2003 年），頁 1。

53 趙誠：《二十世紀金文研究述要》（太原：書海出版社，2003 年），頁 30-32。

54 章鈺云：「自嘉慶初年，青浦王蘭泉侍郎刊行《金石萃編》160 卷之後，海內為金石學者益夥。」見〈《八瓊室金石補正》序〉，收入陸增祥編纂：《八瓊室金石補正》（北京：文物出版社，1985 年據吳興劉氏希古樓刊本影印），頁 1。

55 參見拙作：〈清代詩經異文考釋研究〉，將刊於香港大學中文系編《明清國際學術研討會論文集》，待出。

　　皮錫瑞《經學歷史》:「國朝經學凡三變……嘉道以後,又由許鄭之學,導源而上,《易》宗虞氏以求孟義,《書》宗伏生、歐陽、夏侯,《詩》宗魯、齊、韓三家,《春秋》宗《公》、《穀》二傳。漢十四博士今文說,自魏昔淪亡十餘年,至今日而復明,實能述伏董之遺文,尋武宣之絕跡,是為西漢今文之學。」[56]又在《經學通論》中說「當知國朝經學復盛,乾嘉以後治今文者,尤能窺見聖經微旨。」[57]學者的宗旨是要「實事求是」、「窺見聖經微旨」。而鐘鼎遺文自然不容忽視。阮元說:「形上謂道,形下謂器。商周二代之道存於今者,有九經焉。若器則罕有存者。所存者,銅器鐘鼎之屬耳。古銅器有銘,銘之文為古人篆蹟,非經文隸楷縑楮傳寫之比。且其詞為古王侯大夫賢者所為,其重與九經同之。」[58]阮元的學生朱為弼又說:「夫推彌曠者,道也;闡彌精者,義也;舉而罔缺者,典也;久而始備者,時也。雷雨甲屮,遠協羲爻。壺戈蛟蚪,上承皇史。宗周鐘之譬要服,何如〈江漢〉〈常武〉之篇;考父鼎之歆文丁,可徵校〈頌〉歸祀之說。」[59]故以商周鐘鼎遺文來考徵古史,補正經典,已成為當時之風尚。以金文來徵《詩》之本文,可以說是所謂實事求是的「清學」,一路向上追索的必然邏輯。

---

56 〔清〕皮錫瑞:《經學歷史》(臺北:藝文印書館,1996 年),頁 376。

57 皮錫瑞:〈《經學通論》序〉,《經學通論》(香港:中華書局,1961 年),頁 2。

58 阮元:〈商周銅器說〉上篇,《積古齋鐘鼎彝器款識》,頁 3。

59 〔清〕朱為弼:〈積古齋鐘鼎彝器款識後敘〉,收入阮元:《積古齋鐘鼎彝器款識》,頁 8。

　　乾隆以前的金文研究，主要停留在以《說文》來釋讀隸定銘文文字，對於金文與其他傳世文獻的參互研究，則無多貢獻。乾隆以後，這種傳世文獻與金文的互徵對讀，浸成風氣。乾隆以後有一明顯變化，就是《詩》、《書》等文獻不僅用來釋讀金文，反之，金文亦被用來解釋《詩》、《書》文本。此期學者留意於金文證《詩》者，有錢大昕（1728-1804）、段玉裁（1736-1816）、錢坫（1744-1806）、武億（1745-1799）、吳東發（1747-1803）、莊述祖（1750-1816）、阮元（1764-1849）、吳榮光（1773-1843）、徐同柏（1775-1854）、馬瑞辰（1782-1853）、吳式芬（1796-1856）及許瀚（1797-1867）等人。這些學者，可以分成四類，一類是金文學、小學、《詩》學並重，而力求融會貫通者，如錢大昕、段玉裁、莊述祖是；一類是金文學、小學並重，而未能貫通於《詩》學者，錢坫、阮元是；一類是重視金文學，而未能貫通於小學與《詩》學者，武億與吳東發是；第四類是邃於《詩》學和小學，而旁涉金文學者，馬瑞辰是。

　　錢大昕（1728-1804），字及之，又字曉徵，號辛楣，又號竹汀居士。江蘇嘉定人。竹汀特嗜金石文字，其婿瞿中溶謂竹汀「博采金石文字以考正經史之學，多歐（陽修）趙（明誠）前賢所未逮。」[60]其《詩》文的考證散見於《潛研堂金石文字跋尾》、《潛研堂金石文字目錄》、《經典文字考異》、《唐石經考異》、《聲類》諸作中。錢氏考證銅器銘文中「鋚勒」為《詩》

60　瞿中溶：〈跋《潛研堂金石文字目錄》〉，收入《潛研堂金石文字目錄》，見陳文和：《嘉定錢大昕全集》，第6冊，頁201。

「鋚革有鶬」之「鋚革」，錢云：

> 古器銘多用「鋚勒」字，惟〈石鼓〉及〈寅簋文〉正作
> 「鋚勒」，〈伯姬鼎〉則作「攸勒」，〈宰辟父敦〉又作
> 「攸革」，薛尚功、王俅諸家皆釋「攸」為「鋚」，此文
> 亦但作「攸」，蓋古文之「鋚勒」，即《詩》所謂「鋚
> 革」也。詩「鋚革」凡四見，鄭氏《箋》或云「轡」，
> 或云「轡首」，或云「轡首垂」。毛公則訓鋚為轡，革為
> 轡首。《說文》無鋚字，而有鋚字，訓為轡首銅。明乎
> 鋚之即「鋚」也。〈釋器〉云：「轡首謂之革。」郭景純
> 曰：「轡，靶勒也。」《詩》：「如鳥斯革」。《韓詩》作
> 「勒」，明乎「勒」之即「革」也。《詩》：「鋚革有
> 鶬」，鄭以「鶬」為金飾。古文「鋚」從金，與許叔重
> 訓轡首銅合，孔《疏》謂以鋚皮為轡首之革，似未達古
> 制矣。[61]

錢氏考釋的特點可以看到，第一是不僅以《詩》文釋讀金文，
反之，亦以金文考釋《詩經》本文，兼辨毛《傳》、鄭《箋》、
孔《疏》之非。其次，錢氏的考證方法，所據以論略的不惟
在金文與《詩經》文本之間或以此釋彼，或以彼釋此，其所
參酌者諸器金文互徵，《詩經》自證，以及經文與其他秦漢
字書互徵。「鋚革」一詞，《詩》中見於〈蓼蕭〉「鋚革沖
沖」、〈韓奕〉「鋚革金厄」、〈載見〉「鋚革有鶬」、〈采芑〉「鉤
膺鋚革」四處。段玉裁（1736-1816）在錢大昕的基礎上，更

---

61 〔清〕錢大昕：〈焦山鼎銘〉，收入《潛研堂金石文字跋尾》，卷 1，見
　　陳文和：《嘉定錢大昕全集》，第 6 冊，頁 4-5。

進一步指出：「《毛詩》『鞗革』皆當依古金石文作『攸勒』、
『鋚勒』。」[62]今以銅器銘文所見，有「攸勒」、「鋚勒」、「攸
革」、「鋚革」之稱，西周中期〈舀壺蓋銘〉、〈吳方彝蓋銘〉、
〈盠方彝銘〉、晚期〈南宮柳鼎銘〉、〈趞鼎銘〉、〈裒鼎銘〉、
〈弭叔簋銘〉、〈伊簋銘〉、〈師酉簋銘〉、〈三年師兌簋銘〉、〈訇
簋銘〉等等作「攸勒」（《集成》9728，9898，9899，2805，
2815，2819，4253-4254，4287，4288-4291，4318-4319，
4321），西周中期〈彔伯簋蓋銘〉，〈呂服余盤銘〉，晚期〈□盨
銘〉作「鋚勒」（《集成》，4302，10169，4469），石鼓文丙鼓
〈田車〉詩文亦作「鋚勒」，西周晚期〈害簋銘〉作「攸革」
（《集成》4205-4207），〈康鼎銘〉作「鋚革」（《集成》
2786），段注《說文‧金部》「鋚」條下云：

> 〈小雅〉「鞗革沖沖」，《毛傳》曰：「鞗，轡也。革，轡
> 首也。」按：「鞗，轡也。」當作「鞗，轡首飾也。」[63]

《說文》：「鋚，鐵也，一曰轡首銅也。」故「鞗」為「鋚」之
形訛。段氏又云：「《詩》本作攸，轉寫誤作鞗。攸、革，皆古
文假借字也。」「〈周頌‧載見〉《箋》云：『鶬謂金飾』，正與
轡首銅之訓合。〈大雅‧韓奕〉，鞹以為鞃，淺以為幭，鋚以飾
勒，金以飾軛。四事文意一例，鋚勒謂以銅飾轡之近馬頭
處。」[64]按鶬，異文作鎗、瑲，金文中常用作金玉戛鳴的象聲

詞。錢氏、段氏用金文闡釋《詩》文,此處最為切近事實。段氏在《詩經小學》中更進一步詳細考證,以為:「轡,革也,勒,馬頭絡銜也……,絡頭,銜口,統謂之勒,所以繫轡,故曰轡首。」[65]黃然偉謂:「攸勒者,用以絡馬首之具也,以皮革為之,其上有銅飾或以貝為飾者。近世出土之車馬坑中,頗有馬轡首飾出土,其中有飾以長條銅泡者(《灃西》頁 149),蓋即《說文》所謂之轡首銅者也。」[66]黃說似指朱鳳瀚《古代中國青銅器》所描述的馬首飾件所稱之為「當盧」者。[67]〈韓奕〉「王錫韓侯,淑旂綏章,簟茀錯衡,玄袞赤舄,鉤膺鏤鍚,鞹鞃淺幭,鞗革金厄。」〈采芑〉「鉤膺鞗革」,則鉤膺與鞗革當為二事,〈韓奕〉鄭《箋》云:「眉上曰鍚,刻金飾之,今當盧也。」若從鄭《箋》,則當盧即鉤膺。鞗革則應當是馬首的其他飾物。〈揚之水〉以為「鞗革由馬銜和馬鑣合為一副。銜,銜在馬口,兩頭有環,轡繫在環上,環中間再貫鑣。」,[68]西周中期〈師𩛥簋蓋銘〉(《集成》4283,4284)稱為「金勒」,故鞗革應如〈揚之水〉所說指銜與鑣。

[65] 段玉裁:《詩經小學》,《續修四庫全書》,第 64 冊,頁 220。

[66] 黃然偉:《殷周青銅器賞賜銘文研究》(香港:龍門書店,1978 年),頁 182。

[67] 朱鳳瀚:《古代中國青銅器》(天津:南開大學出版社,1995 年),頁 297-298;圖四‧四六、圖四‧四七,頁 367-368。

[68] 揚之水:《詩經名物新證》(北京:北京古籍出版社,2000 年),頁 320。

〈師𡠗簋蓋銘〉

4283-8

隹二月。初吉戊寅。王才周師司馬宮。各大室即立司馬井白
（親）右師𡠗。入門。立中廷。王乎內史吳冊令師𡠗。曰。先
王既令女。今余唯（申）先王令。令女官司邑人。師氏。易
女金勒𡠗拜稽首。敢對揚天子不顯休。用乍朕文考外季尊簋。
𡠗其萬年。孫孫子子其永寶。用享于宗室。

　　錢大昕族人中以從子錢坫（1744-1806）能世其所學。錢坫，字獻之，號十蘭，塘弟。著作有《詩音表》1 卷，《十經文字通正書》14 卷等。其《十六長樂堂古器款識考》（1796）始改宋人所釋的敦（㪵）字為簋字。[69]錢坫的金文釋文多見於阮元《積古齋鐘鼎彝器款識》（1804）及阮元重刊宋代王厚之《鐘鼎款識》（1802）諸書中。《鐘鼎款識》著錄〈孟申作鼎彝〉，錢坫釋文云：

> 鼎當作鼐。《說文》作鬵，從鬲，羊聲。鍑也。《玉篇》有鬴字，訓同，亦作鬵，同鬺。《詩・采蘋》：「于以湘之。」《韓詩》作鬺。《史記・封禪書》云：「鑄九鼎皆嘗亨鬺。」[70]

與錢坫同時的莊述祖（1750-1816）也有相似的說法。述祖，字葆琛，所居室曰珍蓺宧，學者稱珍蓺先生。先生十歲而孤，從世父遊，潛心經術，乾隆庚子成進士，選山東昌樂縣知縣，調補濰縣。後又署曹州府桃源同知。珍蓺治文字之學，每據鐘鼎彝器石鼓文，糾《說文》之謬，亦開一時風氣。其關於《詩經》的著作有《毛詩周頌義》3 卷、《毛詩考證》4 卷（嘉慶道光間《珍蓺宧遺書》本）、《五經小學述》2 卷（光緒 18 年《皇

69　〔清〕莊述祖：《說文古籀疏證》，卷 2，《續修四庫全書》，第 243 冊，頁 307。錢氏所著《十六長樂堂古器款識考》皆改敦為簋，後來黃紹基《翠墨園語》、容庚〈殷周禮樂器考略〉更證明之。見商承祚：《十六長樂堂古器款識考・跋》，《十六長樂堂古器款識考》，《北京圖書館藏金文研究資料叢刊》（北京：北京圖書館出版社，2004 年），第 5 冊，頁 753-756。

70　〔宋〕王厚之編，阮元校刊：《鐘鼎款識》，《續修四庫全書》，第 901 冊，頁 477。

清經解續編》本)、《毛詩授讀》30 卷、《毛詩口義》3 卷（光緒 14 年《皇清經解續編》本）。其中偶亦以金文釋證《詩》文。《詩・周頌・我將》有「我將我享」一句，毛《傳》與鄭《箋》於將字訓釋異詞，毛云：「將，大；享，獻也。」鄭云：「將，猶奉也，我奉養，我享祭之。」莊述祖云：

> 將，古文作鬺，見古彝器。其文或為鬺彝尊鼎，或為鬺彝，或為鬺牛鼎，或為某作鬺某寶尊彝。《說文》作鬺，煑也，從鬲，羊聲。字亦作鬺，〈封禪書〉曰：「泰帝興神鼎一，黃帝作寶鼎三，禹收九牧之金，鑄九鼎。皆嘗鬺享上帝鬼神。」徐廣云：「鬺，亨煮也，音殤。亨當讀饗。」《韓詩》：「于以鬺之」，《毛詩》借湘，《傳》曰：「湘，亨也。」是毛訓鬺為亨。此《傳》：將，大享獻也。大字為後人妄增。篆文言獻之言與言飪之言本一字。《傳》將亦訓言，或疑言、言覆衍，改言為大。[71]

莊氏此說不知與錢坫的說法孰先孰後。但鬺、將、鬺、觴、亨、湘、鬺，互訓，差不多是當時共識。同時稍後的馬瑞辰在《毛詩傳箋通釋・召南・采蘋》下云：

> 于以湘之，《傳》：湘，亨也。瑞辰按：湘，《韓詩》作鬺。《漢書・郊祀志》：鬺亨上帝鬼神。顏師古注引《韓詩》「于以鬺之」，云：「鬺，亨也。鬺通作觴。」《太

---

71 莊述祖：《周頌口義》，卷 1，《續經解毛詩類彙編》（臺北：藝文印書館，1986 年影印南菁書院《皇清經解續編》本），第 1 冊，頁 185。〔清〕馬瑞辰引述莊說，有幾處脫略訛誤。見氏著：《毛詩傳箋通釋》（北京：中華書局，2004 年），頁 1053。

玄‧竈首》次五：「鼎大可觴。」司馬光曰：「觴當作鬺，音商，煮也。」《廣雅》云：「鬺，餁也。《說文》無鬺有蕭，云：蕭，煮也。」《玉篇》云：「鬺，與蕭同。」又蕭字注云：「亦作鬻。」今按薛氏《鐘鼎款識》載〈師望彝銘〉曰：師望作鬻彝。是鬺、蕭、鬻皆一字之異文。毛公以湘為鬺之假借，故訓為亨。三家《詩》多以本字易經文，故《韓詩》直作鬺。[72]

〈師望彝〉乃西周時器，《考古圖》、《博古圖》、薛氏《款識》、《嘯堂集古錄》皆有著錄，銘文全文云：「太師小子師望作鬻彝。」[73]馬瑞辰的特點是邃於《詩》學，長於小學與異文考據，再以金文資料作為佐證，其說可以說比較完備。然以小學為出發點，固守《說文》六書義例，偶然亦會犯高級錯誤。如〈王風‧丘中有麻〉「彼留子嗟」一句。馬瑞辰引薛尚功《歷代鐘鼎彝器款識》與阮元《積古齋鐘鼎彝器款識》存錄的〈劉公簠〉與〈留公簠〉（按：《積古齋》為〈留君簠〉，馬氏誤記。）證劉、留互通，因《說文》劉字作鎦字，就當時而言，屬於錯得有一定的道理。[74]

---

[72] 馬瑞辰：《毛詩傳箋通釋》，頁 80-81。

[73] 見陳文和：《集成》4354。

[74] 馬瑞辰：《毛詩傳箋通釋》，頁 245。馬氏所引阮元《積古齋鐘鼎彝器款識》〈留君簠〉二器實為〈番君簠〉之誤。見阮元：《積古齋鐘鼎彝器款識》，卷 7，頁 2。另外，〈番君鼎〉與〈留君簠〉作器者當是一人。阮元以為當是《路史‧國名紀》中商氏之後的番（亦作鄱）國之君，或為武王之穆潘國之君。見同書，卷 4，頁 13-14。

劉公簠 一名杜嬬鋪藏李伯時家

按周靈王時有劉定公景王時有劉獻公此曰劉公未

劉公作杜嬬
尊鋪永寶用

審其誰也然言公而不言謚以其劉公自作是器追享

杜嬬宜乎不言其謚也劉字從卯金刀而說文止有鎦

番君召簠（《集成》4582）

4582-7

馬氏卓識還見於其對「前文人」之考訂。《詩・大雅・江漢》〉「告于文人」一句。馬瑞辰云：

> 「告于文人」，《傳》：「文人，文德之人也。」《箋》：「王賜召虎以秬鬯酒一罇，使以祭其宗廟，告其先祖諸有德美見記者。」瑞辰按：哀二年《左傳》衛大子禱曰：「文祖襄公」，《積古齋鐘鼎彝器款識》載有〈旅鼎〉（按：即〈旂鼎〉），其銘曰：「旂用作文父日乙寶尊彝」，古器銘又多稱文考者，文人猶云文祖、文父、文考耳。〈文侯之命〉：「追孝于前文人」，承上「汝克紹乃顯祖」言，正以文人為文侯祖之有文德者。《鐘鼎款識》載〈追敦〉（按：即〈追簠〉，《集成》4223）銘

曰：「天子多錫追休，追敢對天子顯揚，用作朕皇祖考
尊敦，用追孝于前文人。」文人亦追自稱其先祖。此詩
文人，《傳》《箋》俱指召穆公之先人，甚確。朱子《集
傳》謂指文王，似誤。[75]

馬瑞辰在這裡對於「文人」、「文考」、「文父」、「文祖」的解
釋，得益於金文銘辭的釋讀。與馬瑞辰同時稍前的阮元在〈旅
鼎〉銘文釋文中也有類似的論斷。

〈旅鼎〉銘文曰：「唯八月初吉辰在乙卯，公錫旅僕，旅
用作文父日乙寶尊彝。」

西周早期旅鼎（《集成》2670）

唯八月初吉辰才乙卯。公易旅僕。旅用乍文父日乙寶尊彝。

---

75 馬瑞辰：《毛詩傳箋通釋》，頁 1020-1021。

　　阮元說:「文父,尊稱,非謚。《詩・江漢》『告于文人』,《傳》云:『文人,文德之人也。』《左・哀二年・傳》『衛大子禱曰:文祖襄公。』是文祖文父,亦猶皇祖烈考。古諸侯大夫,皆得以稱其先人。」[76]

　　關於「前文人」的考釋,至晚清吳大澂等始奏全功。[77]吳大澂《字說》中〈文字說〉一篇指出,金文中「前文人」即《書・大誥》中「前寧人」,「寧」乃「文」字之誤。《書傳》舊說以寧王為文王,然未知其所以。吳大澂則以為古文「文」字有從心者,「壁中古文〈大誥〉篇,其文字必與寍字相似,漢儒遂誤釋為寍。其實〈大誥〉乃武王伐殷大誥天下之文,寍王即文王,寍考即文考。」[78]是說在馬瑞辰之後又發展了一步,不惟證明前文人為祖考之異稱,復解釋寧字為漢儒傳鈔之譌。其識見自然又高出一籌。裘錫圭先生指出,此說或由王懿榮最早提出。並舉陳介祺同治十三年(1874)致潘祖蔭信為證。裘先生並且指出其他當時金文學者如孫詒讓、方濬益等都有相似的論斷,可能是分別獨立研究的結果。[79]不知幾位學者又是否從馬瑞辰對「告于文人」解釋中得到什麼啟益沒有?

　　同時以金文學名家者仍有武億與吳東發等。武億(1745-

---

[76] 阮元:〈㱿鼎〉,《積古齋鐘鼎彝器款識》,卷1,頁13。

[77] 見裘錫圭:〈談談清末學者利用金文校勘《尚書》的一個重要發現〉,《文史叢稿》(上海:上海遠東出版社,1996年),頁158-166。

[78] 〔清〕吳大澂:《字說》(臺北:藝文印書館,1971年),頁1020-1021。

[79] 裘錫圭:〈談談清末學者利用金文校勘《尚書》的一個重要發現〉,《文史叢稿》,頁158-166。

1799），字虛谷，號授堂。河南偃師人，[80]優於學，以經史訓詁教授生徒。[81]十七喪父，廿二歲入學，乾隆庚寅（35 年，1770）舉鄉試，庚子（45 年，1780）會試中式，賜同進士出身，以知縣用，辛亥（56 年，1791），選山東博山縣。[82]武億金石類著作頗豐，如《金石三跋》10 卷續跋 14 卷，《偃師金石記》4 卷，《偃師金石遺文補錄》2 卷附縣志，《安陽金石錄》16 卷附縣志，《讀史金石集目》，《錢譜郟縣金石志》。其經學著作有《群經義證》7 卷、《經讀考異》8 卷、補 2 卷、敘述 2 卷、《句讀序述》2 卷。[83]孫星衍云：「先生講學，依據漢儒師授，不蹈宋明人空虛臆說之習。所著經義，原本三代古書，疏通賈孔疑滯，凡數百事。」[84]〈武徵君遺事記〉：「武君以金石文字補經史遺誤甚多。」從其對《詩經》的研究來看，《經讀考異》卷 3 前半為《詩經》，多論句讀，鮮涉異文；《群經義證》有《詩》1 卷，所論假借異文較多。武億於金文的蒐集、著錄、編目、整理方面，用力甚勤，且卓有貢獻，於經學也頗為留意。但是因小學功夫不足，故在釋讀金文方面，往往錯謬

80　《漢學師承記》云：「先世由懷慶軍籍遷偃師，父紹周，雍正癸卯進士，官至吏部郎中。」見漆永祥箋釋，江藩編纂：《漢學師承記箋釋》（上海：上海古籍出版社，2006 年），頁 435。

81　〔清〕唐鑑撰：《（國朝）學案小識》，卷 14〈偃師武先生〉，見周駿富編：《清代傳記叢刊》（台北：明文書局，1985 年），第 2 冊，頁 684-685。

82　見徐世昌纂：《清儒學案小傳》二，卷 11〈武先生億〉，同前注，第 6 冊，頁 453。

83　參見朱珪〈墓誌〉、法式善〈傳〉、孫星衍〈傳〉、武穆淳〈行述〉、《漢學師承記》、《文獻徵存錄》。同前注，頁 454-455。

84　孫星衍撰〈傳〉。同前注，頁 455。

百出，故劉心源譏其為「幾若不識字者。」乾嘉道咸時期的學者中，有不少如武億一樣，著力於金石與經學而不能貫通者，如畢沅、吳東發等。比如金文中的「夷」字，阮元、吳東發、錢坫等還都讀為節，至吳大澂始釋為夷。[85]

吳東發（1747-1803），字侃叔，號耘廬，又號芸父，海鹽人。歲貢生。學邃於《尚書》，受業錢少詹（大昕）之門，善讀金石文字。東發從竹汀遊，多受其濡染，嘗撰《群經字考》（1806）、《商周文拾遺》（1924）、《石鼓讀》、《金石文跋尾續》等著作。[86]阮元撰《積古齋鐘鼎彝器款識》，釋文采其說最多。阮元重刊宋王厚之《鐘鼎款識》，也多采吳東發與錢坫釋文。吳所撰《群經字考》中有《詩經字攷》2 卷，亦多據金石文字引證《詩》文。如吳氏對〈召穆公敦〉（〈敔簋〉）的考釋，從《博古圖》依據《詩・大雅・江漢》中「虎拜稽首，對揚王休，作召公考，天子萬年」與銘文中「敔敢對揚天子休。用作尊敦，敔其萬年，子子孫孫永寶用」對讀，證其為召穆公虎之器。更指出敔即為虎云：「鄭司農《周禮》註：『敔，木虎也。』《釋名・釋樂器》：『敔，狀如伏虎。』而敔、虎音復相近。〈周琥銘〉，琥作午，古字多通用。而古人書名，尤取聲

---

85 阮元等的釋讀，見嘉慶 7 年藝成刊刻的宋王厚之（復齋）《鐘鼎款識》〈周仲偁父鼎銘〉中的南淮夷，阮元等皆釋為南淮節。見《續修四庫全書》，第 901 冊，頁 449。

86 葉銘輯：《國朝畫家書小傳》，卷 4，見周駿富輯：《清代傳記叢刊》，第 81 冊，頁 448。

近，故銘曰敔，而《詩》曰虎也。」[87]此說已經為晚近之古學研究所證實，自是卓識。

吳氏釋金文，以今日所見，其特點是引證繁富，惟臆測聯想的成份較多，多數情況下不得要領。容庚說其《商周文拾遺》「以校薛氏《歷代鐘鼎彝器款識》，銘文傳鈔，很多偽舛。他的考釋，也很多影響之談。」是為的論。如「駪駪征夫」一句，引周南仲尊銘「四駪南宮」，又〈古鄅鐘銘〉「追考佖祖」，以為佖駪義並為薦，蓋進進不已之義。其說又見於《商周文拾遺》的〈鄅鐘〉銘文考釋與〈南仲尊（即召公尊）銘〉考釋中。〈南仲尊銘〉釋「四駪南宮」之駪字，以為「駪，眾也，言以王所賜諸物，駪然陳於南宮之廟。」[88]又〈古鄅鐘銘〉「追考佖祖」又釋佖駪為追，三處解釋不一，可知吳東發於此字，尚無定見。[89]對于《詩·小雅·雨無正》中「雨無正」一句，吳以為雨通霸，並引〈周伯克尊銘〉為證：「隹十有六年十月既生雨乙未。」〈頌壺銘〉：「隹三年五月既死雨甲戌。」所謂「霸無正」者，吳氏以為云天下自此有霸無王，將不復奉周室之正朔，即《詩》所謂「周宗既滅」者也。[90]《商周文拾遺》中，似此牽強比附，所在皆有。

吳偶亦有創見，如容庚所舉其對〈師尚父敦〉（師望彝）

---

[87]　吳東發：《商周文拾遺》（臺北：文海出版社，1974 年據清稿本景印），卷上，頁 61-62。

[88]　同前注，頁 37。

[89]　同前注，頁 98。

[90]　參見倫明：〈詩經字考二卷〉提要，《續修四庫全書總目提要·經部》上冊，頁 352。

的考釋，辨《鐘鼎款識》所著錄〈太公簠〉應為〈芮公簠〉等。[91]只是這些考釋有據的情況在其著作中比例不高。但吳東發《商周文拾遺》從體例上說又是較早的專門研究商周文字的專著。

此外，還有一些是以金文名家的學者，偶引《詩》文為證，可訂正《詩》之本文，如吳榮光等。徐問渠藏〈周應公鼎〉銘：「應公作寶尊彝曰申巳乃弔用夙夕𣄰㝬」。

西周早期應公鼎（《集成》2553、2554）

2553-9

91 容庚：〈清代吉金書籍述評〉，收入曾憲通編選：《容庚選集》，頁102。

　　吳榮光（1773-1843）《筠清館金石文字》（1842）卷 4 有
著錄。其釋文云：

> 申有羡文，此申巳二文，讀為神祀。毛萇〈天保〉
> 《傳》曰：「弔，至也。」弔所從是弗字（小篆作紼），
> 助執紼弔之禮也。

又云：

> 古文叔與弔二文極似，易誤讀。《尚書・君奭》篇之不
> 弔，〈大誥〉之不弔，《詩・大雅》不弔不祥，威儀不
> 類，弔皆當為叔，不叔者，言不淑也。凡叔字千百見，
> 弔字纔一二見，故備論之。[92]

此說的為卓見。後來吳大澂《字說・叔字說》在此基礎上更以
經典中不叔誤為不弔之例相印證。今《殷周金文集成》〈應公
鼎銘〉釋文：「應公作寶尊彝曰奄以乃弟用夙夕䵼亯」。[93]按此
字究竟是「弟」字還是「叔」字，未能遽斷。其字形與〈叔遺
鼎〉（《集成》2638 作〈奊侯弟鼎〉）同。

奊侯弟鼎

92　〔清〕吳榮光：《筠清館金石文字》，卷 4，《續修四庫全書》，第 902
　　冊，頁 88。

93　吳大澂：《字說》，頁 4。

吳榮光釋以「㠯」為「祀」，固然失誤，釋文以為貌似「㠯」字，實乃「以乃」之合文，證之以〈班簋〉及〈毛公鼎〉銘文，甚塙。在吳榮光之前，馬瑞辰雖然從經學和小學的角度考證到「弔」為善為淑之義，但未能盡其原委。[94]吳榮光此說，經文中「不弔」的本字應為「不叔」，始確定無疑。《筠清館金石文字》中釋〈周羕史尊〉銘文，「羕史作旅車彝」云：「羕、永古通。《毛詩》『江之永矣』，《韓詩》作『江之羕矣』，是其證。見古器尤多。」[95]以《詩》之異文合金文考釋，得永之為羕之義。《筠清館》中援引龔自珍釋文不少，然其說多不確。

西周早期羕史尊（《集成》5811）

羕史作旅彝

---

[94] 見馬瑞辰：《毛詩傳箋通釋》，〈小雅·節南山〉「不弔昊天」釋，頁594-595。

[95] 吳榮光：《筠清館金石文字》，卷2，收入《北京圖書館藏金文研究資料叢刊》（北京：北京圖書館出版社，2004年），第5冊，頁146。

西周早期不壽簋（《集成》4060）

4060

隹九月初吉戊辰。王才大宮。王姜易不壽裘。對揚王休。用
乍寶。

吳式芬（1796-1856）撰《攈古錄金文》（1895），於釋文
采許印林（瀚）說與徐同柏（籀莊）說最多。其中亦多有可取
者。如許印林（1797-1866）說〈珙父辛彝〉第一字「從王從
廾，乃珙，見《集韻》；又作拱，見《說文》；珙又通玒，亦見
《集韻》。《左傳》、《老子》拱璧通作拱，《詩‧商頌》：「『大共
小共』，又通作共，於此知《集韻》所采，大有根據。」[96]

---

96 吳式芬撰：《攈古錄金文》卷一之三，頁 44-45，見徐蜀選編：《國家圖
書館藏金文研究資料叢刊》（北京：北京圖書館出版社，2004 年），第 6
冊，頁 362-363。

　　小學家如王引之據《荀子》引此詩句,「小球大球、小共大共,謂所受法制有大小之差耳。」而說共指法。《詩經》學者,如陳奐等則誤以為小球大球的球字,本字當為捄字,共當為拱,以合荀子引《詩》之旨。此說其實扞格難通。陳奐雖然也注意到了《淮南子》引《詩》異文共作珙,但仍以為是拱字之訛。而許印林由金文定其本字為珙,雖現在看來是對揚的揚字,在當時還是有見地的。

　　在這一時期的學者,特別應該重視的是莊述祖。其所撰《說文古籀疏證》(1885《功順堂叢書》本)一書,以《說文》古籀字形為目,大量運用當時所見金文與金文學的研究成果,我以為代表了當時金文學的較高成就。然而不知是什麼原因,此書沒有受到後來學者應有的重視。其書的特點是,第一,其所收錄的金文字形最為全面豐富,後來吳大澂《說文古籀補》體例上多類莊氏此書,而莊氏所收金文字形尤多,可說是較早的一部以金文為主的古文字字典;第二是其於典籍文獻的徵引最為繁富,第三是與文獻、字書相結合的考證,雖然有不少錯誤,然頗多自己的見解。是書中,以金文考證《詩》文,以《詩》文考釋金文者,頗多勝義,也反映了當時小學、金文學與《詩》相結合的成績。

　　茲略舉數例如下:

　　《詩·唐風·杕杜》:「獨行睘睘」。《毛傳》:「睘睘,無所依也。」朱熹《詩集傳》亦云:「睘睘,無所依貌。」自《毛傳》以下,其說幾無異辭。陸德明《釋文》云:「睘,本亦作煢,又作惸。」與莊述祖同時稍後的《詩經》學者如李富孫

（1764-1843）、[97]馬瑞辰[98]等皆博采此句異文，以為「睘」為「㷿」或「㷿」或「趟」字之音借。莊述祖則以金文證之，獨異於諸氏之說。莊氏云：「⊘，鐘鼎从目之字如此。《說文》：『目，人眼，象形，重童子也，凡目之屬皆从目。◎，古文目。』按鐘鼎古文，目从日，象形。《說文》：『古文目，亦从日，从囧省』（小徐本作：人目也，《韻會》同。）今仍為部首。按古文目，从日从二丙省。二丙，网也。⊢，參省也。參网之用，心為主，而目為營也。故从日从二丙省。◈，鐘鼎還从此。《說文》云：『睘，目驚視也。从目，袁聲。《詩》曰：獨行睘睘。』」[99]西周早期的〈作冊尊〉（《集成》5989）作▨、〈作冊卣〉（《集成》5407）作▨及▨，西周晚期的〈番生簋〉作▨（《集成》4326）、〈駒父盨蓋銘〉作▨（《集成》4464）。其義或為環，或為人名，與目驚視之義了不相涉。莊氏所見鐘鼎文中還有《積古齋鐘鼎彝器款識》所著錄之〈兔簋〉，字形作▨，[100]宋人諸書中著錄的〈高卣〉，字形作▨，[101]

---

[97] 〔清〕李富孫：《詩經異文釋》，卷 5，《續修四庫全書》，第 75 冊，頁 172-173。

[98] 馬瑞辰：《毛詩傳箋通釋》，頁 348-349。

[99] 莊述祖：《說文古籀疏證》，卷 1，《續修四庫全書》，第 243 冊，頁 285。

[100] 《積古齋鐘鼎彝器款識》作〈兖簋〉，見卷 7，頁 3，西周中期時器，又見《集成》4626。

[101] 《重修宣和博古圖》（卷 11，《四庫全書》，第 840 冊，頁 599）、《嘯堂集古錄》（卷上之下，《四庫全書》，第 840 冊，頁 46）著錄曰〈周尹卣蓋〉，《歷代鐘鼎彝器款識法帖》（卷 11，《四庫全書》，第 225 冊，頁 592）著錄曰〈尹卣〉，西周早期時器，見《集成》5431。

內府所藏〈散氏盤〉銘作 （《集成》10176）。[102]

　　據莊氏所論略，則《詩》本文當作 （罣），而《魯詩》文本中的「滎」或「㷠」當為借字，此皆同時如馬瑞辰、李富孫諸人所未見。以其於金文，未深究覈也。莊述祖援據金文考訂《詩》之本文，還見於其《毛詩攷證》、《周頌口義》諸書中。《毛詩攷證》卷一「四國是皇」一條，莊氏云：

> 按鐘鼎古文「匡」從「貝」，[103] 皇省聲。匡，正也。經
> 典借皇作匡。〈釋言〉曰：皇，匡正也。此《傳》曰：
> 皇，匡也。皆古文假借例。皇本無匡訓，以古文匡從皇
> 得聲，故以皇為匡。王應麟《詩攷》：《齊詩》「四國是
> 匡」。董氏曰：「《齊詩》作『四國是匡』。」賈公彥引以
> 据。此皇、匡通借之證也。[104]

莊氏囿於當時所見，錯釋誤讀亦復不少。如其釋金文中榮伯、榮季之榮為類，並以《詩》「是類是禡」證之。[105] 總而言之，莊氏在同時諸人中，所見最廣，研考至精。其於前此學者所探討的問題多有說，且考覈精審，皆邁於前人。除前舉諸例外，其他尚有，莊氏對攸勒的考釋，[106] 其對絲、茲、繼、絕之考

---

[102] 《積古齋鐘鼎彝器款識》卷 8，頁 4，西周早期時器，又見《集成》10176。

[103] 見〈禹鼎〉 （《集成》2833）、〈智鼎〉 （《集成》2838）。

[104] 莊述祖：《毛詩攷證》，卷 1，「四國是皇」條，收入王先謙編纂：《皇清經解續編》（上海：上海書店，1988 年景印），卷 231，頁 1089。

[105] 莊述祖：《說文古籀疏證》，卷 4，《續修四庫全書》，第 243 冊，頁 343。

[106] 同前注，卷 6，頁 375。

釋，[107]以及對對揚之易、揚、瑒、珥的考釋，[108]尤具卓識。往往為當時人所未見，而為現代學者所證實者。然莊氏之《說文古籀疏證》在時人與後人眼中，未為所重，未審其由。如沈乙盦（曾植）先生批評莊氏云：

> 莊氏《說文古籀疏證》，潘尚書刻本，世號為難讀。觀其所系聯者，可析合者，不過推《說文》支干廿二字許氏之義，又以十二肖五行比附之，貫串牽引，固已勉強，而譏許氏信小篆，昧古文，樹一幟，而思奪之席，無乃昔人所謂蟲生於木，而還食其木乎？其部首多有兩見者，固由今傳殘稿，非其定本。而若戊戌己巳之類，形固有大體相近者。諸字系聯，既非自然之訓，又無古訓可依，鑿空好奇，造茲異說，則其繁複不理，勢所必然，無足怪也。其說既專主象形，而有從厶者，又從厶省；既已目為會意，而仍為象形者。使莊氏說古籀而並六書廢之則已，既稱用六書，而亂其義例可乎？韋續《五十六體書》言：「氣候時書，漢文帝（當作武帝）使司馬長卿采日辰會屈伸之體，升伏之勢，象四時為之。」世嘗以為野言。若莊氏之書，其韋續所稱司馬長卿氣候時書之旨歟？（《潛究室劄記》）[109]

沈氏似亦責之太過。莊氏言許氏信小篆，昧古文，卻正是其識

---

107 同前注，頁 373、376。
108 同前注，卷 1，頁 282。金文中揚多從王從卪的寫法，如〈師𩰬父鼎〉銘文的 🔲（《集成》2721）從王從卪，是其證。
109 沈曾植：《海日樓劄叢》（瀋陽：遼寧教育出版社，1998 年），卷 1，頁 23。

見高出儕流處。六書義例，莊氏之所以或規或違，正是因為莊氏看到六書體例之未一，古文字形非盡隨六書之體例也。

四、全盛期（1851-1911）：
金文學與《詩》學交織發展，金文考釋的成績被廣泛運用到《詩經》文本的研究

這一時期以金文名家者有潘祖蔭（1830-1890）、劉心源（1848-1917）、吳大澂（1835-1902）、孫詒讓（1848-1908）諸家。吳大澂撰《字說》、《說文古籀補》、《愙齋集古錄》，孫詒讓撰《古籀拾遺》、《名原》等書。古金文學漸被近代文字學所取代。如孫詒讓撰《名原》（1905），所援據者，金文、龜甲文、石鼓文、貴州紅巖石刻、「與《說文》古籀互相勘校，楬其岐異以箸浩變之原。」孫詒讓所據金文，多本原器銘拓，不見拓本者，則據阮元《積古齋鐘鼎彝器款識》，吳榮光《筠清館金石文字》，吳式芬《攈古錄金文》三家摹本。是三家已經超出了宋人薛尚功、王俅等人所摹橅銘文。

總的來說，清儒運用金文研究的成果考訂《詩經》文本的研究工作，到咸同以後（1851-1911），始臻於極盛：金文學與《詩》學交織發展，金文考釋的成績被廣泛運用到《詩經》文本的研究。然而在此之前，如莊述祖、馬瑞辰在這方面的成績，實已啟晚清金文研究與群經文本互證的先河。到晚清孫詒讓、吳大澂、王國維輩出，甲骨文的發現，清儒以金文追尋經文的工作，始被引領入近代學術領域。

理雅各（James Legge, 1815-97）英譯《大學》析論

龔道運*

一、引言

　　中國傳統對經典之詮釋大抵不出二途：其一為漢唐之訓詁，其二為宋明之義理。至清代，又重返漢唐之訓詁。[1]十九世紀來華傳教士理雅各遍譯中國經典，[2]在當時樸學風氣刺激下，

---

* 原新加坡國立大學中文系副教授，於 1997 年退休，2007 年逝世。生前從事於研究儒教和基督教在十九世紀的接觸。著作包括《中國宗教論集》、《先秦儒家美學論集》、〈孔子儒學和基督教的比較研究〉，載《國外社會科學》第 2 期、〈儒學和天主教在明清的接觸和會通〉，載《國際儒學研究》創刊號。

[1] 中國經典詮釋之循環，似乎與世界哲學之循環現象一致。關於世界哲學之循環現象，參考 Walter Watson, *The Architectonics Of Meaning: Foundations of the New Pluralism* (Chicago: University of Chicago Press, 1993) , p.5.

[2] 關於理雅各生平，參考(1) James Legge, "Notes of My Life," Helen Edith Legge's 160-page typed and edited version, 1897; (2) Helen Edith Legge, *James Legge: Missionary and Scholar* (London: The Religious Tract Society, 1905), *passim*; (3) Alexander Wylie, *Memorials of Protestant Missionaries to the Chinese: Giving a List of Their Publications and Obituary Notices of the Deceased with Copious Indexes* (Shanghai: American Presbyterian Mission Press, 1867), p.117-122; (4) Wm. Muirhead, "In Memoriam: The Rev. Dr. Legge," *The Chinese Recorder* 29.3 (March, 1898)；(5)費樂仁 (Lauren F. Pfister), *Striving for 'The Whole Duty of Man': James Legge and the Scottish Protestant Encounter with China, Assessing Confluences in Scottish Nonconformism, Chinese Missionary Scholarship, Victorian Sinology, and Chinese Protestantism* vol. 1 & 2 (Frankfurt am Main; Peter Lang GmbH, 2004),

自然不免受到以訓詁詮釋經典的影響。眾所周知，迻譯是詮釋的一種方式，理雅各作為傳教士而迻譯中國經典，其目的除向耶教教徒和西方世界介紹中國經典外，也希望藉此向中國知識界，特別是儒者宣揚耶教文化，[3]所以他迻譯而詮釋中國經典時，自不局限於文字表層之詮釋（exegesis），常參考某一注疏家之說，斷以己見，對經典文本觸類而引申，（eisegesis）甚或

---

passim; (6) Idem, "Clues to the Life and Academic Achievements of One of the Most Famous Nineteenth Century European Sinologists—James Legge (A.D.1815-1897)," *Journal of Hong Kong Branch Royal Asiatic Society*, 30 (1993), *passim*; (7) Idem, "The Failures of James Legge's Fruitful Life for China," *Ching Feng* （景風）31.4: 246-271; (8) Norman J. Girardot, *The Victorian Translation Of China: James Legge's Oriental Pilgrimage* (Berkeley: University of California Press, 2002), pp.17-68. 至於理雅各所譯儒教經典，包含《論語》、《大學》、《中庸》、《孟子》、《尚書》、《詩經》、《春秋・左傳》共五卷。*The Chinese Classics*（後文省稱 *Chinese Classics*）, trans. James Legge, 5 vols. (revised edition, Oxford University Press, 1895; reprint, Hong Kong: Hong Kong University Press, 1960). 此外，理雅各復以其所譯其他儒教經典：《孝經》、《易經》、《禮記》，供其同事 Max Müller（1823-1900）選入所編《東方聖典》（*The Sacred Books of the East*）中。按《東方聖典》計四十九卷，出版於 1879-1902 年。理雅各所譯《孝經》在該聖典之第三卷，《易經》在第十六卷，《禮記》則在第二十七和二十八卷。

[3] Max Müller 謂理雅各作為研究儒教經典之學者，他在此方面之努力有助於耶教（基督教包含天主舊教、耶穌新教和希臘東正教等。本文所重者為新教，簡稱耶教。）在中土之傳播。見所撰：*Chips from a German Workshop, Vol 1, Essays on the Science of Religion* (New York: Charles Scribner's Sons, 1895), pp.301-302. 按：理雅各基於比較宗教立場迻譯儒教經典，乃其向學者和漢學發展之中樞因素，（參考 Girardot, *The Victorian Translation of China*, p.120.）亦理雅各由此成為「傳教士—學者」。("hyphenated" Missionary-Scholar) 參考：Andrew Walls, "The Nineteenth Century Missionary as Scholar," in Nils E. Bloch-Hoe LL eds., *Misjonskall og forskerglede* (Oslo, 1975), pp.209-221.

入主出奴，[4]而表達個人主觀之見。[5]此一取徑便較接近宋明以義
理詮釋經典的方式。[6]

　　曾協助理雅各翻譯中國經典之王韜，謂理雅各詮釋中國經
典時，於漢宋之學兼收並蓄。[7]此只道及理雅各詮釋中國經典之
局部面貌。實則理雅各之譯述中國經典除採漢宋之學外，還強
烈表達個人宗教信仰之信息。[8]為配合此一取徑，理雅各之英譯
《大學》乃分為三部分：第一部分為緒論，敘述《大學》文本
之歷史、歷代之改訂、《大學》作者、經文和傳文之別以及其

---

[4] Girardot 謂理雅各此一迻譯原則乃仿孟子「以意逆志」體會《詩經》之方式。
見 Girardot, *The Victorian Translation of China*, p.357, 370.

[5] 參考 Eugene Chen Eoyang, *The Transparent Eye: Reflections on Translation, Chinese Literature, and Comparative Poetics* (Honolulu: University of Hawaii Press, 1993), p.107; 費樂仁, *Striving for 'The Whole Duty of Man'*, vol. 2, pp.237-238.

[6] 如朱熹之詮釋經典即常超越經典文本(meta-textual)而直截探求天理之永恆。參考：(1) Edward Ch'ien, *Chiao Hung and the Restructuring of Neo-Confucianism in the Late Ming* (New York: Columbia University Press, 1986), pp.184-185; (2) Thomas A. Wilson, *Genealogy of the Way: The Construction and the Uses of the Confucian Tradition in Late Imperial China* (Stanford: Stanford University Press, 1995), pp.83-85; (3) Idem, "Messenger of the Ancient Sages: Song-Ming Confucian Hermeneutics of the Canonical and the Heretical" in Ching-I Tu ed., *Classics and Interpretations: The Hermeneutic Traditions In Chinese Culture* (New Jersey: Transaction Publishers, 2000), p.112.

[7] 王韜：〈送理牧師回國序〉，《申報》選錄香港《華字日報》（同治癸酉三月十五日），頁2。

[8] 費樂仁固知理雅各常從耶教立場詮釋儒教經典，猶謂其傾向於從文法、歷史掌握經典文本之意味。按：此只是一手段，其終旨乃在尋求不違背耶教教義的理據。費樂仁之說，見"Mediating Word, Sentence, and Scope without Violence: James Legge's Understanding of Classical Confucian Hermeneutics," in Ching-I Tu ed., *Classics and Interpretations*, p.378.

教育意圖和價值。[9]第二部分為正文，其譯文大體據朱熹《大學章句集注》之說，間亦採納漢唐學者之意見。[10]第三部分為注釋，此係對譯文之詳細詮釋。[11]在緒論和注釋部分，理雅各博採眾說（包含中國以外之漢學家），再依耶教之教旨，綜攝提煉為一己之見。而持之以批評《大學》之說和朱熹之詮釋。[12]本文無意全盤檢討理雅各之英譯《大學》，而只對其關涉耶儒二教者加以析論。

理雅各對耶儒二教之比較以及對儒教（特別是孔子）之批評，足以印證中國經典詮釋之空間乃相對開放和包容者，本人已就此撰有專文論列。[13]茲篇之旨，則擬就其依據耶教真理觀對儒教（包括《大學》之說和朱熹之詮釋）所作批評而加以析論。[14]

---

[9] James Legge, *Chinese Classics*, vol. 1:22-34。

[10] Ibid., vol. 1:355-381。

[11] Ibid., vol. 1:355-380。

[12] 關於理雅各英譯中國經典之體裁和方式，參考費樂仁, *Striving for 'The Whole Duty of Man'*, vol. 2, pp.99-100. 關於理雅各英譯中國經典之概括評價，參考 Girardot, *The Victorian Translation of China*, .pp.354-366.

[13] 參考拙作：〈中國經典詮釋的空間──理雅各（James Legge 1815-97）英譯《論語》批評孔子析論〉，收入彭林主編：《中國經學》（廣西師範大學）2005 年第 1 期，頁 288-307。

[14] 耶教之真理觀強調真理之超時空之永恆性。西方現代、當代學術之真理觀，則視超時空之永恆真理只為未經批判的信仰。至於儒教所講「道體」（天理）之恆常性雖與前者不盡相同（耶教重超絕世間，儒教重建立人間秩序），卻有其類似性，而和後者則大為不同。參考吳展良：〈聖人之書與天理的恆常性：朱子的經典詮釋之前提假設〉，《臺大歷史學報》33 期（2004 年 6 月），頁 77。

二、論《大學》教育之目的

　　理雅各論《大學》教育之目的，取鄭玄和孔穎達之說。鄭、孔皆視《大學》為君主之政治手冊。[15]與鄭、孔之說相對照，朱熹則視《大學》為個人修身和整齊社會之指導讀本，其為用不止於君主，而廣及於一切人。[16]理雅各附和鄭、孔之說，以為該篇之名稱應作「太學」而非「大學」。其所以稱為「太學」，乃闡明廣博之道德學足以為政。[17]但朱熹卻謂《大學》為古大學所以教人之法，並謂人生十五歲，自天子之元子、眾子以至公卿、大夫、元士之適子，以及民之俊秀入大學，而教之以窮理、正心、修己、治人之道。[18]理雅各則質疑其說。他憐憫古代中國青年接受此艱深功課，認為其深奧之理論有如難以消化之肉，不適應青年心靈之培養。他指出中國古代存在此一教育模式之證據並不充足，但如依據較古之「太學」釋義，則使人較易理解《大學》之目的和方式。[19]

---

[15] 孔穎達案：「鄭《目錄》云：名曰大學者，以其記博學可以為政也。」見〔唐〕孔穎達：《禮記正義》（北京：中華書局十三經注疏本，1957年），頁2343。按：《禮記》之《大學》篇係《大學》之古本。此外，《大學》版本還有朱熹修訂本（即《四書章句集注‧大學章句》本）。朱熹以後，毛奇齡曾對四種修訂本加以研究，該四種修訂本分別為王柏、季本、高攀龍（崔銑）和葛寅亮所整理，見《大學證文》，收入文淵閣《四庫全書》（臺北：臺灣商務印書館，1983-1986年景印），第210冊。

[16] 〔宋〕朱熹：〈大學章句序〉，《四書章句集注》（北京：中華書局，1983年），頁1。

[17] James Legge, *Chinese Classics*, vol. 1:28。

[18] 朱熹：〈大學章句序〉，《四書章句集注》，頁1。

[19] James Legge, *Chinese Classics*, vol. 1:28; 參考 Daniel K. Gardner, *Chu Hsi and the Ta-hsueh: Neo-Confucian Reflection on the Confucian Canon* (Massachusetts: Harvard University Press, 1986), pp.50-51.

依據《大學》古本，理雅各謂作者開宗明義闡明其目的：
「大學之道在明明德，在親民，在止於至善。」[20]他指出《大學》
作者針對此目的，其闡述之重點包括兩方面：一方面為帝國之
廣大民眾，另一方面則為受命於天而統治民眾的天子之職責。
理雅各復指出，從經文第四和第五節，可知《大學》所定課程
如經過學習和實踐，則足以彰顯明德於天下，使之臻於太平境
地。此目的無疑為宏大而美好；抑《大學》如能提供合理而可
行之方式以達此目的，則其價值將難以用語言表述。[21]

理雅各強調《大學》教育對象應為君主一人。他深感《大
學》所講教育目的，對一普通人顯得高不可攀，亦無任何利益
可言。此乃其重大缺點。若如朱熹所主張，此一教育曾在學校
系統中佔一席之地，則實非所宜。[22]

---

[20] 孔穎達：《禮記正義》，頁 1。按理雅各英譯《大學》雖採用朱熹所修訂
之《大學章句》為版本之依據，但對古本《大學》亦甚重視。在《東方聖
書》第二十八卷，理雅各所譯《禮記》第三十九章《大學》即為古本。見
James Legge trans., *Li Chi: Book of Rites* (New York: University Books, 1967),
pp.411-424.

[21] James Legge, *Chinese Classics*, vol. 1:28-29。

[22] Ibid., vol. 1:29。費樂仁指出，理雅各將「大學」之名稱譯為"Great Learning"，
乃與其出身於非信仰英國國教之背景有關。他說理雅各少年時熟讀所屬教
派之「教義短篇」（Shorter Catechism）；鑒於該篇文字有類於《大學》
教導幼孩成為大人，而了解人生之深刻意義，遂選取上述譯名作為別類之
文化交流。見 *Striving for 'The Whole Duty of Man'*, vol. 2:102。按：理雅
各並不贊同《大學》為教一般人之法，故費樂仁之說不免於牽強。

三、論親民與新民

　　理雅各所以不贊同朱熹關於《大學》教育目的之主張，其關鍵乃在其據古本《大學》之「親民」為說。所謂親民，孔穎達解為「親愛於民」。[23]清末一受耶教影響之儒者羅仲藩即據此而申論明德親民之義，[24]謂明德之德是「道之得於身者」，意即簡易之德行。然則《大學》之第一目的乃在彰顯個人之德行，即對仁、敬、孝、慈以及信諸德目之實踐。至於親民之親，乃親之之義。明德親民，即「修己安百姓」。[25]理雅各覺察到羅仲藩解明德之德為德行，而非德性，[26]並謂其對明明德之詮釋不含革新民眾之義。理雅各於是指出「親愛于民」無疑為《大學》之第二目的。其施與者應指君主，而非指一普通之人。[27]

---

[23] 孔穎達：《禮記正義》，頁 2345。

[24] 關於羅仲藩，參考(1) James Legge, *Chinese Classics*, vol. 1:25-26; (2) 費樂仁, "Some New Dimensions in the Study of the Works of James Legge, (1815-1897): Part II," *Sino-Western Cultural Relations Journal* 13 (1992): 42-44; (3) Idem, "The Way is One, but its Expressions Are Many: 19th-Century Protestant Influences on Ruist Spirituality In Guangzhou," Paper for the International Conference on the History of Christianity in China, held in Hong Kong on October 1996; (4) Idem, "Discovering Monotheistic Metaphysics: The Exegetical Reflections of James Legge (1815-1897) and Lo Chung-fan (d. circa 1850), " in Kai-wing Chow, On-cho Ng, and John B. Henderson eds., *Imagining Boundaries: Changing Confucian Doctrines, Texts, and Hermeneutics* (Albany: State University of New York Press, 1999), pp.213-54; (5) Idem, *Striving for 'The Whole Duty of Man'*, vol. 2:323-324, note 309.

[25] 羅仲藩：《聖經註辨》（廣東南海：粵東同善堂藏板，1850 年），卷 1，頁 1。按：《聖經註辨》一作《古本大學註辨》。

[26] 「德行」為果上之詞，意即光明正大的行為，「德性」則為因上之詞，乃人本有之光明正大的心性。按：《大學》所謂明德，應指德行為說。參考牟宗三：《心體與性體》（臺北：正中書局，1969 年），第 3 冊，頁 368-369。

[27] James Legge, *Chinese Classics*, vol. 1:356。

理雅各既贊同孔穎達和羅仲藩據古本《大學》闡明《大學》旨在教君主彰明其德行而親愛於民，[28]則對朱熹改「親」為「新」而主新民說，自不免有所非議。朱熹改親為新，係遵從程顥和程頤之說。二程改親為新，雖無版本為證，但並非毫無間接之依據，因親、新二字形似，以致在古籍中常相混淆。[29]朱熹曾答學者質疑程子改親為新，謂：「今親民云者，以文義推之則無理；新民云者，以傳文考之則有據。」[30]理雅各反駁朱熹此說，謂傳文第二章所謂「新」和新民說無關。[31]因為所謂新，其對象並非民。[32]實則朱熹之依二程改親為新，其著眼點乃由於古本《大學》親民說「以文義推之則無理」。朱熹在此反顯新民說則有理可言。然則新民說之理何在？此則關涉新民說與朱熹修養論之整個體系。但自理雅各取親民說言之，則君主親愛於民，乃與君主受命於天（上帝），而上帝博愛萬民之旨至相協調。羅

---

[28] 理雅各雖大體贊同羅仲藩對親民之詮釋，但對其過分申論親民之旨，卻不盡同意。參考 James Legge, *Chinese Classics*, vol. 1:376。

[29] 《尚書・周書・金縢》：「惟朕小子其新逆」。蔡沈謂：「新當作親，……親誤作新，正猶《大學》新誤作親也。」見董鼎：《書蔡氏傳輯錄纂注》，收入《通志堂經解》（揚州：江蘇廣陵古籍刻印社，1996 年），第 6 冊，頁 430。王應麟亦有此說，見《困學紀聞》（臺北：臺灣商務印書館，1956 年），卷 5，頁 465。陳黎謂：「《春秋繁露・三代改制質文篇》：『新周，故宋。』宣十六年《公羊傳》：『新周也。』《史記・孔子世家》：『據魯、親周。』或說『新周』，或說『親周』。又僖三十一年《左傳》『晉新得諸侯』，唐石經補刻本『新』作『親』；新、親二字易清混，……」參考所撰：《大學中庸今釋・大學今釋》（臺北：正中書局，1955 年），頁 3-4。

[30] 朱熹：《四書或問・大學或問上》（上海：上海古籍出版社；合肥：安徽教育出版社，2001 年），頁 5-6。

[31] James Legge, *Chinese Classics*, vol. 1:361.

[32] James Legge, *Li Chi: Book of Rites*, vol. 2: 415, note 2.

仲藩謂《大學》乃「配上帝保峻命之學，……明德親民，即修己安百姓也。」[33]理雅各或受羅氏此說之影響。他隱約講述某些受耶教鼓舞之有識見中國士人，[34]曾向他指出《大學》難以作為一般人行為之指引。[35]至於朱熹，則謂新民為一切人之修養功夫，並以為《大學》所引湯之〈盤銘〉和《尚書・康誥》皆所以解釋新民者。[36]朱熹強調新民之新為「自新」；意謂人之去其舊染之污乃藉其本身之力為之。此視耶教謂人有原罪，必藉上帝和耶穌救贖之旨相違。此或亦為理雅各寧取親民說，而不取新民說之另一理由。

四、論格物致知

理雅各不取朱熹之新民說，也非議其對格物致知的補傳和詮釋。按朱熹從義理說新民，並發展為一套極為複雜的修養體系。在此一修養體系中最具關鍵者為格物致知說，因為由格物

---

[33] 羅仲藩：《聖經註辨》，卷 1，頁 1。

[34] 羅仲藩可能為其中之一。此外可能者為洪仁玕（1822-1864）。參考費樂仁，"Discovering Monotheistic Metaphysics," p.246, note 71.

[35] James Legge, *Chinese Classics*, vol. 1:29. 按：理雅各可能因「親民」說含博愛萬民之意蘊而加採擇；清初部分儒者則因「親民」含此概念，遂視《大學》此一概念鄰於墨家和佛教，而斥之為異端。參考 Kai-wing Chow, "Between Sanctioned Change and Fabrication: Confucian Canon (Ta-hsüeh) and Hermeneutical Systems since the Sung Times," in Ching-I Tu ed., *Classics and Interpretations*, p.61.

[36] 朱熹解湯之〈盤銘〉「苟日新，日日新，又日新」，謂：「言誠能一日有以滌其舊染之污而自新，則當因其已新者，而日日新之，又日新之，不可略有間斷也。」又解《尚書・康誥》「作新民」，說：「言振起其自新之民也。」見《四書章句集注》，頁 5。

致知即可從事新民,並通向終極道體之「明明德」。但朱熹覺察《大學》傳文竟未對格物致知作闡述。他以為《大學》於此有闕文,於是依程頤說為格物致知作〈補傳〉。[37]朱熹的〈補傳〉說:「所謂致知在格物者,言欲致吾之知,在即物而窮其理也。蓋人心之靈莫不有知,而天下之物莫不有理,惟於理有未窮,故其知有不盡也。是以《大學》始教,必使學者即凡天下之物,莫不因其已知之理而益窮之,以求至乎其極。至於用力之久,而一旦豁然貫通焉,則眾物之表裏精粗無不到,而吾心之全體大用無不明矣。此謂格物,此謂知之至也。」[38]

理雅各以為《大學》並無闕文,而非議朱熹補傳為過分。[39]又朱熹解「致知在格物」,說:「致,推極也。知,猶識也。推極吾之知識,欲其所知無不盡也。格,至也。物,猶事也。

---

[37] 朱熹:《四書章句集注》,頁 6。參考余英時:《朱熹的歷史世界:宋代士大夫政治文化的研究》(臺北:允晨文化實業股份有限公司,2003 年),上篇,頁 54。

[38] 朱熹:《四書章句集注》,頁 6-7。朱熹不但為格物致知補傳,並將《大學》區分為經、傳兩部分。對朱熹之改定《大學》,後世聚訟紛紜,至今不息。參考:1.趙澤厚:《大學研究》(臺北:中華書局,1962 年),頁 88-93;2.蔡仁厚:〈大學分章之研究〉,《孔孟學報》1965 年第 9 期,頁 65-66;3.高明:《禮學新探·大學辨》(香港:聯合書院,1963 年),頁 110-120;4.唐君毅:《中國哲學原論》(香港:人生出版社,1966 年),上冊,頁 278-305;5.山下龍二:《全釋漢文大系卷三·大學中庸》(東京:集英社,1974 年),頁 32-55;6.嚴靈峰:《大學章句新編》(臺北:帕米爾出版社,1984 年);7.成中英 "The *Daxue* at Issue: An Exercise of Onto-Hermeneutics (On Interpretation of Interpretations)," in Ching-I Tu ed.; *Classics and Interpretations*, pp.29-32; 8.Kai-wing Chow, "Between Sanctioned Change and Fabrication: Confucian Canon (Ta-hsüeh) and Hermeneutical Systems since the Sung Times," op. cit., pp.51-60.

[39] James Legge, *Chinese Classics*, vol. 1:32; 365.

窮至事物之理，欲其極處無不到也。」[40]理雅各也對此有所不滿。他同時質疑在正心誠意之先，須窮究自然物理、形而上現象（應作「本體」）和歷史事件。[41]理雅各覺察到古本《大學》在「所謂誠其意者，毋自欺也」之上，有「此謂知本，此謂知之至也」二句。[42]朱熹將之置於其所補第五章之前，並引程子謂「此謂知本」為衍文。朱熹又謂「此謂知之至也」之上「別有闕文，此特其結語耳。」[43]理雅各卻對此二句特加措意，並引孔穎達謂：「本，謂身也，既以身為本，若能自知其身，是知本也，是知之至極也。」[44]依據孔氏之疏解，理雅各謂此二語之結論，若聯繫於「致知在格物」而言，則誠意之先，必須自知其身於至極（致知），此致知乃在於格物。理雅各因此視格物為致知之結果。他解釋「格」之義為式（方式）和正（釐正）；復參考羅仲藩《古本大學註辨》之說，理雅各遂以為所謂「致知在格物」，乃意謂人既自知其身，則必能律己，以正確衡定所有作為，而不至於歧路亡羊。[45]

理雅各依孔穎達和羅仲藩以解釋「致知在格物」，其說或較近於《大學》原義；但朱熹對格物致知之補傳和詮釋，也足以自成體系。[46]按「身」為格物致知之關鍵，孔穎達、羅仲藩、

---

[40] 朱熹：《四書章句集注》，頁 4。

[41] James Legge, *Chinese Classics*, vol. 1:32; 358.

[42] 孔穎達：《禮記正義》，頁 2343。

[43] 朱熹：《四書章句集注》，頁 6。

[44] 孔穎達：《禮記正義》，頁 2347。

[45] James Legge, *Chinese Classics*, vol. 1:358。

[46] 朱熹集畢生之力於《大學》。自中年（三十七歲）後，乃逐漸形成以《大學》為其義理體系之規模。參考牟宗三：《心體與性體》，第 3 冊，頁 355-406。

理雅各和朱熹都無異辭。自朱熹言之，其詮釋《大學》乃環繞對「身」（我）之重新體認，使之成為修養和正確認識的主題，於是其詮釋之方式，乃變成針對個人修養之方式，而將人置於宇宙較大之進程。[47]具言之，朱熹修養論主題之「我」為「社會我」，而非止屬於個人我。此社會我乃經過與家、國以至天下相協調所形成之真我。[48]即由於「我」為「社會我」，故明明德和新民之修養工夫，必具體而落實為「既自明其明德，又當推以及人，使之亦有以去其舊染之污。」[49]此推己及人之修養工夫和朱熹的心性理氣論至相密切，而形成其複雜之思想體系。[50]作為朱熹思想體系修養論關鍵之「格物致知」，簡要言之，乃以泛認知方式逐一窮天下事物存在之所以然（理），以期獲得徹底而完整之知識。[51]按：耶教以為徹底而完整之知識唯全能之上帝有之，人即使由修養而成為聖人，亦不能達此境地。[52]故理雅

---

[47]　John Berthrong, "Expanding the Tao: Chu Hsi's Commentary on the *Ta-hsüeh*," in Ching-I Tu ed.; *Classics and Interpretations*, p.5.

[48]　Ibid, pp.16-19。關於社會我，參考 Steve Odin, *The Social Self in Zen and American Pragmatism* (Albany: State University of New York Press, 1996), *passim*.

[49]　朱熹：《四書章句集注》，頁3。

[50]　參考(1)牟宗三：《心體與性體》，第3冊，頁355-406; (2) Philip J. Ivanhoe, *Confucian Moral Self Cultivation* (New York: Peter Lang, 1993), the Rockwell Lecture Series, vol. 3; (3) Donald J. Munro, *Images of Human Nature: A Sung Portrait* (Princeton: Princeton University Press, 1988); (4) Hoyt Cleveland Tillman, *Confucian Discourse and Chu Hsi's Ascendancy* (Honolulu: University of Hawaii Press, 1992).

[51]　朱熹：《朱子全書·朱子語類》（上海：上海古籍出版社；合肥：安徽教育出版社，2002年），卷15，頁461-480；牟宗三：《心體與性體》，第3冊，頁384-406。

[52]　西方哲學（希臘）對知識之掌握，乃以辨解之認識過程，思索形而下「實在」之靜止和持久之本質。耶教之上帝則以「智慧之直覺」頓悟一切之全

各謂：若依朱熹之說，則中國聖人之教乃遠超乎常人之能力。[53]
理雅各非議朱熹致知格物說，其故在此。

五、論致知與誠意

理雅各也非議朱熹聯繫致知與誠意。《大學》經文：「欲
誠其意者，先致其知；……知至而後意誠」。[54]朱熹解說：「知
至者，吾心之所知無不盡也。知既盡，則意可得而實矣。」[55]此
即以德行關聯於知識為說。理雅各謂中國傳統論「知」和「德」
相關聯乃嚴重之錯誤。[56]按《大學》誠意傳不按前面文例，即不
說「所謂誠意在致其知者」，而只說：「所謂誠其意者，毋自
欺也」。[57]是即打斷致知與誠意之因果關係。[58]理雅各已注意及
此。他說：「誠意」章第一節以「毋自欺」闡明誠意，乃指出
知雖盡，尚有許多功夫待作；非謂知之成，即足以致意之誠。
理雅各因此謂「誠意」章之旨實可推翻朱熹對經文「誠意」說

貌，此非人之所能。朱熹講格物致知，雖有認識過程，但「一旦豁然貫通
焉，則眾物之表裏精粗無不到，而吾心之全體大用無不明矣。」此類似於
耶教之神智。自耶教視之，實為不可能者。

[53] James Legge, *Chinese Classics*, vol. 1:358。

[54] 朱熹：《四書章句集注》，頁 3-4。

[55] 同前注，頁 4。

[56] James Legge, *Chinese Classics*, vol. 1:33.

[57] 朱熹：《四書章句集注》，頁 7。

[58] 參考牟宗三：《心體與性體》，第 3 冊，頁 403。

之詮釋。[59]他暗示朱熹詮釋經文「誠意」說時,乃忽略「知」和「德」無必然之因果關係。當代朱熹學者嘉納(Daniel K.Gardner)謂朱熹非不了解「知」和「德」無因果關係,理雅各對朱熹之批評蓋出於誤解。[60]按:關於誠意之問題,《大學》經文和傳文原有參差,朱熹之《章句》難免依違曖昧,易滋誤解。克就朱熹思想體系言之,朱熹實以廣泛認知機能以定行動之機能。[61]按:認知和實踐為不同層次之機能,如連貫二者,則自有困難。但理雅各批評中國講「知」和「德」之關聯,其旨不在於此,而在強調其說違反耶教之真理。理雅各籠統批評《大學》和《中庸》「知」與「德」相關說,[62]並總結其意旨為:欲人以完全之知,而完成一己之至善行為。理雅各以為此說與耶教《聖經》之人性論相反。又以《聖經・新約・啟示錄》有箴言謂「世無為善而無罪之正直人」,理雅各乃引之以證成其說。[63]總而言之,

---

[59] James Legge, *Chinese Classics*, vol. 1:367. 費樂仁謂理雅各對《大學》講認知之批判,乃基於蘇格蘭實在論(Scottish Realism)為說。見 *Striving for 'The Whole Duty of Man'*, vol.2:324, note 309.

[60] Daniel K. Gardner, *Chu Hsi and the Ta-hsueh*, p.107. 費樂仁謂理雅各批評朱熹對經文誠意之詮釋乃受羅仲藩之影響。見所撰"Mediating Word, Sentence, and Scope without Violence," p.381, note 13.

[61] 「王子充問:某在湖南,見一先生只教人踐履。曰:義理不明,如何踐履?曰:它說:行得便見得。曰:如人行路,不見,便如何行。今人多教人踐履,皆是自立標致去教人。自有一般資質好底人,便不須窮理、格物、致知。聖人作個《大學》,便使人齊入於聖賢之域。若講得道理明時,自是事親不得不孝,事兄不得不弟,交朋友不得不信。」見朱熹:《朱子全書・朱子語類》,卷9,頁303-304。

[62] 理雅各批評中國講「知」和「德」之關聯,首先非議《大學》之相關議論,而總結於《中庸》,見 *Chinese Classics*, vol. 1:32-33; 51-52.

[63] Ibid., vol. 1:51-52.

人生而有罪，必賴上帝之救贖，人方能免於罪而趨向善。理雅各即依耶教真理而批判儒教知與德之因果說。[64]

六、論絜矩之道

理雅各於《大學》所講絜矩之道亦有微詞。《大學·傳第十章》論絜矩之道，謂：「所謂平天下在治其國者：上老老而民興孝，上長長而民興弟，上恤孤而民不倍，是以君子有絜矩之道也。所惡於上，毋以使下；所惡於下，毋以事上；所惡於前，毋以先後；所惡於後，毋以從前；所惡於右，毋以交於左；所惡於左，毋以交於右：此之謂絜矩之道。」[65]理雅各批評「絜矩之道」乃君主自「金律」之消極形式所建構的為治之道。[66]理雅格所以批評絜矩之道為消極形式，乃對照耶教《福音書》所講「施於人，如己欲人之加諸己」為言。[67]按耶教和儒教對「金律」的表述不同：耶教採肯定（非積極）的方式，儒教則採消極的方式。此兩種表述之差異只在語義而無關價值判斷。但若謂耶教對「金律」採積極方式而彰顯儒教之消極方式，則涉及價值判斷。因積極一詞含尊尚之勝義。[68]理雅各批評《大學》金

---

[64] Eoyang 指出，理雅各以耶教獨斷之啟示說駁斥儒教異端之說。見 *The Transparent Eye*, p.107。

[65] 朱熹：《四書章句集注》，頁 10。

[66] James Legge, *Chinese Classics*, vol. 1:30-31; 34; 373-375.

[67] Luke 6:31, *The New English Bible* (Penguin Books, Oxford and Cambridge University Press, 1974) , p.78.

[68] 參考 Robert E. Allinson, "The Golden Rule in Confucianism and Christianity," *Asian Culture Quarterly* (《亞洲文化》) 16.4 (Winter, 1988): 6.

律（恕道）為消極，上文謂其乃對照耶教金律而說。他在此處雖未明示《大學》消極金律乃對照耶教金律之為積極形式而說，但比照他批評孔子之金律（恕道）時，謂孔教之恕道不及耶教相關教諭之積極，[69]則在其心目中，乃以耶教積極金律與《大學》消極金律相對照而說，若果如此，則不免有尊耶教而貶《大學》之嫌。實則耶儒分別以肯定和消極兩種方式表述金律，乃各擅勝場。[70]

抑對中國傳統專制治道言之，《大學》「絜矩之道」更別具特殊意義。因為「絜矩之道」鄰於拉斯基（Harold Joseph Laski, 1893-1950）所講「平停酌劑」（Co-ordination）原則，即將治道建構為「對列之局」，而非下級臣服於上級的「隸屬之局」。君主與民眾由是各有其作用和職務，以至互相調和而合成方形（絜矩），終於平停其間而致天下於平。[71]依此言之，「絜矩之道」固有其正面意義。但《大學》講外王之治道乃內聖道德修養之直接延長，此乃「理性之運用表現」，不能由此成就政道（民主政體），故其順之而講的「絜矩之道」仍在道德籠罩下，而未表現為客觀之架構，以致平停對列之局只為「主觀之實

---

[69] James Legge, *Chinese Classics*, vol. 1:109.

[70] 參考拙作：〈中國經典詮釋的空間——理雅各英譯《論語》批評孔子析論〉。按：理雅各重新修訂所譯《中國經典》第一卷（包括《大學》並重估孔子時，曾期望孔子之教導對耶教有所啟迪，見 *Chinese Classics*, vol. 1:111）。值得注意者，此是否涉及儒家「己所不欲，勿施於人」之恕道？與耶教具專橫和宗教狂熱之「愛」相對照，理雅各是否期望耶教徒對儒家恕道更能產生共鳴？參考 Girardot, *The Victorian Translation of China*, pp.463-464; 509.

[71] 參考牟宗三：《中國哲學十九講》（臺北：臺灣學生書局，1983 年），頁 107-108。

現」，而非「客觀之實現」。[72]理雅各曾評論《大學》一書並未開展其意旨，[73]如針對「絜矩之道」之消極意義言之，則理雅各應著力於評論「絜矩之道」在道德氛圍下未實現其客觀意義，即未能建構民主之政道；而不應斤斤於指出「治國」與「平天下」之間缺乏聯繫。[74]

七、論以身作則

理雅各讚許《大學》所講以身作則之道。《大學·傳第九章》：「堯舜帥天下以仁，而民從之；桀紂帥天下以暴，而民從之；其所令反其所好，而民不從。是故君子有諸己而後求諸人，無諸己而後非諸人，所藏乎身不恕，而能喻諸人者，未之有也。」[75]理雅各以為以身作則的原則對教育和政府至關重要，並承認西方社會在行政守則方面忽略此一要素。理雅各要求西方人從中國經典學習此一原則，以改善忽略該原則所遭致之不良後果。但理雅各也指出，中國經典常將該原則推廣過分。自人性而言之，以身作則之道固然至為完美，但提倡者常不具備此一美德。無論如何，理雅各認識到此一原則滲透於儒教哲學，並產生巨大之影響。[76]理雅各敦促作為監督之耶教主教，也應以

---

[72] 參考牟宗三：《政道與治道》（臺北：廣文書局，1961 年），頁 46-62。

[73] James Legge, *Chinese Classics*, vol. 1:33.

[74] Ibid., vol. 1:30。

[75] 朱熹：《四書章句集注》，頁 9。

[76] James Legge, *Chinese Classics*, vol. 1:31.

身作則，以期在品格方面讓人無可非議。此顯示理雅各認同耶儒對促進世界和諧有若干相近之觀點。[77]

理雅各也體認到君子以身作則之崇高典範乃根植於內心之誠，此即《大學·傳第六章》所謂「誠於中，形於外」。[78]理雅各指出此與所羅門（Solomon）謂「由人之內省，可見其為人」正相吻合。[79]理雅各肯認中外哲人的共同智慧，顯示其關注文化融合的胸襟。

八、結語

理雅各對《大學》雖有不滿意之處，但他大體承認其說似乎平凡而實為不朽之真理。[80]按《大學》講道德修養之道，止於提綱絜領，即止涉及道德實踐程序，而未深論德性之源。後世之詮釋，遂多紛歧。自朱熹之《大學章句》（在《四書章句集注》內）定為官方科舉用書，其影響中國社會已踰八百餘年。理雅各尊重此一傳統，乃採朱熹說於其譯文中。但身為耶教傳教士，理雅各迻譯《大學》和其他儒教經典，一方面固然希望

---

[77] Ibid; vol. 1:105.參考費樂仁 "Discovering Monotheistic Metaphysics," p.229.

[78] 朱熹：《四書章句集注》，頁7。

[79] James Legge, *Chinese Classics*, vol. 1:33-34.

[80] James Legge, *Chinese Classics*, vol. 1:34. 費樂仁謂理雅各作為一漢學界之東方學者，足以對儒教之不足提出挑戰，但也以批評之識見肯定儒家某些傳統。見所撰 *Striving for 'The Whole Duty of Man'*, vol. 2:239. 按：理雅各雖肯定東方文明聖典的智慧和真理，但始終認為耶教《聖經》乃超越其上，故他對儒教經典的態度為公正，但非中立者。參考：Girardot, *The Victorian Translation of China*, p.12, 134.

介紹儒教經典予西方讀者，另一方面則不能違背其耶教真理觀，故於《大學》之說或朱熹之詮釋有所不愜意，尤其當其說或詮釋與耶教之真理有所衝突時，理雅各即毫不猶豫，將其主觀之評論表達於緒論和注釋之中。治朱子之學者，大抵認為朱熹依託聖人之書之《大學》，以建構其聯繫心性理氣而成一哲學體系之道德修養論，其最終目的乃在學聖人而體會天理之永恆。[81]至於理雅各，則不能違反耶教之終極真理以詮釋《大學》。可見二人對《大學》之詮釋都出於終極關懷之宗教情操。

抑理雅各為耶教之終極真理而辯解，雖不免於主觀，而難守中立。如上所述，理雅各對羅仲藩頗具耶教色彩之《大學》詮釋，雖多所採納，但究以耶教真理為準，而不完全曲意附從。[82]即由於理雅各於辯解耶教之終極真理時仍保持其獨特之見

---

[81] Wilson 指出，朱熹為《大學》補「格物」傳，乃依據「道」之傳承系統以建構其道德修養論。見 "Messenger of the Ancient Sages," p.118。參考余英時：《朱熹的歷史世界：宋代士大夫政治文化的研究》，頁54。

[82] 理雅各不苟同羅仲藩之說，其例在所多有：《大學‧傳第六章》：「曾子曰：十目所視，十手所指，其嚴乎！」（朱熹：《四書章句集注》，頁7。）羅氏逕視曾子之說為天上眾多神靈、上天或上帝之臣工對下民行為之監視。理雅各指出：此不過是強調上節所講之「誠意」而已。(James Legge, *Chinese Classics*, vol. 1:367.) 又《大學‧傳第七章》：「心不在焉。」（朱熹：《四書章句集注》，頁8。）羅氏堅持以「心」為上帝所賦道德之性。理雅各則以為此處所講之心，不能繫之以任何特定意義。所謂「心不在焉」，只意謂心思別有所屬。(James Legge, *Chinese Classics*, vol. 1:368.) 又《大學‧傳第十章》：「《詩》云：殷之未喪師，克配上帝。」（朱熹：《四書章句集注》，頁10）。羅氏以為殷王（未喪師之前）與上帝相與和諧而親愛於民。理雅各寧取鄭玄說：「言殷王帝乙以上，未失其民之時，德亦有能配天者，謂天享其祭祀也。」（孔穎達：《禮記正義》，頁2352；James Legge, *Chinese Classics*, vol. 1:376.）凡此可見理雅各未因羅氏之偏向耶教而盲目接受其說。參考費樂仁, *Striving for 'The Whole Duty of Man'*, vol. 2, p.238.

解，故其對《大學》之詮釋，乃能在古今汗牛充棟之注家中穩占一席之地而歷久不衰。[83]不寧唯是，理雅各贊揚《大學》以身作則之道足為耶教和西方社會取法，則其放眼世界之胸襟亦有足多者。

理雅各和朱熹都從終極關懷之宗教情操詮釋《大學》，究竟誰較能接近《大學》原旨？當代著名之存有解釋學大師葛達瑪（Hans-Georg Gadamer, 1900-2002）指出，歷史的距離足以造成詮釋者和原作者之間不能克服的差異，於是詮釋者對文本具有不由自主的偏執和先入之見。[84]故如從存有解釋（Onto-hermeneutical）之層次而言，則朱熹和理雅各對《大學》之詮釋都不免具主觀和有限性，但如自二人的終極關懷之宗教情操言，則二人都各有所依據，並加以闡發和實踐之真理和道理。[85]此則其本身已具備足夠之意義和貢獻，故不必斤斤於探討孰較近於《大學》原旨。

---

83 比較語言學者和批判歷史學者批評理雅各詮釋儒教經典，其方式乃步武傳統之注解，而避開語言或文明交叉之推論。彼輩謂此一方式不免於過時。（參考 John B. Henderson, *Scripture, Canon, and Commentary: A Comparison of Confucian and Western Exegesis*, [Princeton, N. J.: Princeton University Press, 1991]）但當代研究理雅各之著名學者 Girardot 指出，理雅各乃從比較宗教立場持論耶儒，並肯定其所譯述儒教經典歷久不衰，雖然其本人之生平不受重視。見 *The Victorian Translation of China*, pp.355-356.

84 Hans-Georg Gadamer, *Truth and Method*, trans revised by Joel Weinsheimer and Donald G Marshall (London: The Crossroad Publishing Company, 1989), pp.295-296. 葛達瑪雖曾說受詮釋之文本能對小心和自覺之讀者呈現所有歧義，從而提供一對話，針對一己先入之見，而斷定文本之真實。Ibid; p.269. 按：對詮釋經典者言，則未必有此自覺。

85 對朱熹而言，天理雖非直接由經典文本傳達，而藉經典作者即聖人向讀者傳達，故朱熹不重文本之權威，而重與聖人默契並身體力行其道。參考(1) Jonathan R. Herman, "To Know the Sages Better Than They Knew Themselves:

　　抑自西儒理雅各言之，[86]他從比較宗教學之立場英譯《大學》和其他儒教經典，實為儒者開闢一條了解耶教之新途徑，兼為中國耶教徒開拓一個適應儒教傳統之新取向，[87]同時也為耶教提供了解儒教之重要渠道。[88]統此而言，理雅各對促進中西文化之交流自有不容忽視之貢獻。[89]

Chu Hsi's Romantic Hermeneutics," in Ching-I Tu ed., *Classics and Interpretations*, pp.222-223; (2) 吳展良：〈聖人之書與天理的恆常性：朱子的經典詮釋之前提假設〉，頁 86。

[86] 王韜稱理雅各為「西儒」，見所撰：《弢園文新編・送西儒理雅各回國序》。按：此即前引《申報》所載〈送理牧師回國序〉（北京：三聯書店，1998年，頁 120），《申報》則稱之為「英儒」（同治十二年八月廿五日），頁 2。

[87] 參考理雅各於 1886 年 11 月 25 日之講道錄："The Bearing of Our Knowledge of Comparative Religion on Christian Missions," p.10, held in the School of Oriental and African Studies Library, University of London, CWM/South China/Personal/Legge/Box4.

[88] 費樂仁謂理雅各為歐洲和英國漢學創造新的儒家經典。參考 *Striving for 'The Whole Duty of Man'*, vol. 2:239.

[89] 唯須注意者，理雅各在儒教經典所提供較為自由之詮釋空間中，常不自覺偏離儒教之思想正途，而走入意識形態之間道，此則為美中不足者。參考拙稿：〈理雅各與基督教至高神祇譯名之爭〉（即將發表）。

清末民初學人的讖緯觀——1890-1930

梁秉賦[*]

一、引言

　　從漢到唐，雖然不時有個別學人直接或含蓄的對讖緯之書提出理性的懷疑及批判，但這一類文獻始終被視爲是與五經六藝之學有密切關係的文本，其性質與地位並且是得到官方的肯定的。漢光武帝「宣佈圖讖八十一篇于天下」；《隋書‧經籍志》則將「緯與讖，列于六經之下」，把「六藝經緯」之書並合統歸爲屬於「經」書類的文獻；至唐代孔穎達等奉詔撰定《五經正義》，亦多摘錄讖緯之言。然而到了北宋初年，歐陽修已痛斥讖緯爲「怪奇詭僻」的「非聖之書」，力主將這些他認爲荒誕不經的內容從經典的註疏之中盡數刪除。文忠公此議在他生前雖然未得實現，但到南宋末年魏了翁撰《九經正義》時已付諸施行。

　　進入清代以後，學人對讖緯之書則轉而採取一種較爲開明的態度。比如全祖望雖然對緯書中怪異的成分不以爲然，但也

* 美國加州大學歷史系哲學博士，現執教於新加坡國立大學中文系。主要研究領域爲兩漢與清代學術、思想。著作包括：〈偷天換「月」——《易緯》「六十四卦主歲」錯用朔實小考〉，〈清代經師的讖緯觀〉，〈經、史之間——淺談康有爲與錢穆的經學研究〉，〈瑞獸、聖人、王者：經傳與讖緯中的神話〉，及〈以史治經、由經明史——錢穆經學研究芻論〉等。

認爲這類文獻「除災祥怪誕之外」，其內容亦「不無可采」，例如肯定其中的「律曆之積分，典禮之遺文」等，皆「旁羅博綜，其言有物」。因此，他以爲若是能「擇焉而精，未嘗不有資經術也」。[1]清儒對讖緯之書的輯佚與探研之興趣也因此遠邁前朝，以致發展到乾隆、嘉慶年間，經師、學人非但認爲「緯候所言多近理，可以翼經」，甚至還以爲讖緯其實「本古聖遺書」。它裡面的內容「其醇者蓋始于孔氏」，乃是「創始于孔子」，再經七十子之徒直接傳衍下來的經義。[2]有清一代的學術雖是承宋學傳統而來，但清儒在對待讖緯之書的態度上卻與宋人有明顯的不同，反而有將圖讖緯候之說與經書大義作緊密聯繫的認知傾向。這一發展可以歸因於清代興復上古絕學的時代氛圍之影響所致。[3]至遲到清代中葉爲止，清人對經、緯、讖的關係仍作如是觀。但進入清代晚季以及民國初年以後，情況又有怎樣的發展？當時的經師學人，對讖緯與經書的關係是延續前賢的看法並有所闡揚？還是另有轉折？在讖緯觀上的這些繼承或變化如何折射出學術思潮的流轉變遷？本文擬對此作一初步觀察。

---

[1] 〔清〕全祖望：〈原緯〉，《鮚埼亭集》外編，卷 48。全氏此文輯於蔣清翊《緯學源流興廢考》卷下〈論說〉，頁 12b-13b，見《續修四庫全書》（上海：上海古籍出版社，1995 年），第 184 冊，頁 671。

[2] 〔清〕金鶚：〈緯候不起于哀平辨〉，《皇清經解》（臺北：復興書局，1966年），第 20 冊，卷 1390，頁 29b-31a。

[3] 拙作〈清代經師的讖緯觀〉對此有較爲詳細的討論，見彭林編：《清代經學與文化》（北京：北京大學出版社，2005 年），頁 387-408。

二、「緯」、「讖」與先秦學術

　　被認爲「言近三百年學術者必以（之）爲殿軍」的康有爲，[4]曾有〈鄭康成篤信讖緯論〉一文。這篇文章的主旨本在於批評鄭玄「（既）注緯，（又）注讖」之失，但亦頗爲概括的體現出康氏對讖緯之書的看法。由於文章並不很長，因此將之全文引錄於下：

> 近人開口輒言讖緯，此不辨黑白之言也。

> 七經緯者三十六篇，云孔子所作。今以何休公羊註所引《禮》微徵之，皆在緯中，而與西漢大儒伏生《尚書大傳》、董仲舒《春秋》、劉向之說合，凡今學家之說皆合。此雖非孔子所作，亦必孔門弟子支流餘裔之所傳也。其所以有怪瑋之說者，蓋時主不信儒，儒生欲行其道，故緣飾其怪異之說。自江都爲純儒，而閉陰求陽，土龍改雨，已挾異術行之；而符瑞篇以改麟爲太平之兆，則緯書之說，其來已遠。張衡以爲緯起哀平之間，衡尚誤緯爲讖，未知本來也。自餘睦弘、夏侯勝、李守翼□□，皆以占驗動人主，令霍光嘆儒術之可貴，亦立國者神叢狐鳴之類。《傳燈錄》載佛二□八祖，皆能以咒語治毒蛇猛虎鬼神，今□教喇嘛猶行之，皆藉以行教者。後世儒術尊明，誠覺前人之迂怪，而未識創始之難也。不然，黃老之後，繼之以佛，儒學其能興哉。

---

[4] 錢穆：《中國近三百年學術史》（臺北：臺灣商務印書館，1968 年），頁634。

　　若讖書，《隋志》謂三十篇，自初起至於孔子九聖所增衍，實不知劉歆王莽所偽作，以盜天下，易聖經，張衡所謂起于哀平間者也。其書與緯皆相剌謬，與今學悖馳，《隋志》所謂文辭淺俗，顛倒舛謬，疑世人造為之。光武囿于其俗，以圖讖興，正定五經，皆命從讖。後漢今學，皆有師法，莫不尊師而信緯，亦尊王而並用讖。王璜、賈逵、桓譚、尹敏之徒非之者，則古學家自立之說，因攻今學之緯，並攻其讖。夫讖之淺俗不足攻，緯則淵源彌遠，可不攻也。鄭君並為之注。鄭君之注緯，宜也。其注讖，為時所惑也。

　　鄭君之學，揉合今古，故並注讖緯。自古學大行於六朝，二千年來，無能別今學古學之真偽者，徒見緯之怪瑋，因與讖並為一談而攻之。宋明攻鄭學，則以康成信讖緯為毀訾。近時尊鄭，則又欲並其信緯之美而同護之。二家聚訟如一邱之貉，皆未足知鄭學，更不足知學之本原也。[5]

據記，本文作於「光緒辛卯前」。我們知道，辛卯（1891）正是康氏引起極大爭議的《新學偽經攷》一書刊行的那一年。因此，對本書主旨有所了解的人對康氏在〈鄭康成篤信讖緯論〉這一篇文章中所表達的讖緯觀當不會感到陌生。康有為對讖緯之書的理解，其實可說是從他古文經學乃劉歆等所偽造的主張中衍生而來，或者說是與他這一主張一脈相承的。首先，他指出「緯」與「讖」是不能混為一談的。單就這點而言，康有為

---

[5] 康有為：《萬木草堂遺稿》（臺北：成文出版社，1976 年），頁 8-9。

並無新意。因為《隋書・經籍志》早已將「緯及讖」歸納為「別立」的兩組材料，並註明前者有「七經緯三十六篇」，後者則包括「河圖九篇、洛書六篇」、再加「別有（的）三十篇」而另為一類。《隋志》的著者曾說明，「讖」與「緯」之別乃在於：「七經緯三十六篇」是由「孔子所作」；而所謂的「讖」，有些是「黃帝至周文王所受本文」，其餘的則是由「孔子及九聖所增演」而來的。[6]當然，這樣的說法難以取信於後人。所以，自明清以來一般較為普遍的看法，乃以「讖」為出自秦漢間方士陰陽家之學，而「緯」（指較沒有怪誕之言且內容與經書大義有較「醇」的關係者）則是源自儒門傳授的經義。[7]但康有為卻以為「緯」與「讖」之別，乃在於前者「合于今文家之說」，而後者則是由「劉歆、王莽所偽作」。這正是他有異於前人與時人的地方。

康有為肯定「七經緯三十六篇」是與儒家經術有關之文獻的主要理由是，其內容皆與西漢大儒即今文學家之說契合。雖然他也承認在「緯」裡面是存有一些「怪異之說」的，但他的解釋是：因為當時「時主不信儒」，所以儒生為了要使其道得行，不得已而要引用這樣的說法以為「援飾」。所以，他要人們對這些災祥占驗之說採取一種寬容的態度，認識到這其實乃是先儒「藉以行教」的手段。儒教不得不如此的原因實由於「創始之難」，要不然當時如何能面對黃老、佛釋之挑戰？所以，

---

6 〔唐〕魏徵等撰：《隋書》（北京：中華書局，1973 年），第 4 冊，卷 32，頁 941。

7 見拙作：〈清代經師的讖緯觀〉，彭林編：《清代經學與文化》，頁 387-408。

康有爲認爲，「緯」雖然並不一定是由孔子所作，但必須承認它仍然是由晚周「孔門弟子支流遺裔」所傳承下來的學問。也就是說，「緯」終究是儒門真傳的經義。至於「讖書」就不一樣了，康有爲以爲：其內容「與緯書相刺謬，與今學悖馳」。那是因爲它乃是由於王莽、劉歆爲了「盜天下」，故「（改）易聖經」，而僞造出來的文獻。所以在時間上，「讖」出現於哀、平之間；在內容上，它「文辭淺俗，顛倒舛謬」。

《新學僞經攷》的是非對錯，學界早有定論。因此康氏此讖緯觀哪裡出了問題，這裡可以不必再加深究。不過，康有爲對讖緯之書所持有的這一看法，從讖緯觀念的發展演變之角度視之，卻是頗有值得注意之處。因爲在他的理論框架中，不論是「緯」或「讖」其實都是與經學極有關係的文獻。「緯」固不待多言，比較有意思的是，依其論述，則「讖」實際上亦是不折不扣的發揮儒家經義的文獻，雖然在他眼中那是與真孔學相對立的作品。因爲既然讖緯之書中以「讖」名之的那一部分內容，乃是屬於王莽、劉歆當年所造的「僞經」之產物，則據此引申，「讖」雖然不像「緯」那樣，是源自晚周秦漢的儒門傳統的經說，但它至少也是從西漢末葉的經生之手而來的文獻，是漢代一派儒生爲了與今文經學家平分天下而創造出來的「古學家自立之說」。所以，從這樣的一個觀點來理解「讖書」，實際上要比將這些文獻看成是由方士陰陽家所造作的文本更加拉近它與儒經儒術的距離。此外我們也看到，康有爲雖然指出「讖」的文字淺俗，但他也承認了這些文獻是得到帝室的垂青並爲王者所用的。而且，東漢的今文學家因爲恪守師法的緣故，

「莫不（由於）尊師而信緯」，但也為了要「尊王而並用讖」。
就算「讖」果真為王莽、劉歆輩所造，而光武卻實實在在「以
圖讖興，正定五經，皆命從讖」。漢代儒術，本即為帝王家謀
的經世致用之學。依康氏的說法，「圖讖」既以「尊王」而得
興，此正其經學之本色。所以，古文學家造「讖」的用心與秦
漢間「創始之難」的儒生實可說是異曲而同工。照這樣說來，
則「緯」與「讖」實俱是與以濟世謀國為出發點的漢代經學息
息相關的文獻了。我們知道，康有為是將今文經學與古文經學
二者之間的關係，當作是真孔學與假孔學，也就是「緯」與「讖」
兩方陣營之對立來處理的。如果我們能不受這一或許近乎極端
的看法所影響，而只純粹針對康氏的文字概念作平實的剖析，
則得以看出在其理論結構之中，「讖」與「緯」的內涵實都屬
於儒術經學的範疇，二者之分只是同一個學術傳統中先起與後
興的文獻之差別而已。這是康有為讖緯觀值得注意之處。

　　康長素若是流於偏激，那「清代今文學之穩健者」的皮鹿
門又有怎樣的讖緯觀呢？皮錫瑞在其首刊於光緒三十三年
（1907）的《經學歷史》一書中有數段言及讖緯的文字，足以
讓我們對他在這一課題上的看法有一個大體的了解。皮氏寫道：

> 漢有一種天人之學，而齊學尤盛。《伏傳》五行，《齊
> 詩》五際，《公羊春秋》多言災異，皆齊學也。《易》
> 有象數占驗，《禮》有明堂陰陽，不盡齊學，而其旨略
> 同。當時儒者以為人主至尊，無所畏憚，借天象以示儆，
> 庶使其君有失德者猶知恐懼修省。此《春秋》以元統天、
> 以天統君之義，亦《易》神道設教之旨。漢儒藉此以匡

正其主。……後世不明此義，言漢儒不應言災異，引讖緯，於是天變不足畏之說出矣。……不得以今人之所見非議古人也。……漢儒言災異，實有徵驗。……成帝時，夏賀良以為漢有再受命之祥，而應在光武。……故光武以赤伏符受命，深信讖緯。五經之義，皆以讖決。貫達以此與《左氏》，曹褒以此定漢禮，於是五經為外學，七緯為內學，遂成一代風氣。光武非愚闇妄信者，實以身試有驗之故。天人本不相遠，至誠可以前知。解此，則不必非光武，亦不必非董、劉、何、鄭矣。……且緯與讖有別。孔穎達以為「緯候之書，偽起哀、平」，其實不然。《史記·趙世家》云：「秦讖於是出」，〈秦本紀〉云：「亡秦者胡也」，「明年祖龍死」，皆讖文。圖讖本方士之書，與經義不相涉。漢儒增益祕緯，乃以讖文牽合經義。其合於經義者近純，其涉於讖文者多駁。故緯，純駁互見，未可一概詆之。其中多漢儒說經之文：如六日七分出《易緯》，周天三百六十度四分之一出《書緯》，夏以十三月為正云云出《樂緯》；後世解經，不能不引。三綱大義，名教所尊，而經無明文，出《禮緯·含文嘉》。馬融注《論語》引之，朱子注亦引之，豈得謂緯書皆邪說乎？歐陽修不信祥異，請刪五經註疏所引讖緯；幸當時無從其說者。從其說，將使註疏無完書。其後魏了翁編《五經要義》，略同歐陽之說，多去實證而取空言。當時若刪註疏，其去取必如《五經要義》，

> 浮詞無實，古義盡亡；即惠、戴諸公起於國朝，亦難乎
> 其爲力矣。[8]

從以上的論述可知，「讖緯」對皮錫瑞來說，是一套體現漢代儒術內容的文獻。他指出，西漢五經之學，雖然充滿五行、災異、象數、占驗、明堂陰陽的色彩，但漢代儒術的核心思想乃是「借天象以儆戒、匡正人主」。因爲當時「人主至尊，無所畏憚」。所以漢儒爲了要「使其君有失德者猶知恐懼修省」，不得不「言災異，引讖緯」。以此推之，則讖緯之講求徵驗吉凶，實漢儒學術本質的體現，所以它自然是與漢代經學極有關係的文獻。漢代學術的重心雖然是所謂的「天人之學」，但皮錫瑞相信這一套學問也並不是完全荒誕無稽的。他認爲，災異和占驗之說所以會使得王者動心，對之深信不疑，乃是因爲它們「實有徵驗」、得以讓人主「以身試有驗之故」。皮氏甚至嘗試對這一套學術的理據作解釋，說災異與機祥之所以會「實有徵驗」，可歸因於「天人本不相遠，至誠可以前知」的緣故。言下之意，是讖緯之書實不可完全以虛妄視之。讖緯既然是與漢代經術極有關係的文本，那必然是出自漢儒之手的文獻了？但在皮錫瑞上引文字的前半段中，似乎對此語焉不詳。他對這個問題的看法要到文章的後半段才比較清楚地表達出來。

我們看到，皮錫瑞後來明確地指出：「緯與讖（是）有分別（的）」。他說：「圖讖本方士之書，與經義不相涉」，但在「緯」之中則「多漢儒說經之文」。由此可見，皮氏對讖緯

---

[8] 〔清〕皮錫瑞：《經學歷史》（北京：中華書局，1981 年），頁 106，108，109。

也是採取一種兩分判別的理解的。在他眼中，所謂的讖緯，也是糅合了「緯」與「讖」兩種性質有所不同的材料為一體的文獻。不過，與康有為認為「讖」出自西漢儒生之手的看法有別的是：皮錫瑞以為「讖文」是源出於戰國先秦時期，為方士陰陽家所作的政治預言性質的文字；是原來並不屬於儒學體系的資料，而是後來漢儒為了要「增益祕緯，乃以讖文牽合經義」，才將之引入經學裡面來的。至於「緯」，他認為這一類文獻之中有一部分的內容可以確定是源出漢代經生之手，因而可算是屬於儒學體系的解釋經書的文字。為什麼只有某一些「緯」是與經義有關，其餘則不然呢？皮錫瑞的解釋是：就算是同樣被稱為「緯」的材料，其成分卻還有「純、駁」之分。那是因為漢儒當時將「讖文」引進來「增益祕緯」時，如果所引用的這些材料過於背離「經義」，則就會使得原來的「祕緯」變得駁雜而不純了；只有那些得到與「經義」並沒有大相悖反的「讖文」所「增益」了的「祕緯」才保有其「純」。

因此我們可以這樣理解：對皮錫瑞而言，「緯」是漢代的真儒生所立的釋經文字，也就是他所謂的，沒有受到偏離經書大義的「讖文」所稀釋了的「漢儒說經之文」。皮錫瑞之所以認為「讖與緯有別」，其「別」即在於「緯」比「讖」更「合於經義」。但到底要怎樣才算得是「合於經義」呢？我們若是對這個問題再加深究，就會發現皮氏這一讖緯觀看似有理，其實是有些進退失據的。主要便是因為他雖然將讖緯作如此一分為二的理解，但卻對「讖」與「緯」到底在性質上有何根本差異並沒有說清楚。根據他的闡述，這兩者的基本分別在於前者

淵源自戰國方士陰陽家之學，而後者則本於漢代儒生的經術。然而，我們看到皮錫瑞曾清楚指出，漢儒五經之學講的本即為陰陽五行、災異吉凶、象數占驗的內容。「緯」如果是漢代經生的釋經文字，其內容性質必然是與此有關的。若是如此，則漢儒的「緯」與方士陰陽家的「讖文」在性質上有何根本的不同？依照皮氏原來的思路來看，這兩者在性質上應該是相同的東西。所以皮錫瑞後來再將「讖緯」一分為二，在學理上實是頗為牽強的。我們仔細觀察就可看出，皮氏之前在討論漢儒及其學術的時候，言及「讖緯」時都是極為自然的將「緯」、「讖」二詞連綴並稱，當作是同一套材料來理解的。所以，當他在後文中竟說「緯與讖有別」的時候，實在是為他原來的理論流程製造了岔路。此外，還值得注意的是：皮錫瑞在把「讖緯」作兩分處理的時候，似有將「讖」的內容傾向於虛妄一端、而「緯」則偏向理性一端詮釋的意味。比如他所引的，可作為純正的「緯」的例子：《易緯》中的「六日七分」，《書緯》中的「周天三百六十度四分之一」，《樂緯》中的「夏以十三月為正」。如果這幾個例子確是具有代表性的「漢儒說經之文」，則它們似乎並沒有見證漢代經生天人之學言災異吉凶、象數徵驗的色彩。這些「緯」讓我們看到的，其實更多的是它們保存著的古代曆法或天象之學等，具有樸素的自然科學色彩的知識。

皮錫瑞一開篇立論即已坦承漢儒的「天人之學」有「神道設教」的色彩，他且為之解釋其不得不然的原因，並要人們「不得以今人之所見非議古人」。不過，後來他卻又轉而對漢代經生的學問曲為掩飾，刻意淡化漢代儒術的神秘色彩。皮錫瑞為

什麼會把讖與緯做兩分判別的處理，其動機正是本於這一用心而來。讖緯之書的災祥占驗之說與漢代經術的天人之學，本來就是在同一時代的學術母體之中孕育出來的。不論是以「讖」或以「緯」名之，讖緯的內容與漢儒所要發揮的經書大義之間有著難分難解的關係，這恐怕是一個難以否認的歷史事實。然而，我們看到的是皮錫瑞硬要把讖緯一分為二，將其中多涉及預言吉凶的部分歸之為「讖」，而言及自然現象等較具理性意味的文字則歸之為「緯」；然後再把前者與方士之說掛鉤，進而辯說只有後者才屬於真正的儒家「說經之文」。他如此強作解人，目的便是為了要彰顯漢儒說經的「緯」之「純」，以之對比方士陰陽家「讖文」之「駁」。可是，以這樣的兩分法來理解讖緯之書，那這一套文獻之中很大一部分的內容便要與漢儒沒有什麼關係了，因為它們已被認為是方士而非經生的文獻。康有為雖然認為「讖」是假孔學的文獻，只有「緯」才是真孔學的，但在他的理論中不論是讖或緯都是出於儒士經生之手的作品。所以，依照皮錫瑞讖緯觀的邏輯，讖緯之書有一大半與經書的關係反倒是被拉遠了。皮錫瑞在文末慶幸當年歐陽修因為「不信祥異」而「請刪五經註疏所引讖緯」，還好「無從其說者」。他感嘆，要不然將會使得「古義盡亡」了。從皮氏全文通觀其意，他所謂的「古義」指的當是保存在讖緯之中的，漢代經師即西漢今文學家的經說。這樣的理解是皮錫瑞學術立場的自然引申。但讖緯書中的「古義」是不是還可以作意義更廣的理解呢？劉師培的讖緯觀將為我們展現另一種思考。

三、「讖緯」與上古文明

劉師培有〈讖緯論〉一文,發表於光緒三十一年(1905)。原文頗長,節錄之如下:

> 粵在上古,民神雜糅,祝史之職特崇,地天之通未絕。合符受命,乃御宇而作。君持斗運機,即指天而立教。故禱祈有類于巫風,設教或憑乎神道。唐虞以降,神學未湮。玄龜錫禹,鳬鳥生商,降及成周,益崇術數。保章司占星之職,〈洪範〉詳錫疇之文。舊籍所陳,班班可考。王室東遷,厄言日出。狸首射侯于洛邑、雉鳴啟瑞于陳倉、趙襄獲符于常山、盧生奏圖于秦闕。推之三戶亡秦、五星聚漢。語非徵實,說或通靈。蓋史官失職,方技踵興。故說雜陰陽,仍出羲和之職守,而家為巫史,猶存苗俗之餘風。是為方士家言,實與儒書異軌。及武皇踐位,表章六經。方士之流,欲售其術,乃援飾遺經之語,別立讖緯之名,淆雜今文,號稱齊學。大約齊學多信讖緯,魯則不信讖緯。故玉帶獻明堂之制,兒寬草封禪之儀。卦氣、爻辰,京氏援之占《易》,五行災異,中壘用以釋《書》。經學之淆,至此始矣。乃世之論讖緯者,或謂溯源于孔氏,或謂創始于哀、平。吾謂讖緯之言,起源太古。然以經淆緯,始于西京;以緯儷經,基于東漢。故圖書秘記,不附六藝之科。翼、李、京、眭,弗列儒林之傳。劉略班書,彰彰可據。及光武建邦,兼崇讖緯,以為文因赤制、字別卯金,乃帝王受命之符,應炎曆中興之運,遂謂歷數在躬。實唐虞之符籙,陰嬉

撰考，亦洙泗之微言，尊為祕經，頒為功令。讖以輔緯，緯以正經。而儒生稽古，博士釋經，或注中候之文，或闡祕書之旨。故麟經作注，何休詳改制之文；虎觀論經，班固引微書之說。緯學之行，于斯為盛。夫察來彰往，立說誠妄紗不經，而隻句單詞，古籍或因文附著。試詳考之，得數善焉。……補史其善一，……考地其善二，……測天其善三，……考文其善四，……徵禮其善五……。（其餘）亦足助博物之功，輔多聞之益，殷周絕學，賴此可窺。……然敬天明鬼，實為古學之濫觴，以元統君，足儆後王之失德。是則漢崇讖學，雖近誣民，而隋禁緯書，亦為蔑古。學術替興，不可不察也。網羅散失，參稽異同，……刪彼蕪詞，獨標精旨。以緯書歸入天文曆譜類：庶天文曆譜，備存《七略》之遺。經自為經，緯自為緯：《鉤命》、《援神》不附六經之列。則校理祕文，掇拾墜簡，殆亦稽古者所樂聞，而博物家所不廢者與。[9]

劉師培的讖緯觀與康有為和皮錫瑞最為顯著的差異之處，是他似乎並不認為讖緯之書是由「讖」與「緯」這兩種性質有所不同的材料所組成的文獻。在他的行文之中，「讖緯」、「緯書」及「讖學」等名辭，表達的是同一個概念，都是指稱同一類文獻而言的。在劉師培的理解之中，讖緯其實是上古文化的殘留、遺裔。他說明：在「民神雜糅、地天之通未絕」的唐虞上古時代，君王需「指天而立教」，或「憑乎神道而設教」，因此先

---

9 〔清〕劉師培：〈讖緯論〉，《國粹學報·文篇》第 5 冊第 6 期（乙巳，1905），頁 6b-9a。

民溝通自然與人文世界的智慧統合於祝史、巫師的術藝之中。到了商、周時期，人們溝通天道與人道的技藝有了更繁複的發展，「益崇術數」，於是演進至有「保章司占星之職，洪範詳錫疇之文」。此時調和天人的學問則傳承於王官之學的體系之中。但當上古的社會與政治秩序崩解以後，古代文化的發展也經歷了一個巨大的轉折，「史官失職，方技踵興」。原來體系嚴整的學術技藝，析裂為枝繁藤蔓的新興家學，諸家各取一端，獨自發展。其中，方士陰陽家的學問即是與上古溝通天人的術藝淵源較深的一家。所以「方士之流」便得以在漢武帝的時候因利乘便，「援引遺經之語，別立讖緯之名」，以所謂「齊學」之名魚目混珠，躋身儒生的行列，並以陰陽術數之書「混淆」儒家的經典。可知，對劉師培而言，「讖緯」實乃出自方士之手的文獻，它並不是原屬儒家學術體系的材料。這整套文獻的學術源頭，是上古時代的祝史方士溝通天人之學。所以，它與儒家的六藝之學在性質上有著根本的不同。

對劉師培來說，讖緯之書是上古文化的殘留成分經過方士之手的提煉後再造出來的文獻。因為是殘留，所以它並未得古代學術之大體，再加上方士別有用心的發揮，「說雜陰陽」，所以從理性的視角審視，則讖緯之書「立說誠妄緲不經」，絕不可視之為儒學的內容。這裡值得注意的是，劉師培是從否定齊學為儒學正宗學問的這一基礎上來否認讖緯為儒家典籍、以及它與先秦儒門的傳授關係的。在他眼中，治齊學的經生用心所在之處，是如何將明堂、封禪、卦氣、爻辰、五行、災異等內容「援之」以釋經書。對劉師培而言，這些都不是原始儒家

傳下來的經書大義,只是方士以「讖緯」名之,「混淆今文」的術數之學。他因此慨嘆,「經學之淆,至此始矣」。劉氏因而以其自許的儒門正統的立場出發,認為必須嚴守界線:「方士家言,實與儒書異軌」、「經自為經、緯自為緯」;主張應該將掛上齊學之名而實出方士學術譜系的讖緯之書「歸入天文曆譜類」,「〈鈎命訣〉、〈援神契〉(等書)不(得)附(于)六經之列」。齊學既不是真儒生的學術,則讖緯自然與經書無涉。

我們看到,康有為雖然認為讖緯之書裡面有部分內容是出自西漢古文學家偽造的,但合於今文學家說的那一部分,他是確以之為源出先秦儒門的真傳。皮錫瑞雖然指出讖緯之中混夾有許多不是源出儒學體系的駁雜內容,但他並沒有因為「尤盛(言)天人之學」的齊學「言災異,引讖緯」而否認它也是漢代儒術的一環。他仍然認為,在「緯」之中「多漢儒說經之文」,並保存著不少孔門傳承下來的「古義」,所以不能說讖緯是與儒學經術完全沒有關係的文獻。然而,不必像康有為與皮錫瑞那樣有今文門戶要守持的劉師培,卻可以果斷(或許也是「武斷」)的把整套讖緯文獻與漢儒經術及先秦儒學的關係全盤割斷開來。

不過,劉師培一方面將讖緯之書與儒家經典脫鈎,另一方面卻從歷史主義的視角上來肯定其學術價值。劉氏以為,讖緯雖多無完篇,但其「隻句單詞」亦使得「古籍或因文附著」。他具體的指出:讖緯這一套文獻有五「善」可言,即補史、考地、測天、考文、徵禮。比如在補史方面:〈春秋緯命曆序〉

裡的「庖犧之號衣皮處穴」等文字，得以讓我們「識前民開創之艱」；〈遁甲開山圖〉裡的「石鼓銅刀」等文字，則可「溯古器變遷之跡」；在考地方面：〈春秋說題詞〉裡的「恒岱嵩華，既辨而正位，河淮渭洛亦（可幫助我們）思義而顧名」。可知，劉師培主要是基於我們還得以從這幾方面「一窺殷、周絕學」來肯定讖緯之書的。不過，從這樣的視角觀照讖緯，則它已不再是經學而是史學，尤其是幫助我們了解上古歷史的文獻資料了。

　　進入民國以後，經師學人在讖緯觀上的這一轉折，有更加顯著的發展。我們看到，在 1930 年代周予同就曾經說道：章學誠所主張的「六經皆史」之說，對「現階段的中國經學研究」而言，已經讓人「感到不夠」了。他以為，目前應該要有的認識是：「明白地主張『六經皆史料』」。[10]周氏在讖緯研究方面的專著，正可視為他所代表的這一種時代觀念的注腳。

　　早在 1926 年，周予同就發表了〈緯書與經今古文學〉一文。在這篇文章中，周氏首先嘗試對「讖」和「緯」的概念問題加以澄清。他認為在「廣義」的層面上，二者「一樣泛指當時一切講術數占驗的文字，以及非文字的口說」。但在「狹義」的層面上，「緯」及「讖」二詞則各有特指的義涵；前者「專指與六經的關係稍為密切的『七緯』而言」，後者則「專指當時所謂的『河圖』、『洛書』而言」。不過，周予同的基本觀點則是：「緯、讖、圖、書、中候、符命、籙，雖然含義各有異

10　周予同：〈治經與治史〉，見朱維錚編：《周予同經學史論著選集》，增訂本（上海：上海人民出版社，1996 年），頁 622。

同，但同是陰陽家的支裔，同是儒家與方士混合的產品，同含
有宗教的迷信氣息」。這就是說，對周氏而言：「讖」、「緯」
雖異名而同實。其原因就在於二者的核心內容，實發源於「古
代陰陽家的思想」。根據周予同的闡述，最早的讖緯之書是經
古代陰陽家之手創作出來的，這一類文獻接著又「起於嬴秦，
出於西漢哀平，而大興於東漢」。他指出，「誦法孔子的儒生
與方士的混合，在秦代已開始」。西漢時期的董仲舒、李尋、
京房等便是「五經家混合於方士之例」，「今文學所謂的天人
相與之學，所謂的陰陽災異之談，其實都是讖緯的『前身』或
『變相』，齊學就是方士學」。到了東漢，「古文學家及混淆
今古文學者，其對於讖緯也有相當的信仰」。他以為，「劉歆
是古文學的開創者，賈逵是古文學大師，尚信賴讖緯」，此外，
「混淆今古文學家法的，首推鄭玄，而鄭玄對於讖緯，不僅不
排擯，而且為之註釋」。可見，周予同雖然說「齊學就是方士
學」，但他並沒有將「陰陽災異之談，天人相與之學」視為儒
門體系以外的學術內容。因為他認為秦、漢以來的儒術，乃是
已經與方士之學合為一體的學術。此外，與劉師培更為不同的
是，周予同還認為兩漢儒生不論是宗今文經、古文經，或甚至
是混淆今古文者，對讖緯都是有著一種真誠的「信仰」的。當
時整個學術大氣候，本是如此；批判讖緯的學者，只有極少數。
而這些反對者「都是完全出於個人見解的超脫」，而和「經學
學統沒有多大關係」的。[11]因此，依照周氏的理解，天人相與之

---

[11] 周予同：〈緯書與經今古文學〉，朱維錚編：《周予同經學史論著選集》，
頁 40-69。

學、陰陽災異之談原本就是漢代儒術的主體內容，則讖緯理所當然是與漢代經學極有關係的文獻。不過，讖緯的學術來歷並不只此而已，周予同既認為讖緯發源於古代陰陽家的思想，則讖緯非但是漢代經學的文獻，它還存有上古原人思想的遺脈。

其實，周予同的讖緯觀最值得注意的地方，是他雖然指出陰陽家的天人災異之學與儒家的五經之學合而為一，起因於「誦法孔子的儒生」與方士先後在秦、漢兩時期的「混合」，不過卻闡明二者之所以能水乳交融的最根本原因，實由於最初「孔子的去鬼神而取術數」，這才是「緯書產生的遠因」。周氏指出：源出於古代陰陽家之手的一套學術思想遞經演變，在不同的歷史時期，曾經演化或分化出以不同的名稱及面貌出現的支流遺裔。「在春秋以前，陰陽家專言數術鬼神，集原人思想的大成，實握有支配全社會民眾的權威」；而自周代中晚以後，陰陽家的思想則「一變而入孔、墨，再變而為方士、經生、黃老」，進而「三變而成道教」。自成一家的儒、墨、道，為什麼都會與集原人思想之大成的陰陽家有淵源呢？周予同的解釋是：道家的老子是「就哲學的見地，反對數術鬼神」的，儒家的孔子則「以自成其中庸的折衷的灰色態度，取數術而捨鬼神」，而墨家的墨子則「捨數術而取鬼神」。不過，「道家反對陰陽家而未竟全功，而儒家、墨家，則僅為陰陽家的修正者或妥協者」。因此，諸家各有所偏，這樣的發展所造成的流弊是：到了「秦、漢之間，除墨家流為遊俠一派外，如五經家、如黃老家，都是冒孔老的招牌，宣傳陰陽家的思想，而與所謂的『方士』者一鼻孔出氣」。因此周予同的結論是：「假設孔

子絕對的、分毫不妥協的排斥數術,則方士化的緯書,或決不至假借儒家的招牌,而自附於六經之後」。[12]如此說來,則儒生會與方士合流,從而使讖緯得以成為六經之羽翼,歸根究底實由於遠在秦、漢以前儒家的創始者及傳人未能完整的抗拒「陰陽家的遺毒」之緣故。儒學的體質內正是因為從一開始就具有言天人災異的成分,所以後來五經家與方士的匯流才能如此自然地水到渠成。如是,則讖緯當然不只是體現漢代經術的內容而已,它亦承載著先秦儒家的傳統;而孔子之學又是在周代始創之際,就與上古陰陽家的術數之學有著密切的關係的。讖緯之書既蘊藏著絲絲縷縷的先民思想,所以它自然是可供我們探究上古社會面貌的絕佳史料。周予同曾表明:只有以「最新最近的宗教學、民俗學、文化人類學的觀點」,來「窺探中國上古社會的真相」,才能算得上是對「經典」作「較高級的分析工作」。[13]周氏的讖緯研究,可說正是本著這一信念而展開的。例如他在〈讖緯中的孔聖與他的門徒〉一文中,開宗明義即「希望研究原始宗教的謠俗的學者」,對他在本文中「所搜集的材料加以注意」。[14]劉師培在傳統學術的框架下,看到讖緯可作為補史、考地、測天、考文、徵禮等方面的資料,認為我們或許能夠借之一窺殷周絕學。到了周予同的時候,讖緯更成了以現代學術的理論研究古代社會的史料了。

---

[12] 同前注。

[13] 同前注,頁 635。

[14] 同前注,頁 292。另外,周氏在〈讖緯中的「皇」與「帝」〉一文中也說道:「讖緯裡的神話和傳說可認為是兩漢以前的民俗學或宗教學的可珍貴的材料」,見同書,頁 422。

四、結論

　　在康有爲眼中，「緯」是西漢今文經生承自先秦儒師的眞孔學，「讖」則是古文經師「自立」的假孔學。不過，縱使康氏作如此兩分判別的處理，在他的思維中，不論以「讖」或「緯」名之，讖緯之書實際上都是體現經義的文獻。皮錫瑞亦以爲「緯」、「讖」有別。但是在他的闡釋中，後者卻是「與經義不相涉」的，只有前者才「合於經義」。縱然如此，皮氏之用心，仍在力證「緯書」是圍繞經書大義而立說的文字。劉師培則以「讖緯」爲一體，不將之再分爲「讖」及「緯」。對他而言，讖緯就是方士以齊學爲名所創作出來的文獻，而不是正宗的儒家學術。既非儒門眞義，自然不必從經義的層面去肯定它。但劉氏卻多走了一步，從讖緯可以作爲窺探古代絕學的材料這一方面來彰顯其客觀價值。如此一來，讖緯之書的經義價值漸泯，反倒以作爲史料而見重了。周予同亦以爲「讖」、「緯」異名而同實，而他對讖緯的關注，是以如何利用它作爲現代學術研究上古社會的史料爲出發點的。十九、二十世紀之交是中國學術正在經歷一段轉舊折新的歷史時期，經學的史學化可說亦是此大變局中的一個局部反映。本文敘論清末民初學人在讖緯觀上的轉折變化，或可作爲經學領域中此一發展的微觀縮影。

國家圖書館出版品預行編目資料

經學的多元脈絡：文獻、動機、義理、社群

勞悅強、梁秉賦主編. – 初版. – 臺北市：臺灣學生，2008.10
面；公分

ISBN 978-957-15-1432-1(精裝)
ISBN 978-957-15-1431-4(平裝)

1. 經學史 2. 中國

090.92   97020607

經學的多元脈絡：文獻、動機、義理、社群（全一冊）

主　　　編：勞　悅　強　、　梁　秉　賦
出　版　者：臺　灣　學　生　書　局　有　限　公　司
發　行　人：盧　　　　　保　　　　　宏
發　行　所：臺　灣　學　生　書　局　有　限　公　司
　　　　　　臺 北 市 和 平 東 路 一 段 一 九 八 號
　　　　　　郵 政 劃 撥 帳 號 ： 0 0 0 2 4 6 6 8
　　　　　　電　話 ： (0 2) 2 3 6 3 4 1 5 6
　　　　　　傳　眞 ： (0 2) 2 3 6 3 6 3 3 4
　　　　　　E-mail：student.book@msa.hinet.net
　　　　　　http：//www.studentbooks.com.tw

本書局登
記證字號　：行政院新聞局局版北市業字第玖捌壹號

印　刷　所：長　欣　印　刷　企　業　社
　　　　　　中 和 市 永 和 路 三 六 三 巷 四 二 號
　　　　　　電　話 ： (0 2) 2 2 2 6 8 8 5 3

定價：精裝新臺幣五四○元
　　　平裝新臺幣四四○元

西 元 二 ○ ○ 八 年 十 月 初 版

09091　　　　　有著作權‧侵害必究
　　　　　　ISBN 978-957-15-1432-1(精裝)
　　　　　　ISBN 978-957-15-1431-4(平裝)

臺灣 **學生書局** 出版

文獻與詮釋研究論叢